Alfred Fritsche

Dekadenz im Werk Arthur Schnitzlers

Europäische Hochschulschriften

European University Papers
Publications Universitaires Européennes

Reihe I

Deutsche Literatur und Germanistik

Série I   Series I

Langue et littérature allemandes
German language and literature

Bd./Vol. 98

Alfred Fritsche

Dekadenz im Werk Arthur Schnitzlers

Herbert Lang Bern
Peter Lang Frankfurt/M.
1974

Alfred Fritsche

Dekadenz im Werk Arthur Schnitzlers

Herbert Lang Bern
Peter Lang Frankfurt/M.
1974

ISBN 3 261 01375 3

- 3 -

INHALTSVERZEICHNIS

I. EINLEITUNG

Ziel des einleitenden Abschnitts ist es, den vielschichti-
gen Begriff Dekadenz differenzierter zu fassen und neue
Akzente zu setzen, d.h. dem starken Bedeutungswandel des
Ausdrucks Rechnung zu tragen, den Begriff auf seine Taug-
lichkeit für das sogenannte Fin de siècle in Wien hin zu
prüfen und ihn schliesslich von der traditionell überwiegend negativen Beurteilung zu befreien. Der Untersuchung
liegt eine literaturwissenschaftliche Themenstellung zugrunde, und daher wird die Deutung belletristischer Texte
im Vordergrund stehen. Dass ein Motiv wie das der Dekadenz aber nicht losgelöst von Fragen der Kulturgeschich-
te, der Politik und der Gesellschaft studiert werden
kann, liegt auf der Hand. Sie werden Gegenstand zweier
eigens die Begriffsgeschichte und den politischen, sozialen und kulturellen Hintergrund der Dekadenz im Werk
Arthur Schnitzlers behandelnder Kapitel sein.

Dekadenz bedeutet im allgemeinen Sprachgebrauch soviel
wie Verfall, Entartung, Untergang; décadent bezeichnet
den Menschen, welcher Dekadenz zu seinem Lebensprinzip
erhoben hat. Insbesondere mit dem ausgehenden 19. Jahrhundert in Verbindung gebracht, ergibt sich jedoch eine
Vielfalt des Sinnes, der nicht mehr nur "alles, was hin-
abzieht, kraftlos, zersetzend, ungesund, morbide, ent-
artet, anormal (...), kurz alles, was zum Negativen ten-
diert und keine Aufstiegsmöglichkeit bietet" ein-
schliesst, sondern auch alles, was "nervös, überfeinert,

übersteigert, überkultiviert ist".[1] Damit erfährt die
ausschliesslich negative Bedeutung des Begriffs Dekadenz
eine entscheidende Erweiterung, denn die ausgeprägte
Reizbarkeit und Feinheit der Nerven dekadenter Figuren
brauchen nicht zwangsläufig in Neurasthenie umzuschla-
gen. Vielmehr wird dadurch ein vorzügliches Sensorium
für Nuancen, für Halb- und Zwischentöne, für Stimmungen
und für das Ausloten diffiziler Spannungen und Abgründe
der Seele geschaffen. Dies bedeutet neuen Reichtum.
Leichte Irritierbarkeit der Nerven heisst zugleich aber
auch Sensibilisierung der Sinne, was den Begriff Dekadenz in engen Zusammenhang mit dem Impressionismus
bringt, eine Problematik, die in den folgenden Kapiteln
mehrfach zur Sprache kommen wird.

Die Verfeinerung der Sinne stellt indessen nur eine Seite des Dekadenzbegriffs dar, jedoch gewissermassen den
Ausgangspunkt für eine ganze Reihe von bezeichnenden
Wesensmerkmalen. Zu erwähnen sind hier vornehmlich der
Aesthetizismus, ein alle Bereiche des Lebens erfassen-
der Pessimismus, ein Hang zur Relativierung der Realität und die über allem lastende Atmosphäre der Ueberreife und Spätzeitlichkeit. Doch zieht der Begriff noch
weitere Kreise. Neben dieser Mischung aus Melancholie
und Wirklichkeitsskeptizismus, Ueberfeinerung der Sinne
und Aesthetizismus gehören auch Exotismus, Dandysmus,
Boheme, Lebensekstase und Asthenie, Verderbtheit und

---

1) Zitiert nach H. Rheinländer-Schmitt: Dekadenz und
   ihre Ueberwindung bei Hofmannsthal. Diss. Münster
   i.W. 1936, S. 5. Für sie ist Dekadenz "natürlich
   (...) immer eine negative Angelegenheit".

Erotomanie, ja sogar Perversion und Satanismus in den
Sinnbereich der Dekadenz. Es kann sich aber hier nicht
darum handeln, den Dekadenzbegriff in Form einer allgemeinen Wesensbestimmung zu erforschen.[1] Wir be-
schränken uns bewusst auf die Erscheinungsform der Dekadenz im Wiener Fin de siècle.

Der Begriff Fin de siècle ist mit Dekadenz und Dekadenzdichtung aufs engste verbunden, gelegentlich werden die
beiden Ausdrücke gar als eigentliche Synonyme gleichgesetzt. Allerdings meint Fin de siècle sehr oft nur die
Epoche des endenden 19. Jahrhunderts in der Bedeutung
der Uebersetzung 'Jahrhundertwende' also. Sonderbarer-
weise ist Fin de siècle in diesem Sinn im französischen
Sprachgebrauch unbekannt. Der Ausdruck wurde vom gleich-
lautenden Titel einer 1884 oder 1888 entstandenen Komödie zweier heute vergessenen Autoren, de Jouvenot und
Micard, übernommen. In die deutsche Sprache eingedrungen ist der Begriff, wie übrigens vermutlich auch Dekadenz als terminus der Literaturwissenschaft, durch
Hermann Bahr, den Mentor von Jung-Wien. Dies ist mit ein
Grund, weshalb Fin de siècle meist mit jenem Dichterkreis in Verbindung gebracht wird, und zwar als Ausdruck
für die besondere Atmosphäre und Gemütsstimmung im Wien
der Jahrhundertwende. Der Sinngehalt von Fin de siècle
ist mit diesen Beschränkungen für die vorliegende Arbeit freilich zu begrenzt, um als gleichbedeutender Begriff neben Dekadenz zu dienen, obwohl ihm ein gewisser

---

1) Dies leisten zahlreiche andere Arbeiten, vor allem
   W. Wille: Studien zur Dekadenz in Romanen um die
   Jahrhundertwende. Diss. Greifswald 1930, und E. von
   Sydow: Die Kultur der Dekadenz. Dresden 1921; ferner
   P.W. Krüger: Das Dekadenzproblem bei Jacob Burck-
   hardt. Basel 1930, R. Geissler: Dekadenz und Herois-
   mus. Zeitroman und völkisch-nationalsozialistische
   Literaturkritik; Schriftenreihe der Vierteljahrshefte
   für Zeitgeschichte, Nr. 9, Stuttgart 1964. Vgl. hiezu
   Bibliographie.
   S. 274 ff.

Lokalkolorit zukäme. Anderseits wird der Ausdruck Dekadenz
im Zusammenhang mit Schnitzler oder seinem Werk vereinzelt als unzutreffend empfunden.[1] Der Grund hierfür
dürfte in der Tatsache zu suchen sein, dass er in der
völkisch-nationalsozialistischen (wie übrigens auch in
der heutigen osteuropäischen) Literaturkritik ausschliesslich negativ bewertet wird. Daraus resultiert eine noch heute nachwirkende Belastung des Begriffs Dekadenz. R. Geissler ist in seiner aufschlussreichen Studie
"Dekadenz und Heroismus. Zeitroman und völkisch-nationalsozialistische Literaturkritik" anhand exemplarischer
Analysen "dekadenter Romane" - unter wenigen anderen
stehen Schnitzlers "Therese" und Joseph Roths "Radetzkymarsch" im Zentrum der Untersuchung - den Bedeutungska-
tegorien der Literaturkritik vor und während des Dritten
Reiches nachgegangen. Er kommt zum Schluss, dass "Dekadenz (...) in der völkisch-nationalsozialistischen Li-
teraturpropaganda nicht im Sinne einer Wesenserhellung,
sondern als ein 'Totschlagwort' mit rein destruktiver
Akzentuierung gebraucht" wird. "Die Ambivalenz im Begriff selber, die im Verhältnis von Krankheit und Geist
zum Ausdruck kommt, wird ignoriert."[2] Dass das Urteil
jener Literaturkritik über Schnitzlers Werk vernichtend
ausfiel, verwundert wenig: Figuren wie Anatol oder
Therese Fabiani, Filippo Loschi oder Felix und Motive
wie das des Verlustes der Sicherheit durch die Relati-

---

1) Insbesondere W.H. Rey: Arthur Schnitzler. Die späte
   Prosa als Gipfel seines Schaffens. Berlin 1968,
   S. 12, 15.
2) op. cit. S. 48.

vierung der Wirklichkeit oder der Lebensmüdigkeit bieten
Angriffsflächen genug für Bewertungsmassstäbe, wo "vitale Kunst", "lebensschaffende, lebenserhöhende Kunst"
als oberstes Gebot gepriesen wird. Zudem war Schnitzler
Jude, und Adolf Bartels fragte sich ja, "ob die Dekadenz
nicht zu einem Teil stets vom Judentum verursacht ist".[1]

Angesichts dieser Sachlage erscheint eine Klarstellung
des Begriffes Dekadenz dringend notwendig, was allerdings nicht heisst, die Schnitzler-Literatur vor 1945
wäre wertlos. Gerade eine Arbeit wie die Dissertation
Bernhard Blumes, "Das nihilistische Weltbild Schnitzlers"
(1936, entstanden unter H. Pongs) darf mit Recht als
"grundlegende, bis heute massgebende Studie" bezeichnet
werden.[2] Schnitzlers Oeuvre gehört zur Dekadenzliteratur, freilich nicht nach völkisch-nationalsozialistischen Bewertungskategorien. Vielmehr sind die Gründe in
der besondern Ausformung des Impressionismus im Wien der
Jahrhundertwende und dessen Niederschlag auf Figuren und
Motive zu suchen. Daher wird im folgenden auch oft von
verfeinerter Dekadenz gesprochen werden. Es gilt ausserdem, noch ein weiteres Klischee aus dem Weg zu räumen:
Arthur Schnitzler selber war kein décadent, schon gar
nicht im Sinne französischer Symbolisten. Als typischer
Repräsentant des Wiener Grossbürgertums, "Arzt und Sohn
eines Arztes, also Beobachter und Skeptiker von Beruf,
ein Kind der obern Bourgeoisie und des endenden 19. Jahr-

---

1) A. Bartels: Jüdische Herkunft und Literaturwissenschaft. Leipzig 1925, S. 10. Zit. nach R. Geissler,
   op. cit. S. 51.
2) Nach dem Urteil E.L. Offermanns: Anatol. Texte und
   Materialien zur Interpretation. Berlin 1964. Man vgl.
   dazu den Nachweis 5 in: W.H. Rey, op. cit. S. 197.

hunderts, einer skeptischen, beobachtenden und 'historischen' Epoche, nicht ohne innere Affinitäten mit französischem Wesen und der Kultur des 18. Jahrhunderts",[1]
ist er von seiner Person und seinem Temperament her kaum
mit einem Baudelaire oder Verlaine und auch nicht mit
Peter Altenberg, dem Bohemien unter den Jung-Wienern, zu
vergleichen. Gewiss liessen sich Stellen aus seiner Autobiographie "Jugend in Wien" oder Zeugnisse von Zeit-
genossen heranziehen, die vor allem beim jungen
Schnitzler auf einen gewissen Hang zur Extravaganz hin-
weisen. Im Grunde war Schnitzler ein von naturwissen-
schaftlichem Denken bestimmter Mensch mit einer Vorliebe
für genaue Analysen. Auf Schritt und Tritt verrät sein
Werk das geübte Auge des Psychoanalytikers, aber ebenso
das des Skeptikers mit bedingungsloser Diesseitsorien-
tierung. Man könnte, zumindest in bezug auf das Prosa-
werk, aufgrund von Schnitzlers objektiv-distanzierten
Erzählhaltung, von einer Art diagnostischem Realismus
sprechen. Das Werk Schnitzlers ist weitgehend Zergliederung; es ist mehr als nur so etwas wie die Chronik eines
Zerfalls, sozusagen Abgesang auf die sterbende Donaumonarchie unter dem Szepter Kaiser Franz Josephs. Sein
Anliegen ist aber auch nicht vordergründig Sozialkritik.
Er schreibt keine ätzenden Standessatiren. Schnitzler
spürte den herannahenden Untergang, doch es fehlt jede
Spur eines Eingreifens;[2] es bleibt bei Deskription und
nüchterner Analyse ohne Wertung und Stellungnahme.

---

1) H. v. Hofmannsthal: Aufzeichnungen. op. cit. S. 272.
2) H. Singer: Zeit und Gesellschaft im Werk Schnitzlers.
   Diss. Wien 1948, S. 21 f.

Wenn hier von Dekadenz die Rede ist, so geschieht dies
grundsätzlich wertungsfrei, denn die Tatsache, dass
Schnitzlers Werk zur Dekadenzliteratur gehört, was wohl
kaum wegdiskutiert werden kann, sagt nichts über dessen
Wert oder Unwert aus. Der Dekadenzcharakter des Oeuvres
lässt sich an Motiven wie Figuren und sogar an gewissen
Form- und Stilstrukturen ausmachen. Wenn die Werke,
welche herangezogen werden, nur eine Auswahl darstellen,
so deshalb, weil, neben praktischen Gründen, auch von
der Qualität her im Oeuvre Schnitzlers ein erhebliches
Gefälle zu verzeichnen ist.[1] Zudem wiederholen sich die
Motive stets, und auch die typischen Figuren treten
immer wieder unter anderen Namen auf. Die eingangs aufgestellte Behauptung, dass Dekadenz nicht nur Zerfall
und Entartung, sondern, und im Falle der Dekadenzliteratur des ausgehenden 19. Jahrhunderts ganz besonders,
durchaus auch Bereicherung bedeutet, wird sich im inter-
pretatorischen Teil dieser Arbeit zeigen. Die Dekadenzliteratur des Fin de siècle erschliesst Bereiche, die
bis zu jenem Zeitpunkt weitgehend unbeachtet geblieben
sind. Die Forderung, die zu Beginn dieser Einleitung
erhoben wird, den Begriff Dekadenz von der traditionell
überwiegend negativen Beurteilung zu befreien, hat daher auch zum Ziel, dem, was die Dekadenzliteratur Neues
gebracht hat, Rechnung zu tragen. Emile Zola hat es in
seiner Essaysammlung "Mes Haines" (1870), worunter sich
eine Studie über "Germinie Lacerteux" der Brüder Gon-
court findet, etwas überspitzt so formuliert:

---

1) Vgl. ausserdem die Aeusserungen Schnitzlers dazu in:
   Der Nachlass A. Schnitzlers. München 1969, S. 36.

"J'aime les ragoûts littéraires fortement
épicés, les oeuvres de décadence où une
sorte de sensibilité maladive remplace
la santé plantureuse des époques clas-
siques."[1]

---

1) E. Zola: Les Oeuvres complètes. Band 31, Mes Haines.
   Paris et Genève 1969, S. 83.

II. DEKADENZLITERATUR IM EUROPA DES AUSGEHENDEN 19. JAHRHUNDERTS

Währenddem die Einleitung sich mit dem Sinngehalt des Begriffs Dekadenz und seiner Komplexität befasst, soll hier versucht werden, die Dekadenzliteratur im Wien des Fin de siècle - den Dichterkreis Jung Wien und im besondern Arthur Schnitzler - in einen grösseren Entwicklungszusammenhang zu stellen. Es geht dabei weniger um eine weitausholende literarhistorische Betrachtung und auch nicht um den Einfluss politischer und kulturgeschichtlicher Gegebenheiten, als vielmehr um eine synchrone Skizze der Dekadenzliteratur in Europa in der zweiten Hälfte des 19. Jahrhunderts. Die Ueberlegung, dass es sich bei der Dekadenzliteratur nicht um eine eigentliche Stilrichtung, sondern um den Ausdruck eines in der Literatur ihren Niederschlag findenden besonderen Lebensstils und einer besonderen Lebensstimmung einer Strömung in Europa, die bei Baudelaire ihren Anfang nahm und sich bis über die Jahrhundertwende hinaus erstreckte. Es kam dabei kaum zu einer Art örtlicher Konzentration und Zentrumsbildung. Die Ballungsmittelpunkte befanden sich in Paris wie auch in Wien, in Skandinavien wie auch in Russland, in Italien wie in England. Namen wie Baudelaire, Verlaine, Bahr, Hofmannsthal, Schnitzler, Jacobsen, Ibsen, Tschechow, d'Annunzio, Nietzsche, Rilke, Wedekind und viele andere sind mit dem Begriff Dekadenzliteratur verknüpft und zeigen zugleich die weite Verbreitung, sodass man in der Tat von einer europäischen Erscheinung sprechen kann. Ihre Werke tragen auf verschiedenartige Weise die Merkmale der Dekadenz, wenngleich sie nicht immer das Ergebnis dekadenten Lebensstils des Dichters sein müssen. Die Darstellung der Vertreter der Dekadenzliteratur mit ihren Merkmalen und Unterschieden, ihrem gegenseitigen Ein-

fluss, ein Exkurs über Nietzsche und eine etwas eingehen-
dere Betrachtung des Jungen Wien sind Gegenstand dieses
Kapitels.

Die Wurzeln der modernen literarischen Dekadenzbewegung
sind in der Spätromantik Frankreichs zu suchen. Nach dem
Scheitern der Revolution von 1848 bahnen sich neue Strömungen in Literatur und Kunst den Weg. Sie wenden sich
gegen die Romantik, tragen aber deren Stigmata. Diese
Entwicklung hat ihren Propheten, der, anfänglich zum Kreis
der "ultra-romantiques" um Théophile Gautier gehörend, die
Romantik als einen himmlischen aber auch teuflischen Segen
preist: Charles Baudelaire. Sowohl durch sein Werk als
auch durch seine Person und Weltanschauung war er Vorbild
für Generationen. Seine "Fleurs du Mal", 1857 von der
Sechsten Strafkammer in Paris verurteilt, wurden zum Fa-
nal für eine neue Literaturepoche. Sie prägten die Lyrik
Europas bis ins 20. Jahrhundert.

Baudelaire verkörperte Dekadenz schlechthin, und zwar
mit einer Kongruenz von Leben und Werk, wie sie nur selten in ähnlicher Reinheit Verwirklichung gefunden hat.
Von ihm geht jene literarische Bewegung aus, der französische Symbolismus, der Dekadenz gewissermassen zum Dog-
ma erhebt, für den Dekadenz Lebensgefühl und Lebensstil
bestimmen: gänzliches Fehlen von Lebensfreude, der
"spleen"; zugleich aber auch "idéal", Vergeistigung in
höchster Vollendung; permanente Opposition gegen Konvention und Tradition; Ausgestossensein aus der Gesellschaft, Abscheu vor dem Alltäglichen, dem Banalen; Hang
zur Verfeinerung der Sinne und Streben nach Vollkommenheit und untadeliger Schönheit der Sprache. Die "Fleurs
du Mal" wurden zum Evangelium der Symbolisten, welche
Freude und Glück der Romantiker mit den Qualen des End-

zeitbewusstseins und der Melancholie der Dekadenz ver-
tauschten. "Le monde va finir. La seule raison pour la-
quelle il pourrait durer, c'est qu'il existe. Que cette
raison est faible, comparée à toutes celles qui annon-
cent le contraire, particulièrement à celle-ci: qu'est-
ce que le monde a désormais à faire sous le ciel?"[1]
heisst es in den "Journaux intimes" von Baudelaire. Dieser düstere Zukunftspessimismus bestimmt die Grundstimmung seines Werks, ist aber gleichzeitig der auslösende
und seine Schaffenskraft beflügelnde Faktor. Baudelaire
pflegt dieses Endzeitgefühl und dessen Auswirkungen auf
den psychischen Zustand mit selbstquälerischem Schauer,
schürt und geniesst den aufkommenden Wahnsinn mit freu-
digem Entsetzen: "J'ai cultivé mon hystérie avec
jouissance et terreur. Maintenant j'ai toujours le ver-
tige, et aujourd'hui 23 janvier 1862, j'ai subi un
singulier avertissement, j'ai senti passer sur moi le
vent de l'aile de l'imbécillité."[2]

Der Glaube an die Verworfenheit des Menschen wird in
Gedichten wie "Obsession" oder "Le goût du néant" deutlich. So heisst es in den Schlussversen des letzteren:

> "Et le Temps m'engloutit minute par minute,
> Comme la neige immense un corps pris de
> roideur;
> Je contemple d'en haut le globe en sa rondeur
> Et je n'y cherche plus l'abri d'une cahute.
>
> Avalanche, veux-tu m'emporter dans ta chute?"[3]

---

1) Ch. Baudelaire: Oeuvres complètes, Genève 1967,
   Band 4, S. 422.
2) ebda. S. 425.
3) op. cit. Band 1, S. 148.

Die Verdammnis droht jedem unausweichlich, der Mensch ist
unrettbar verloren, wird gleichsam als eine Dissonanz
in der göttlichen Schöpfung verstanden. So sehr bei Baudelaire das Ich im Zentrum seiner Lyrik steht, so ist
doch nicht nur sein eigenes Leben und sein eigener Erfah-
rungs- und Erlebnisbereich einbezogen. Die "Fleurs du
Mal" tragen kaum autobiographische Züge, sie sind keine
Geständnislyrik. Es manifestiert sich hier bei Baudelaire
ein Ausbrechen aus der hergebrachten Harmonie von per-
sönlichem Erleben und der daraus resultierenden Dichtung,
wie es in der Romantik weitgehend üblich war. Baudelaire
sieht sich, wie auch seinen Leser, den er "mon semblable,
mon frère" nennt, als Erleider seiner Zeit, hin und her
gerissen zwischen "Dieu" und "satan". Die Katastrophe des
Daseins, der "spleen", so allbeherrschend er auch sein
mag, schliesst doch die Vergeistigung und die Sehnsucht
nach der Vollkommenheit, das "idéal", nicht aus, zumindest vorläufig nicht. Diese "dualité", deren Ursprung
im Sündenfall zu suchen ist, nämlich dem Uebertritt der
Einheit in die Zweiheit, beherrscht Baudelaires Denken
und tritt in seinem Werk leitmotivisch zutage. Es ist
der Antagonismus zwischen "animalité" und "spirituali-
té", zwischen Menschlichem und Göttlichem, zwischen dem
Unreinen und dem Reinen. Noch bei Valérys "Ebauche d'un
serpent" wird diese Dualität sichtbar sein:

> "-- Cette soif qui te fit géant,
> Jusqu'à l'Etre exalte l'étrange
> Toute-Puissance du Néant!"[1]

---

1) P. Valéry: Oeuvres, Bibliothèque de la Pléiade, Paris
   1957, S. 146.

Indem der Mensch erkennt, erhebt er sich über die dunkeln
Mächte und wird dadurch befähigt, sein Dasein zu begrei-
fen. Auch Baudelaire kennt die ascensio. Sein Gedicht
"Elévation" ist dafür ein beredtes Zeugnis. Es steht in
der ersten Gedichtgruppe der "Fleurs du Mal", die mit
"Spleen et Idéal" betitelt ist. Walter Benjamin bemerkt
dazu: "Der Spleen ist das Gefühl, das der Katastrophe in
Permanenz entspricht."[1] Dies wird in den nächsten Kapiteln der "Fleurs du Mal" folgerichtig weiterentwickelt.
Die "Tableaux parisiens" enthalten die Flucht in das
Grossstadtleben, um dem drohenden Verhängnis auszuwei-
chen. Vergeblich! Auch der Rausch ("Le vin") bringt
nicht die ersehnte Erlösung; die aufkommende Zerstörung
schreitet akzelerierend voran. Die der Gedichtsammlung
den Titel verleihende vierte Gruppe, "Les Fleurs du
Mal", vergrössert das qualvolle Grauen und treibt Baudelaire zur Blasphemie in den "Litanies du Satan" ("Révolte"): "O Satan, prends pitié de ma longue misère!" Es
bleibt "La mort". Der Tiefpunkt ist erreicht.

Schon der äussere Aufbau der "Fleurs du Mal" zeigt den
unaufhaltsamen Niedergang bis zum Abgrund. Alle Versuche, dem Untergang zu entgehen, scheitern. Die "Fleurs
du Mal" zeigen aber auch die Radikalität Baudelairescher
Dekadenzauffassung: sie schliesst auch seine eigene Person mit ein:

> "Je suis de mon coeur le vampire,
> -- Un de ces grands abandonnés
> Au rire éternel condamnés,
> Et qui ne peuvent plus sourire!"[2]

---

1) W. Benjamin: Illuminationen. Ausgewählte Schriften.
   Hrsg.v.S. Unseld. Frankfurt a.M. 1969, S. 247.
2) op. cit. Band 1, S. 154.

Baudelaire zerstört in diesem Gedicht, "L'Héautontimorou-
ménos", der Henker seiner selbst, jede Illusion, sich
durch Augenblicke höchsten Glücks und höchster Lebensekstase, der Wollust und der Liebe einen Fluchtweg aus
der grausamen Erfahrung des Daseins zu bahnen. Nur die
Arbeit, d.h. die Wiedergabe dieser Aporie in seiner Lyrik, verschafft ihm vorübergehend Glück und Besänftigung
in seiner "frénésie": "Pour guérir de tout, de la misère,
de la maladie et de la mélancolie, il ne manque absolu-
ment que le goût du travail." [1] Baudelaire sucht mittels
hartnäckiger Arbeit den vollkommenen Vers. Durch
Rhythmus und virtuoses Orchestrieren des Wortes und dessen Klang im Vers sollen Gefühle wachgerufen werden, wie
sonst nur die Musik dazu fähig ist. Es geht hier um die
Magie des Wortes, um die Wirkung des Tones, um die Kom-
binationsmöglichkeiten von Wortsinn und Wortton. Dieselbe Auffassung von der Sprache vertritt auch Flaubert,
der den Text der "Madame Bovary" der Probe des sogenannten "gueuloirs" unterwarf, d.h. diesen laut rufend im
Garten seines Refugiums in Croisset rezitierte, um die
Musikalität des Geschriebenen zu überprüfen. Baudelaire
hat nicht nur das Verdienst, das Verruchte und Abscheu-
liche, die Gosse und das Laster literaturfähig gemacht
zu haben, sondern er hat auch den sich nach 1848 verbrei-
tenden Aesthetizismus durch den eben geschilderten Wort-
kult mächtig gefördert.

Der Kult des Schönen findet zunächst in Frankreich zahlreiche Anhängerschaft. Die Ecole parnassienne, die unter
anderen Gautier, Leconte de Lisle, Banville und auch
Baudelaire zu ihren Mitgliedern zählt, publiziert von

---

1) op. cit. Band 4, S. 427.

1866 an deren Werke in "Le Parnasse contemporain". Trotz
vieler Gegenströmungen, auch innerhalb der eigenen
Reihen, ist den Parnassiens sowohl die Opposition gegen
die romantische Lyrik der intimen Vertraulichkeiten mit
ihrer Lyrisierung und ihren Gefühlsergüssen als auch das
leidenschaftliche Eintreten für eine "poésie savante et
impersonnelle", für Gautiers "l'art pour l'art" ästheti-
sches Programm. Von hier ist es nicht mehr weit zum
Symbolismus. Das Gedicht "Correspondances"[1] der "Fleurs
du Mal", das Meisterwerk von Baudelaires Ansichten über
Aesthetik, ist zum Credo der Symbolisten geworden.

Der Weg zum Symbolismus führt über die "poètes maudits":
für Paul Verlaine sind es die das Erbe Baudelaires an-
tretenden Dichter Arthur Rimbaud, Charles Cros, Germain
Nouveau, Tristan Corbière und Stéphane Mallarmé. Neben
diesen bedeutenden Vertretern französischen Literatur-
schaffens des ausgehenden 19. Jahrhunderts begegnen wir
einer Gruppenbildung, die allgemein als die "Décadence"
bezeichnet wird. Als typische Epigonen eifern sie, mehr
nachahmend als schöpfend, ihrem Vorbild Baudelaire nach.
Man gründet eine Zeitschrift, "Le décadent", gibt sich
"moderne" und "baudelairien", pflegt die "bohème" und
das "raffinement", übertrifft sich gegenseitig an Radikalität. Dennoch trägt die "Décadence" auch nicht annähernd die Züge einer 'école', ähnlich derjenigen der
Parnassiens. Sie übt aber durch ihr "programme artistique" vornehmlich in Paris entscheidenden Einfluss auf
das literarische Klima bis 1914 aus; ja ist geradezu
typisch für die Epoche der Jahrhundertwende. Hermann

---

1) op. cit. Band 1, S. 20.

Bahr zeigt sich von der "ambiance" der "Décadence" tief
beeindruckt.[1]

Die Uebergänge zwischen französischem Symbolismus und
"Décadence" sind oft fliessend. Für Verlaine gilt noch
"Je suis l'Empire à la fin de la décadence"[2] und setzt
Dekadenz nur bedingt mit Untergang und Zerstörung
gleich. Für ihn weist sie schon auf Mallarmé, durch den
die Wende und die Abkehr von der "révolte" und dem "dé-
goût de la vie" und das Hinwenden zur "poésie pure" erfolgt. Diese allein ist durch die Schönheit und Musikalität der Sprache imstande, den "sens mystérieux des
aspects de l'existence" zu geben. Auserlesenheit der
Gefühle und Ideen, Raffinement der sprachlichen Gestaltung und das idealisierende Schönheitsstreben bilden
die Grundlage für eine elitär-ästhetische Dichtung. Sie
trägt somit ein typisches Merkmal der Dekadenzliteratur; dies in einer Zeit der Niedergeschlagenheit und
des sich ausbreitenden Ahnens des kommenden Endes, das
in Frankreich durch die Ereignisse der frühen Siebziger
Jahre, die katastrophale und demütigende Niederlage im
Deutsch-Französischen Krieg und die blutige Unter-
drückung der Commune de Paris noch unterstrichen worden
war.

---

1) H. Bahr: Die Décadence. In: Studien zur Kritik der
   Moderne. Frankfurt a.M. 1894, S. 19 ff. Ausserdem
   auch H. Bahr: Renaissance. Neue Studien zur Kritik
   der Moderne. Berlin 1897, S. 3-11.
2) P. Verlaine: A la manière de plusieurs. Langueur.
   In: Oeuvres complètes. Band I, Paris 1944, S. 359.

Wenn für die Lyrik des ausgehenden 19. Jahrhunderts in
Frankreich Dekadenz von entscheidender Bedeutung ist,
ja dieser Zeit gewissermassen den Stempel aufdrückt, so
gilt das, wenn auch in geringerem Masse, für die Prosa.
Beispielhaft dafür kann, neben Barrès' "Le culte du
moi" und vielen andern Werken, Joris-Karl Huysmans' 1884
erschienener Roman "A rebours" betrachtet werden. Jean
des Esseintes, die Hauptfigur des Romans, ist der typische décadent baudelairescher Prägung, der den Aesthetizismus bis ins Pathologische übersteigert. Er will
und kann nicht sein wie die andern, und in seiner Ausserbürgerlichkeit, die aber keine Boheme-Züge trägt,
flieht er in die Einsamkeit. Sein Haus stattet er mit
ausgesuchtem Geschmack aus, liest Baudelaire und Verlaine, schwärmt für die Musik Wagners und Berlioz'. Mo-
dell zu dieser Figur stand Huysmans übrigens Robert de
Montesquiou, ein im Zusammenhang mit Proust oft genann-
ter Literat der Dekadenz. Im Gegensatz zu den Lyrikern
deutet Huysmans einen Ausweg an: des Esseintes wendet
sich auf den Rat eines Arztes dem christlichen Glauben
zu. Obwohl des Esseintes den Prototyp des Dandy darstellt und "A rebours" als exemplarisches Zeugnis für
die literarische Dekadenz der zweiten Hälfte des 19.
Jahrhunderts angesehen wird, so fehlt dennoch die Konsequenz, die für die Lyrik derselben Epoche typisch ist.
Huysmans ist nicht nur Repräsentant der "décadence de
la fin du siècle", sondern trägt, im Gegensatz zu zahlreichen Lyrikern, die Kraft ihrer Ueberwindung in sich.

In der deutschen Literaturgeschichte ist der Dekadenzbegriff eng mit dem Namen Friedrich Nietzsche verbunden. Er ist der erste, der im deutschen Sprachraum das
Problem der Dekadenz aufnimmt, ja es wird eines der wichtigen Anliegen seiner Aesthetik. "... Nietzsche betrach-

tete den Kampf gegen die Dekadenz auf allen Gebieten als
das Zentralproblem seiner denkerischen Tätigkeit. .."[1]
Wohl haben sich vor ihm andere mit den Verfallserscheinungen im 19. Jahrhundert befasst, etwa Jacob Burckhardt
in seinem kulturkritischen Werk, das übrigens Nietzsche
tief beeindruckt hat. Es war jedoch Nietzsche, der als
erster den Versuch unternahm, der "décadence" - er braucht
nur die französischen Ausdrücke "décadence" und "décadent" -
eine philosophische Deutung zugrunde zu legen. In seinen
1888 entstandenen und sehr stark an Bourgets "Essais de
psychologie contemporaine" orientierten polemischen
Schriften "Der Fall Wagner", "Nietzsche contra Wagner"
und "Ecce homo" äussert sich Nietzsche zu seiner Freundschaft mit Richard Wagner. Der einst schwärmerisch Ver-
ehrte wird als der typische décadent [2] bezeichnet; die
allmähliche Lösung der Freundschaft begrüsst er als
Läuterung und Genesung. Den Wagner-Kult überhäuft
Nietzsche mit beissendem Spott, das Werk Wagners, von
wenigen Ausnahmen abgesehen, verhöhnt er mit vernichtender Kritik.

Schon im Vorwort von "Der Fall Wagner" greift Nietzsche
das Thema der "décadence" auf. Er betrachtet sie als
typisches Phänomen seiner Zeit, dessen Einfluss er sich,
ebensowenig wie Wagner, hat entziehen können:

---

1) G. Lukács, F. Mehring: Friedrich Nietzsche. Berlin
   1957, S. 61.
2) F. Nietzsche: Werke. Hrsg. v. K. Schlechta, München
   1954-65, Vorwort zu "Der Fall Wagner", Band 2,
   S. 903 f.

"Wohlan! Ich bin so gut wie Wagner das Kind
dieser Zeit, will sagen ein décadent: nur dass
ich das begriff, nur dass ich mich dagegen
wehrte. Der Philosoph in mir wehrte sich dagegen.

Was mich am tiefsten beschäftigt hat, das ist
in der Tat das Problem der décadence - ich
habe Gründe dazu gehabt. 'Gut und Böse' ist
nur eine Spielart jenes Problems. Hat man
sich für die Abzeichen des Niedergangs ein
Auge gemacht, so versteht man auch die Moral -
man versteht, was sich unter ihren heiligsten
Namen und Wertformeln versteckt: das verarmte
Leben, der Wille zum Ende, die grosse Müdig-
keit. Moral verneint das Leben. ...Zu einer
solchen Aufgabe war mir eine Selbstdisziplin
vonnöten - Partei zu nehmen gegen alles
Kranke an mir, eingerechnet Wagner, eingerechnet Schopenhauer, eingerechnet die ganze
moderne 'Menschlichkeit'. - Eine tiefe Entfremdung, Erkältung, Ernüchterung gegen alles
Zeitliche, Zeitgemässe."[1]

Das "décadence-Jahrhundert", wie Nietzsche sein 19. Jahrhundert in den "Streifzügen eines Unzeitgemässen" genannt
hat[2], hinterlässt überall seine Spuren, jeder ist von
ihm geprägt. Doch der Vorwurf gilt nur denen und insbesondere Wagner, die nicht "begreifen", sich nicht gegen
das Krankhafte der "décadence" wehren, nicht Kräfte aufzu-

---

1) op. cit. Band 2, S. 903.
2) ebda. S. 1025.

bieten suchen, die "décadence" zu überwinden. Damit rückt
Wagner in die Nähe der französischen Dekadenzbewegung,
und es ist kaum ein Zufall, dass gerade Baudelaire zu einem der glühendsten Bewunderern Wagners in Frankreich
wurde und ihn anlässlich seines Besuches in Paris anfangs
1860 gegen eine äusserst feindlich gesinnte Kritik leidenschaftlich verteidigte. Er nannte ihn begeistert eine
"révélation". In einem Brief an Wagner vom 17. Februar
1860 bekennt Baudelaire:

> "   Avant tout, je veux vous dire que je vous
> dois la plus grande jouissance musicale que
> j'aie jamais éprouvée. (...) Il m'a semblé que
> je connaissais cette musique, et plus tard,
> en y réfléchissant, j'ai compris d'où venait
> ce mirage; il me semblait que cette musique
> était la mienne, et je la reconnaissais comme
> tout homme reconnaît les choses qu'il est
> destiné à aimer."[1]

Die Verwandtschaft Wagners mit der europäischen Dekadenz
ist für Nietzsche evident, er apostrophiert ihn sogar
als deren Protagonisten. Der ungeheure Einfluss, den Wagner auf das künstlerische Schaffen seiner Zeit ausüben
konnte, beruht in den Augen Nietzsches auf dessen dekadenter Wesensart. Wagner ist der typische Künstler der
"décadence":

---

1) Ch. Baudelaire: Correspondance. Lausanne 1964,
   S. 155.

"Wagners Kunst ist krank. (...) Wagner est une
névrose. (...) Unsere Aerzte und Physiologen
haben in Wagner ihren interessantesten Fall,
zum mindesten einen sehr vollständigen. Gerade, weil nichts moderner ist als diese Gesamt-
erkrankung, diese Spätzeit und Ueberreiztheit
der nervösen Maschinerie, ist Wagner der moderne Künstler par excellence, der Cagliostro
der Modernität."[1]

Nietzsche wird nicht müde, die Verderbnis der Dekadenz zu
geisseln. Für Literaturkritiker des Dritten Reiches war
das Werk Nietzsches eine wahre Fundgrube für Argumente gegen die Verderbnis in der Literatur.

Die Erfahrung, dass Kunst, eben die "décadence"-Kunst, auch
"viel Hässliches" hervorbringen kann, ist für Nietzsche
besonders schmerzlich, da er Kunst schlechthin als das
"grosse Stimulans zum Leben"[2] betrachtet. Diese Einsicht
motiviert Nietzsches Kampf gegen den Zweck in der Kunst,
gegen deren "Unterordnung unter die Moral", ohne dass er
zum bedingungslosen Anhänger der l'art pour l'art wird.
Dennoch ist die Verwandtschaft zum dekadenten Aesthetizismus kaum zu verkennen. Nietzsche bestreitet dies auch
nicht:

"Brauche ich, nach alledem, zu sagen, dass
ich in Fragen der décadence erfahren bin? Ich
habe sie vorwärts und rückwärts buchstabiert.
Selbst jene Filigran-Kunst des Greifens und

---

1) op. cit. Band 2, S. 913.
2) ebda. S. 1004.

Begreifens überhaupt, jene Finger für nuan-
ces, jene Psychologie des 'Um-die-Ecke-sehns'
und was sonst mir eignet, ward damals erst
erlernt, ist das eigentliche Geschenk jener
Zeit, in der alles sich bei mir verfeinerte,
die Beobachtung selbst wie alle Organe der
Beobachtung. Von der Kranken-Optik aus nach
gesünderen Begriffen und Werten, und wiederum
umgekehrt aus der Fülle und Selbstgewissheit
des reichen Lebens hinuntersehn in die heim-
liche Arbeit des Décadence-Instinkts - das
war meine längste Uebung, meine eigentliche
Erfahrung, wenn irgendworin wurde ich darin
Meister."[1]

Nietzsches Wertschätzung der "Filigran-Kunst" durchbricht
die a priori-Verurteilung der"Décadence"-Kunst. Tatsächlich findet die "Ausdichtung des Details" im Werk Wagners, "des grössten Miniaturisten der Musik",[2] Anerkennung, ja Bewunderung. Nietzsche lobt an Wagner die Viel-
gestaltigkeit, den "Reichtum an Farben, an Halbschatten",
den Meister der Nuancen. Allerdings hält auch hier
Nietzsche nicht mit Vorwürfen zurück. Sie gelten der
"Anarchie der Atome", der "Disgregation des Willens", der
Tatsache, dass "das Leben (...) die Vibration und Exuberanz
des Lebens in die kleinsten Gebilde zurückdrängt, der
Rest arm an Leben. (...) Das Ganze lebt überhaupt nicht
mehr: es ist zusammengesetzt, gerechnet, künstlich, ein
Artefakt. -"[3]

---

1) op. cit. Band 2, S. 1071.
2) ebda. S. 918.
3) ebda. S. 917.

Ohne Zweifel greift Nietzsche mit der "Filigran-Kunst",
mit der "Ausdichtung des Details" eines der wesentlich-
sten Merkmale der Dekadenz-Literatur und der Dekadenz-
Aesthetik auf. Damit hängt natürlich auch die Ueberfeinerung des Sensoriellen zusammen. Nietzsche macht diesbezüglich Wagner auch den Vorwurf, die "Nerven zu überre-
den" und den Blick für "das Ganze" zu verschleiern. Gerade hier wird übrigens ein Grund für die Vorliebe der
décadents für das Bruchstückhafte und für die formale
Beschränkung, wie etwa im Einakter, zu suchen sein.

Wenngleich Nietzsches Polemik in "Der Fall Wagner" und
"Nietzsche contra Wagner" sich gegen die Erscheinungsformen der Dekadenz in der Musik allgemein und derjenigen
Wagners im besondern richtet, so sind doch die weitgehend
theoretischen Erwägungen generell auf ästhetische Probleme anwendbar. Dies zeigt sich auch deutlich im Kapitel 7 von "Der Fall Wagner", wo sich eine Parenthese
speziell mit der "literarischen décadence" befasst. Die
Argumente sind die selben, der Uebergang zu muskalischen
Aspekten vollzieht sich unmerklich. Wagner ist für den
späten Nietzsche der Repräsentant einer morsch gewordenen
Zeit mit ihrem fragwürdigen Hang zu auserlesenem
Aesthetizismus und morbider Lebensauffassung, welche in
ihrer melancholischen Resignation, in ihrem Pessimismus
die Kräfte zum Aufstieg nicht mehr zu mobilisieren imstande ist. Dies ist des späten Nietzsche Verurteilung
der Dekadenz. An diese knüpfte die nationalsozialistische
Literaturkritik an[1]. Nietzsches Einfluss auf die Gener-
ration der zwischen 1860 und 1875 Geborenen, also auf die
Impressionisten, Symbolisten und Neuromantiker der Jahrhundertwende, die gleichzeitig aber auch die wichtigsten

---

1) Vgl. R. Geissler: op. cit. S. 22 et passim.

Vertreter der Dekadenz sind, ist entscheidend. Er ist ja,
nach seinen eigenen Angaben, selber ein décadent, aus ihr
kommend und von ihr geprägt. Das Feinnervige, die Vorliebe für Aesthetisieren und Psychologisieren, die Neigung zu ausgesuchter Schönheit der Sprache: hier fanden
sich die décadents des Fin de siècle in Nietzsche bestätigt.

Die Wirkung Nietzsches auf die Philosophie und die Literatur ist Gegenstand zahlreicher Arbeiten[1]. Spuren seines Werks lassen sich bei Vertretern aller neueren Li-
teraturströmungen feststellen, zunächst bei der Generation der Jahrhundertwende, so auch bei den Vertretern der
Dekadenzliteratur, auch bei Arthur Schnitzler[2]. Die Repräsentanten dieser Generation der Jahrhundertwende standen sowohl dem Impressionismus als auch dem Naturalismus
nahe. So straff getrennt die beiden Bewegungen in der
Literaturgeschichte auch dargestellt werden, tragen sie
doch offensichtlich gemeinsame Züge. Beiden war die treue,
an den Naturwissenschaften orientierte Beobachtung der
Wirklichkeit wichtig, wenn auch auf verschiedenen Ebenen:
Analyse der objektiv-materiellen Realität bei den Naturalisten, Analyse der subjektiv-sinnlichen Empfindungen
und Eindrücke bei den Impressionisten. In entwicklungs-
geschichtlicher Hinsicht ist der Impressionismus ein
verfeinerter Naturalismus. Mit dieser Verfeinerung ist
nicht nur diejenige der Wahrnehmung gemeint, sondern auch
die der sprachlichen Mittel. An die Stelle breiter wis-
senschaftlich exakter Darstellung treten feine Nunciert-

---

1) Literatur zum Beispiel bei P. Pütz: Friedrich
   Nietzsche. Stuttgart 1967.
2) A. Schnitzler - H. v. Hofmannsthal: Briefwechsel.
   Frankfurt a.M. 1964. Vgl. Briefe vom 27.7.1891 und
   17.3.1892.

heit der Stimmung und Synästhesie. Naturgemäss liegt den
Impressionisten die dekadente Wesensart näher. So sind
es denn auch vornehmlich die Impressionisten, die sich
zur Dekadenz bekennen, diese jedoch zugleich vom Odium
der Verwerflichkeit und des Verdammenswürdigen, von der
ausschliesslich negativen Betrachtungsweise zu befreien
suchen. Dennoch wäre es ein Irrtum, Impressionismus so
ohne weiteres mit Dekadenz gleichzusetzen.

> "   Dekadenz: man wende das Wort mit Vorsicht
> auf die hier betrachtete Dichtung (sc. Im-
> pressionismus) an. Es läuft kaum erkennbar
> eine Grenzlinie zwischen einem Impressionis-
> mus, der bei aller schwebenden Verlorenheit
> doch zu einer gemässigt bejahenden Auffas-
> sung der Welt neigt, und einer müden Kunst,
> die nur noch den beziehungslosen Menschen
> kennt und dabei verharrt - aus Verzweiflung,
> aus Schwäche, aus Zynismus. Nur diese ist
> gleichen Wesens mit der Dekadenz. Dieser
> Stimmung sind die Menschen Leopold Andrians
> verfallen oder jene, deren Seelen Arthur
> Schnitzlers Dramen und Romane zerfasern."[1]

So kann wohl Detlev von Liliencron, der vielleicht bedeu-
tendste Lyriker des Impressionismus, kaum mit Dekadenz
in Verbindung gebracht werden. Im übrigen sprechen se-
mantische Gründe gegen die Auswechselbarkeit der Ausdrücke Impressionismus und Dekadenz, da ersterer eine
fixierbare Strömung bezeichnet, in der deutschen Litera-

---

1) B. Boesch (Hrsg.): Deutsche Literaturgeschichte in
   Grundzügen. Bern 1961, S. 386. (Artikel von A. Bettex:
   Die moderne Literatur.)

tur zwischen 1890 und 1910, währenddem Dekadenz, im enge-
ren Sinne und abgesehen von der allgemeinen Kulturge-
schichte, für eine in der Vergangenheit mehrmals aufge-
tretene, in vielen Varianten sich äussernden Lebenshaltung
und Grundstimmung in der Kunst, vorzugsweise in der Literatur verwendet wird, die jedesmal auf andern Voraussetzungen basieren. Tatsache bleibt dennoch, dass nahezu
alle als zur Dekadenzliteratur zählenden Schriftsteller
im Impressionismus angesiedelt werden. Dies trifft insbesondere für Schnitzler zu, der vielfach sogar, was Drama
und Erzählung angeht, als der Hauptvertreter des literarischen Impressionismus zu betrachten ist.

Die wichtigsten Impulse für die Dekadenzliteratur kamen,
neben den entscheidenden des französischen Symbolismus
und von Nietzsche, aus Skandinavien: in Dänemark Jens
Peter Jacobsen und Herman Bang, in Schweden August
Strindberg, in Norwegen Henrik Ibsen. Vor allem die zwei
erstgenannten waren vielgelesene und bewunderte Autoren
in Deutschland und Oesterreich. Beide waren überempfind-
liche Nervenkünstler, in deren Werken düstere Schwermut,
Untergangssehnsucht und Verzweiflung am Leben, kurz die
typische Fin de siècle-Stimmung eine dominierende Rolle
spielen.

In Jacobsens bekanntestem Werk, im 1880 erschienenen Roman "Niels Lyhne", finden wir die feine psychologische
Schilderung eines langsamen aber stetigen Niedergangs,
die Biographie eines melancholischen Träumers und Phan-
tasten. Niels Lyhne ist nicht fähig, Illusion und Wirklichkeit zu trennen. Seine krankhafte Phantasterei, ge-
paart mit hypersensibler Empfindsamkeit, lässt ihn sogar,
den eingeschworenen Atheisten, am Sterbelager seiner
Frau im verzweifelten Gebet Gott um Hilfe anflehen. Ver-

einsam und resigniert fällt er als Freiwilliger im
deutsch-dänischen Krieg. Auch Jacobsens anderer grosser
Roman, "Fru Marie Grubbe", erzählt die Geschichte eines
immer tiefer absinkenden Menschen.

Jacobsens Werk hatte einen nicht zu unterschätzenden
Einfluss auf die gesamte europäische Literatur des Impressionismus wie des Naturalismus. Rilke lernte eigens
Dänisch, um den Originaltext lesen zu können, und es ist
unzweifelhaft, dass die "Aufzeichnungen des Malte Laurids
Brigge" sich an Jacobsens Werk orientierten. Gewiss sind
die beiden Aufenthalte Rilkes in Paris in gleichem Masse
bedeutsam. Baudelaires "Petits poèmes en prose" und "La
charogne" standen ihm bei der Abfassung vor Augen. Ihre
Wirkung ist nicht zu übersehen. So haben wir es denn beim
jungen Malte mit einem Dänen aus heruntergekommenem
Adelsgeschlecht zu tun, der in seiner feinen Empfindsamkeit von der hässlichen Kälte und der Grausamkeit der
Grossstadt Paris erschreckt und erschüttert wird. Doch
es gelingt ihm, und dadurch unterscheidet er sich wesentlich von den französischen Symbolisten und deren
Epigonen, den décadents, Auge in Auge mit den Schreck-
nissen und der Angst, allmählich diese Eindrücke in sich
aufzunehmen, sie zu verstehen, an den Kindheitserinne-
rungen zu messen und somit zu ertragen. Durch die fort-
während Konfrontation mit dem Abgrund bildet sich in
Malte ein Sensorium aus, das ihm erlaubt, die sich ihm
bietenden Bilder zu ertragen: "Ich erkenne das alles
hier, und darum geht es so ohne weiteres in mich hinein;
es ist zu Hause bei mir."[1]

---

1) R.M. Rilke: Sämtliche Werke. Frankfurt a.M. 1966,
   Band 6, S. 751.

Es scheint fast, als hätte man es hier mit einer Ueberwindung der Dekadenz zu tun. Die Deutung des, wenn auch
nur angetönten, Zugrundegehens Maltes muss jedenfalls
anders ausfallen als bei Baudelaire und Jacobsen. Zwar
entspricht das Bild des Entsetzens, das sich Malte beim
Anblick der Verelendung von Paris bietet, demjenigen Baudelaires, und die Schilderung der Jugenderinnerungen
ist Jacobsen verpflichtet. Aber es fehlt einerseits die
"révolte", anderseits auch der kontinuierliche Niedergang und Verfall. Für letzteres spricht eine Stelle aus
dem Briefwechsel Rilkes mit der Schriftstellerin Lou
Andreas-Salomé (Schnitzler war mit ihr ebenfalls bekannt), in welcher zwar von Dekadenz die Rede ist, doch
erscheint diese in einem ganz besonderen, ja paradox
anmutenden Licht, gewissermassen als ein Oxymoron: Verfall in aufsteigender Linie, Dekadenz mit positiven
Vorzeichen.

" Ob er, der ja zum Teil aus meinen Gefahren
gemacht ist, darin untergeht, gewissermassen,
um mir den Untergang zu ersparen, oder ob ich
erst recht mit diesen Aufzeichnungen in die
Strömung geraten bin, die mich wegreisst und
hinübertreibt. Kannst Dus begreifen, dass ich
hinter diesem Buch recht wie ein Ueberleben-
der zurückgeblieben bin, im Innersten ratlos,
unbeschäftigt, nicht mehr zu beschäftigen?
Je weiter ich es zuende schrieb, desto stärker
fühlte ich, dass es ein unbeschreiblicher Abschnitt sein würde, eine hohe Wasserscheide,
wie ich mir immer sagte; aber nun erweist es
sich, dass alles Gewässer nach der alten Seite abgeflossen ist und ich in eine Dürre hin-
untergeh, die nicht anders wird. Und wärs nur

das: aber der Andere, Untergegangene hat mich
irgendwie abgenutzt, hat mit den Kräften und
Gegenständen meines Lebens den immensen Auf-
wand seines Untergangs betrieben, da ist
nichts, was nicht in seinen Händen, in seinem Herzen war, er hat sich mit der Instän-
digkeit seiner Verzweiflung alles angeeignet,
kaum scheint mir ein Ding neu, so entdeck ich
auch schon den Bruch daran, die brüske Stelle,
wo er sich abgerissen hat. Vielleicht musste
dieses Buch geschrieben sein wie man eine
Mine anzündet; vielleicht hätt ich ganz weit
wegspringen müssen davon im Moment, da es
fertig war. Aber dazu häng ich wohl noch zu
sehr am Eigentum und kann das masslose Arm-
sein nicht leisten, so sehr es auch wahrscheinlich meine entscheidende Aufgabe ist.
Ich habe den Ehrgeiz gehabt, mein ganzes Ka-
pital in eine verlorene Sache zu stecken,
anderseits aber konnten seine Werte nur in
diesem Verlust sichtbar werden und darum,
erinner ich, erschien mir die längste Zeit
der Malte Laurids nicht sosehr als ein Untergang, vielmehr als eine eigentümlich
dunkle Himmelfahrt in eine vernachlässigte
abgelegene Stelle des Himmels."[1]

Jacobsen stand auch Schnitzler nahe; dabei spielt die Person des dänischen Kritikers und Dramaturgen Georg Brandes
eine gewichtige Rolle. Dieser war einer der ersten, der

---

1) R.M. Rilke - L. Andreas-Salomé: Briefwechsel. Wiesbaden 1952, S. 247. Brief vom 28.12.1911.

über Nietzsche Vorlesungen hielt (Berlin 1888) und diesen
in Skandinavien bekannt machte. Anfänglich war Brandes
ein glühender Verfechter eines neuen Realismus und der
Lehre vom Zusammenhang und von der Verstrickung von
Milieu und der daraus fliessenden Literatur. Er förderte
die junge Dichtergeneration in Skandinavien, Björnsen,
Ibsen und Jacobsen und führte sie zu internationalem Ansehen. Unter Nietzsches Einfluss, gepackt vom Glauben an
den Uebermenschen, verfasste er Monographien, unter anderem über Caesar, Michelangelo und Goethe. Während über
30 Jahren stand Brandes mit Schnitzler in Briefkontakt[1].
Schnitzler holte sich bei ihm Rat, indem er Neugeschrie-
benes zur Begutachtung sandte. Durch Brandes wurde
Schnitzler auch, und dies ist vor allem wichtig, an die
zu immer grösserer Bedeutung gelangende skandinavische
Literatur herangeführt. Unzweifelhaft tragen beispielsweise gewisse Frauengestalten Schnitzlers die Charakterzüge einer Nora oder Marie Grubbe.

Neben Jacobsen ist der dänische Erzähler Herman Bang zu
erwähnen. Geprägt von der Darwinschen Evolutionslehre,
durchzieht das Phänomen des Verfalls und der Degeneration
sein Werk leitmotivisch. Schwermütige Künstler, geschei-
terte Existenzen und Vereinsamte finden sich in seinen
Novellen und Romanen. Auch Bang selber, aus unglücklichen
Familienverhältnissen stammend, war ein hoffnungsloser
Melancholiker, selber ein décadent. Damit stand er der
französischen Dekadenz noch bedeutend näher als Jacobsen.
Heute ziemlich vergessen, war er vor dem ersten Weltkrieg
ein im deutschen Sprachraum viel gelesener und beachte-
ter Autor, von dem der europäische Impressionismus we-
sentliche Impulse erhielt.

---

1) Vgl. A. Schnitzler - G. Brandes: Ein Briefwechsel.
   Hrsg. von K. Bergel. Bern 1956.

Einer überragte sie alle: Henrik Ibsen. Sein Einfluss auf
die deutsche Literatur der Jahrhundertwende kann nicht
hoch genug eingeschätzt werden. Gerhart Hauptmann, Theodor Fontane und Hermann Bahr waren tief beeindruckt von
seinen Dramen, die noch vor 1900 auf deutschen Bühnen
aufgeführt wurden. Schnitzler allerdings verhielt sich
gegenüber Ibsen eher reserviert. Der Briefwechsel
Schnitzlers mit Brandes zeigt dies deutlich: nur zweimal
ist eher beiläufig die Rede von Ibsen, obwohl Brandes
sehr engen persönlichen Kontakt mit Ibsen pflegte. Nicht
einmal der Besuch Schnitzlers bei Ibsen anlässlich seiner Skandinavienreise 1896 schaffte nähere Beziehungen.
Zudem verurteilte Schnitzler Ibsens Ansicht "von dem
gesetzmässigen Widerspruch zwischen Leben und Kunst" und
"von der furchtbaren und unüberwindlichen Einsamkeit
jedes einzelnen", ja bezichtigte ihn, diese "Unwahrhei-
ten" durch sein Drama "Wenn die Toten erwachen" zu ver-
breiten[1]. Dennoch konnte sich Schnitzler, trotz oftmals
schroffer Ablehnung ("Wildente", "Peer Gynt") kaum der
Wirkung der Ibsen Stücke entziehen. Sie strahlen eine
Atmosphäre aus, welche mit der Schnitzlerscher Stücke
vergleichbar ist.

Neben dem französischen und skandinavischen Einfluss auf
die europäische Dekadenzbewegung muss auch derjenige
aus Russland erwähnt werden, dies vor allem im Hinblick
auf die österreichische Literatur, insbesondere auf Jung-
Wien. Aus einer ganzen Reihe sei hier ein Dichter her-
ausgegriffen: Anton Tschechow. Die Wahl erfolgt nicht
willkürlich. Tschechows Wesensverwandtschaft mit
Schnitzler ist augenfällig. Es gehörten beide der glei-

---

1) A. Schnitzler: Aphorismen und Betrachtungen. Frankfurt a.M. 1967, S. 470.

chen Generation an (Schnitzler war zwei Jahre jünger),
übten den Beruf eines Arztes aus und waren Bürger eines
Staates, dessen Regierungsform morsch geworden war.
Auch ihre Werke tragen gemeinsame Züge, nicht zuletzt
in formaler Hinsicht mit ihrer Vorliebe für die Kurzgeschichte und das Konversationsstück. Mit dem geübten
Auge des Arztes wird das Seelenleben der Personen in
Tschechows Stücken und Novellen zergliedert, wie etwa in
der Erzählung "Das Duell".

Im Mittelpunkt steht das Liebesverhältnis zwischen
Lajewski, einem heruntergekommenen Adeligen und einer
verheirateten Frau, Nadjeshda. Lajewski ist der typisch
russische décadent. Er fühlt sich "degeneriert", als
"junger Greis", als "Hamlet" in seiner Entschlusslosig-
keit. "... Hier das Gerippe seiner Moral: früh Pantoffeln, Bad im Meer, Kaffee; vormittags Pantoffeln,
Spaziergang, Gespräche; um zwei Uhr Pantoffeln, Mittag-
essen und Wein; um fünf Uhr Bad im Meer, Tee und Wein,
anschliessend Wint und Lügenbeutelei; um zehn Uhr Abend-
brot und Wein; um Mitternacht und später la femme und
Schlaf. ..."[1] Wir haben es hier mit einer Mischung von
Gontscharows Oblomow und Schnitzlers Anatol zu tun;
d.h. mit dem einerseits schlaffen und kraftlosen, aber
gebildeten Hedoniker und Parasiten, anderseits mit dem
überspannten, neurasthenischen Dandy. "... In unserem
nervösen Zeitalter sind wir nun mal Sklaven unserer
Nerven" erklärt er kurz vor seinem Anfall von Hysterie
in einer noblen Gesellschaft. Sein Gegner, der Zoologe

---

1) A. Tschechow: Novellen. Zürich 1962, S. 133.

von Koren, sieht in ihm den nutzlosen Schmarotzer, den es
zu vertilgen gilt: "... wenn wir nämlich die Lajewskis
ins Kraut schiessen lassen, gehen Zivilisation und
Menschheit vollends vor die Hunde."[1)]

Die breit angelegte Erzählung, die anfangs romanhafte,
an Tolstoi erinnernde Züge annimmt, steht in einem sonderbaren Missverhältnis zum etwas jähen Schluss, die Be-
kehrung Lajewskis. Diese 'Heilung' tritt gewissermassen
unerwartet ein, das Produkt eben des Duells, das übrigens, genau wie bei Schnitzler, keineswegs die Billigung
Tschechows findet, eher ironisch als adäquates Mittel
angesehen wird, den degenerierten Adeligen auf den "Weg
zur Wahrheit" zu führen. Der bruchstückhafte Charakter
der Erzählung "Das Duell" zeigt deutlich, dass der Roman, vor allem die epische Breite, Tschechow nicht liegt.
Damit gehört er schon in rein formaler Hinsicht zum
Kreis Jacobsens, Maupassants, des jungen Hofmannsthal
und Rilkes, Andrians und Schnitzlers. Dies wird auch im
dramatischen Werk Tschechows deutlich. Es fehlt die
Haupt- und Staatsaktion. Auch von einer eigentlichen
dramatischen Handlung kann in den meisten Stücken
Tschechows nicht gesprochen werden. Es sind eher Analysen
der einzelnen Personen und deren Reaktionen und Verhalten in alltäglichen Situationen. Tschechows Stücke sind
Stimmungsstücke, auf denen die Atmosphäre der Spätzeit
lastet. Im kurz vor seinem Tode veröffentlichten Stück
"Der Kirschgarten" wird der schmerzliche finanzielle Zusammenbruch einer Gutsbesitzerfamilie geschildert.
Tschechow beschränkt sich dabei auf die Darstellung der
letzten Tage auf dem Gut mit dem Kirschgarten. Die Guts-
besitzerin Ljubow Andrejewna will die drohende Verstei-

---

1) ebda.: S. 143.

gerung und die damit verbundene Abholzung der Kirschbäume
nicht wahrhaben. Sie sind Symbol für die Vergangenheit,
welche die Gutsbesitzerfamilie wieder zurückholen möchte,
in welcher sie jeglichen Lebensinhalt sieht. Trofimow,
ein junger Student, spricht es aus: "... Das ist doch so
klar: um in der Gegenwart richtig zu leben beginnen,
muss man zuerst unsere Vergangenheit sühnen, muss mit
ihr fertigwerden. ..." Der neue Besitzer des Gutes lässt
die Kirschbäume schlagen. Das dumpfe Geräusch ist
gleichsam düstere Begleitmusik für das Ende einer Epoche
und für die Wende zum neuen Zeitalter: der reiche Par-
venü, dessen Vorfahren auf dem Gut noch Leibeigene waren, übernimmt das Gut einer dekadenten, abgewirtschaf-
teten Grossgrundbesitzerfamilie. Die Resignation ist
das einzige, was ihnen bleibt. Ein vielleicht noch
düstereres Stimmungsbild der dem Verfall nahen herrschenden Klasse gibt Tschechow in seinem wohl bekanntesten
Stück "Die Möwe", das Rilke, dessen enge Beziehungen zu
russischen Schriftstellern bekannt ist, ins Deutsche
übertrug. Die Personen steuern, jede für sich, ihren
Teil zum Gesamtbild der dekadenten Gesellschaft bei:
Trigorin, der reiche skrupellose Dandy; Nina, die dilet-
tierende Schauspielerin, ein russisches 'süsses Mädl';
Treplev, ein schwärmerischer Neuropath, der sich am
Schluss aus verschmähter Liebe erschiesst; schliesslich
die alternde Schauspielerin Arkadina. Die einzige Ausnahme, sozusagen der ruhende Pol, bildet, wie so oft
auch bei Schnitzler, ein Arzt. Tschechow war ein Erfolgs-
autor, der mit seinen Stücken selbst ausserhalb Russ-
lands Erfolg hatte. Von ihm gingen Anregungen aus, die
ihre Wirkung auf der europäischen Literaturbühne nicht
verfehlten. Dies trifft ganz besonders für Oesterreich
zu. In diesem Oesterreich des letzten Habsburgkaisers
fand die Dekadenzliteratur einen nahezu idealen Nährbo-

den vor. Die Gründe hiefür sind vielfältig, doch dürfte,
neben politischen und sozialen Gegebenheiten, die im
folgenden Kapitel gewürdigt werden, auch die Tatsache
bedeutsam sein, dass die Philosophie Ernst Machs und
die Psychoanalyse Sigmund Freuds der literarischen Dekadenzbewegung in Oesterreich, mit ihrer Konzentrierung
auf Wien, zur Entfaltung verhalfen. Die Erscheinungsformen der Dekadenz waren daher in ihrer Aeusserung auch
andere als etwa in Frankreich oder Skandinavien. Es
fehlten der abgrundtiefe Pessimismus, das Selbstquäle-
rische, die "révolte", das Selbstzerstörerische, kurz
der Radikalismus. An ihre Stelle traten müde Resignation und Schwermut, Kränkelndes, Vorahnung des Endes
und das blosse Registrieren der Verfallserscheinungen.
Mag in dieser Andersartigkeit der Dekadenz auch die
Mentalität des Oesterreichers eine Rolle gespielt haben,
Tatsache bleibt, dass der Dekadenzbewegung in Oesterreich die Konsequenz des Einbezugs der eigenen Person
in den totalen Untergang eher fremd war.

Die Dekadenzliteratur trat in Oesterreich nicht von einem Tag auf den andern in Erscheinung. Schon bei
Grillparzer, Anzengruber und Saar[1] machten sich Anzeichen der Dekadenz bemerkbar, die schliesslich in akzentuierter Form in der literarischen Bewegung Junges
Wien auftauchten. Jung-Wien kann, unter gewissen Einschränkungen, mit Wiener Dekadenzdichtung der Jahrhundertwende gleichgesetzt werden. Es handelte sich dabei

---

1) Charakteristische Beispiele sind Grillparzers Tage-
bücher, Anzengrubers derb-melancholisches Volks-
stück "Das vierte Gebot" (1878) und Saars "Wiener
Elegien" (1893).

Um einen bunt zusammengewürfelten Dichterkreis, der nur
zwischen 1890 und 1900 von sich reden machte. Hier fanden sich die verschiedensten Strömungen, Symbolisten,
Impressionisten und Neuromantiker, die aber zumindest
in der Befehdung und Ablehnung des Naturalismus ein ge-
meinsames Ziel hatten. Zu Jung-Wien können gezählt werden: Arthur Schnitzler, der junge Hofmannsthal (Loris),
Peter Altenberg, Richard Beer-Hofmann, Felix Salten,
Leopold Andrian und wenigstens zeitweise der Kritiker-
Autor Karl Kraus. Dreh- und Angelpunkt der Bewegung war
Hermann Bahr. Mit ihm ist das literarische Leben Wiens
der Jahrhundertwende engstens verknüpft. Seine Biographie wie auch sein Werk sind in ihrer Vielschichtigkeit und Vielseitigkeit charakteristisch für diese
schillernde Persönlichkeit. Aus dem Naturalismus kommend, Holz und Ibsen waren seine Lehrmeister, machte er
sozusagen jede neue Strömung mit, ja ahnte sie voraus
und wurde zu deren Verkünder. Er war Impressionist,
Neuromantiker, stand der Dekadenzliteratur nahe, war
Expressionist. Genau so vielfältig seine Karriere! Bahr
ist Verfasser von 40 Theaterstücken, sieben Romanen,
zahllosen Essays, er betätigte sich als Journalist,
Verlagslektor, Regisseur, Theater- und Kunstkritiker.
Seine Essays sind für das Verständnis der uns interes-
sierenden Epoche entscheidend; die Analyse der Dekadenz
nimmt dabei einen breiten Raum ein. Es scheint freilich, dass in den letzten Jahren des 19. Jahrhunderts
das Wort Dekadenz in aller Leute Mund gewesen sein muss.
Bahr hat mit seinen Essays reichlich dazu beigetragen.

In seinen 1894 erschienenen "Studien zur Kritik der Moderne" setzt sich Bahr mit dem Problem der Dekadenz
auseinander. Er stellt fest, dass es sich dabei nicht

so sehr um eine gemeinsame Idee oder Doktrin handle, als
vielmehr um eine "Generation"[1]. Zweifellos trifft hier
Bahr das wesentlichste für das Verständnis der Dekadenzliteratur, nicht nur für Oesterreich und Wien, sondern für Europa. In der Tat liegen auch die Geburtsjahre
der Jung-Wiener sehr nahe beieinander: Bahr 1863,
Schnitzler 1862, Altenberg 1859, Beer-Hofmann 1866, Salten 1869. Einzig Hofmannsthal und Andrian sind bedeutend jünger; beide überwanden sie die Dekadenz. Bahr
fügt hinzu:

> " Eines haben sie alle gemein: den starken
> Trieb aus dem flachen und rohen Naturalismus
> weg nach der Tiefe verfeinerter Ideale. (...)
> Sie wollen keine Abschrift der äussern Na-
> tur. Sie wollen modeler notre univers
> intérieur. Darin sind sie wie neue Romanti-
> ker. (...) Aber sie sind eine Romantik der
> Nerven. (...) Nicht Gefühle, nur Stimmungen
> suchen sie auf. (...) Diese neuen Nerven
> sind feinfühlig, weithörig und vielfältig
> und teilen sich unter einander alle
> Schwingungen mit. Die Töne werden gesehen,
> Farben singen und Stimmen riechen. Die Alten
> behaupten, dass das keine Errungenschaft,
> sondern bloss eine Krankheit sei, welche die
> Aerzte l'audition colorée nennen."[2]

---

1) op. cit. S. 20.
2) op. cit. S. 20 f.

Bahr unternimmt hier den Versuch, einerseits der Ansicht,
Dekadenz beinhalte ausschliesslich Pathologisches, ent-
gegenzutreten, anderseits in der Sensibilisierung der
Nerven eine Bereicherung zu sehen.

In diesem Kapitel, das mit "Die Décadence"[1] überschrieben
ist, scheint Bahr jedoch vor allem an die französischen
décadents gedacht zu haben. Bei der Analyse des
'Jungen Oesterreich' - Bahr braucht die Bezeichnung Jung-
Wien nicht - werden dieselben Charakteristika angeführt.
So sagt Bahr beispielsweise von sich selbst:

> " Ich suche geflissentlich vielmehr das Ge-
> ringe gern: leise, kleine, kaum vernehmliche
> Gefühle, schwanke Stimmungen der Nerven, die
> entwischen, feine, flüchtige und rasche No-
> ten, die verhuschen. Ja, man darf eher klagen,
> dass, gerade je deutlicher ich mich auf mich
> besinne und zu mir komme, die Fragen der
> Zeit, ihre heftigen Kämpfe und die Erschütte-
> rungen unserer Menschheit von mir rücken,
> während ich hinter flatternden Reizen müssi-
> ger Launen hasche, ob ich nicht einen in
> helle, glatte und geschmeidige Formen fangen
> kann."[2]

Dies ist das Bekenntnis des typischen Wiener décadent, es
könnte ebensogut von Schnitzler oder Loris stammen. Bezeichnend ist vor allem die Gleichgültigkeit gegenüber
den "Fragen der Zeit". Sie werden wohl registriert, jedoch ohne Stellungnahme und ohne Engagement. In bezug auf
Bahr ist freilich eine Einschränkung angebracht, denn er
hat sich, obwohl er hier das Gegenteil behauptet, nur

---

1) ebda. S. 19-26.
2) ebda. S. 92 f.

selten Zurückhaltung in der Kritik an seiner Zeit auferlegt. Karl Kraus war es vorbehalten, die Unzulänglichkeiten seiner Umgebung zu geisseln, wobei er sogar vor dem Jungen Wien, dem er ja zeitweise selber angehört hatte, nicht Halt machte ("Die demolierte Literatur", 1897). Auf Schnitzler trifft dieses Desinteresse an der Gegenwart insofern zu, als weder im erzählenden noch im dramatischen Werk, von wenigen Ausnahmen wie etwa dem "Professor Bernhardi" oder der Frage des Duells abgesehen, eigentliche Zeitkritik geübt wird. Wohl klingt sie in verhaltener und diskreter Skepsis und Ironie an. In seinen "Aphorismen und Betrachtungen" hingegen, die zum Teil schon zu Lebzeiten Schnitzlers in Zeitungen und Zeitschriften veröffentlicht worden sind, schreckt er auch vor teils vernichtender Kritik nicht zurück.

Ein weiteres Charakteristikum der Wiener Dekadenzliteratur ist in der Verhaftung an Wien zu suchen. Bahrs Feststellung, "... die Werke der Ebner und des Saar wirk-(t)en wunderbar auf sie. Was in diesen Werken ist, ist alles auch in ihren Gefühlen."[1] trifft in der Tat zu. Die Jung-Wiener schöpften aus der Heimatdichtung und sind ihr auch in gewissem Sinne verhaftet.

> "   Alles ist neu und ist es doch wieder in der
> alten, ewig unveränderlichen Art des Landes.
> Das möchten sie in die Dichtung bringen:
> diese liebe wienerische Weise von einst,
> aber mit den Strophen von heute.

---

1) op. cit. S. 78.

Und es konnte, wenn sie die rechte Gestalt des
Oesterreichischen finden, wie es jetzt ist,
mit diesen bunten Spuren aller Völker, mit diesen romanischen, deutschen, slawischen Zeichen,
mit dieser biegsamen Versöhnung der fremdesten
Kräfte - es könnte schon geschehen, dass sie,
in dieser österreichischen gerade, jene
europäische Kunst finden würden, die in allen -
Nationen heute die neuesten, die feinsten Triebe
suchen."[1]

Hier wird angetönt, was oben schon erwähnt worden ist, nämlich einerseits Wien als der Schmelztiegel europäischer
Kultur - darum kann die Wiener Dekadenzbewegung nur im
europäischen Zusammenhang verstanden werden -, andrerseits
ein gewisser Hang der Oesterreicher des ausgehenden 19.
Jahrhunderts zur 'Nervlichkeit', zur Ueberspanntheit. Darin liegt seine Affinität für die Wesensart der Dekadenz.
Im übrigen ist unter den Lyrikern des Jungen Wien eine
ähnliche Haltung wie bei den décadents in Frankreich
festzustellen. Der Prosaist geht kaum jemals so weit in
der Engagiertheit für die Dekadenz; er ist niemals ein
so reiner décadent wie der Lyriker. Der Grund ist sicher
in der Tatsache zu suchen, dass sich das Gedicht bedeutend besser eignet, den feinen Seelenstimmungen den adäquaten literarischen Ausdruck zu geben. Folgende Verse aus
einem Gedicht Felix Dörmanns (1870 - 1928), einer vergessenen Randfigur der Wiener Dekadenz, dessen bekanntesten
Werken, "Neurotika" und "Sensationen", seinerzeit ein gewisser Tagesruhm zukam, mögen dies bestätigen.

---

1) op. cit. S. 79

"Ich liebe die hektischen, schlanken
Narcissen mit blutrotem Mund;
Ich liebe die Qualengedanken,
Die Herzen zerstochen und wund;

Ich liebe die Fahlen und Bleichen,
Die Frauen mit müdem Gesicht,
Aus welchen die flammenden Zeichen
Verzehrende Sinnenglut spricht;

Ich liebe die schillernden Schlangen,
So schmiegsam und biegsam und kühl;
Ich liebe die klagenden, bangen,
Die Lieder von Todesgefühl;

Ich liebe die herzlosen, grünen
Smaragde vor jedem Gestein;
Ich liebe die gelblichen Dünen
Im bläulichen Mondenschein;

Ich liebe die glutendurchtränkten,
Die Düfte berauschend und schwer;
Die Wolken, die blitzedurchsengten,
Das graue, wutschäumende Meer;

Ich liebe, was Niemand erlesen,
Was keinem zu lieben gelang;
Mein eignes, urinnerstes Wesen
Und Alles, was seltsam und krank."[1]

---

1) Findet sich in: H. Bahr: Studien zur Kritik der Moderne. Frankfurt a.M. 1894, S. 88.

Das treffendste Bild der Wiener Dekadenz der Jahrhundert-
wende gibt jedoch Loris, der junge Hofmannsthal, der im
Herbst 1892, als Achtzehnjähriger, folgende Verse als
Einleitung zu Schnitzlers "Anatol" verfasste:

"Also spielen wir Theater,
    Spielen unsre eignen Stücke,
    Frühgereift und zart und traurig,
    Die Komödie unsrer Seele,
    Unsres Fühlens Heut und Gestern,
    Böser Dinge hübsche Formel,
    Glatte Worte, bunte Bilder,
    Halbes heimliches Empfinden,
    Agonien, Episoden..."[1]

Neun Verse, die alles wiederzugeben vermögen, was Fühlen
und Handeln des Jungen Wien bestimmt! Sie sind sozusagen
die Definition der Wiener Dekadenzauffassung. Kürzer
könnte man auch Schnitzler und sein Werk nicht charakterisieren. Schnitzler gehört zu diesem "wir". Er ist Wiener,
und so sind auch seine Gestalten, im Theater wie in
der Erzählung, grösstenteils Wiener. Seine Geburt fällt in
die Zeit zwischen 1860 und 1870, wie die Bahrs, Andrians
und Beer-Hofmanns. Wir finden in seinem Werk die Menschen
dieser Zeit, des Fin de siècle. Er zeichnet mit diesen
Grossbürgern, Intellektuellen, Offizieren, Dandies, mon-
dänen Frauen und süssen Mädels "ein vollendetes Bild der
Zeit des alten Kaisers Franz Joseph. Schnitzlers Menschen
sind letzthin ohne weltanschauliche Verwurzelung, ja

---

1) D I S. 29.

nicht einmal unbedingt bodenständig, eher irgendwie assi-
miliert, doch eingeordnet in die grosse Kulturtradition
der österreichischen Lebensgemeinschaft; skeptische Frei-
geister auch in dem Sinn, dass sie die liberalen Dogmen
bezweifeln, Weltleute der Seele und oft Lebeleute des
Körpers, aber im tiefsten enttäuscht durch Geist und Genuss, ein Menschenschlag, der lediglich in der k.k. Windstille und Beschwichtigungsluft entstehen konnte."[1] Mü-
digkeit, Resignation und Lebensüberdruss, Ueberspanntheit, graziöse Libertinage, bohrendes Psychologisieren
und Ausloten der verborgendsten Seelenwindungen,
Aesthetizismus, Willenlosigkeit, Schwäche und Desillusio-
nierung, das sind typische Elemente von Schnitzlers Werk.
Ueber allem schwebt die unverwechselbare 'Schnitzler-
Atmosphäre' der müden, kränkelnden Spätzeit, des Herbstes,
der Ueberreife, mit zarten Uebergängen und Zwischentönen
in Pastell, des Vagen und Dämmrigen ohne scharfe Konturen,
der Verwischung der Grenzen zwischen Traum und Wirklichkeit, zwischen Schauspielerei und Ernst.

Der übliche Sinngehalt des Dekadenzbegriffs dürfte mei-
stens demjenigen der französischen "poètes maudits" und
décadents entsprechen. Auf dem Weg von Paris nach Wien
erfährt dieser aber erhebliche Einschränkungen und Re-
tuschen. Trotz der jeweilig charakteristischen 'couleur
locale', für die Wiener Dekadenz besonders bezeichnend,
fühlten sich die Angehörigen dieser Dichtergeneration
miteinander verwandt, so dass man von der Dekadenz des
Fin de siècle als von einem europäischen Phänomen sprechen kann. Ihre Werke strahlen die gleiche Atmosphäre
aus, obwohl sie zum Teil recht unterschiedlichen Einstel-

---

1) E. Alker: Die deutsche Literatur im 19. Jahrhundert.
   Stuttgart 1969, S. 717.

lungen zur Dekadenz entspringen. Die Intensität reicht dabei vom totalen Engagement unter Einbezug der Person des
Dichters (Baudelaire) bis zum blossen distanzierten Registrieren (Schnitzler). Es ist bei weitem nicht jeder
ein décadent und "poète maudit". Eine Differenzierung
drängt sich demnach nicht nur für den Begriff Dekadenz
an und für sich auf, sondern ebensosehr für die Beurteilung der Vertreter der sogenannten Dekadenzliteratur
in Europa. Neben den frappanten Aehnlichkeiten gibt es
auch erhebliche Unterschiede. Die folgenden Kapitel wollen den Begriff Dekadenz losgelöst von extremen Ausfor-
mungen, mit den hier und in der Einleitung angeführten
Einschränkungen (z.B. bei den französischen Symbolisten)
und Differenzierungen (Vermeidung einseitig negativer
Bewertung) verstanden wissen.

III. A R T H U R   S C H N I T Z L E R   I M   W I E N   D E S
      F I N   D E   S I E C L E
_____

Es muss davon ausgegangen werden, dass Schnitzlers Werk
ausgesprochen orts- und zeitbezogen ist. Sein Theater und
seine Prosaepik spielen fast ausnahmslos im Wien der Jahrhundertwende. Ohne Kenntnisse der politisch-sozialen Szenerie des franzjosephinischen Oesterreich der letzten drei
Dezennien des 19. Jahrhunderts wird daher der Zugang zu
Schnitzlers Literaturschaffen erschwert, um nicht zu sagen verunmöglicht. Ausserdem ist der besondere Gesichtspunkt, unter welchem hier Schnitzlers Werk betrachtet
werden soll, eng mit jenem Raum und jener Zeit verknüpft.
Ziel des Kapitels ist es deshalb, das politische, soziale
und kulturelle Klima zu untersuchen, in welchem eine
Dichtung entstehen konnte, die unter den Begriff 'Dekadenzliteratur' fällt. Dabei wird sich bestätigen, was
schon im vorhergehenden Kapitel festgehalten worden ist,
dass Schnitzler von der Person her kaum als décadent bezeichnet werden kann.

Schnitzlers Werden[1] fällt in eine Zeit des folgenschweren Zusammentreffens verschiedenartigster Gegebenheiten
und Entwicklungen, die nichtsdestoweniger eng miteinander
verhängt sind. Die Habsburg-Monarchie des ausgehenden 19.
Jahrhunderts war ein in den Grundfesten erschüttertes und
aussenpolitisch gefährdetes Staatswesen, innenpolitisch
und sozial gekennzeichnet durch die Krise der liberalen
Ideen, den allmählichen Sieg der Massenparteien der

_____

1) Es fehlt bis heute eine brauchbare Schnitzler Mono-
   graphie. Für biographische Angaben muss immer noch auf
   R. Specht: Arthur Schnitzler. Berlin 1922, zurückgegriffen werden.

Christlichsozialen und Alldeutschen, den Niedergang des
Adels und den Aufstieg des Grossbürgertums, die Nationali-
tätenfragen und einen fanatischen Antisemitismus. Auf diesem Boden wuchsen die Voraussetzungen für eine beachtli-
che Kultur, die für das Entstehen von Psychoanalyse,
Immanenzpositivismus, einer Vielzahl von Strömungen in
Kunst und Literatur, wobei Naturalismus, Impressionismus
und Neuromantik herausragen, ausschlaggebend waren und die
letztlich die Entwicklung einer Dekadenzliteratur wenn
nicht heraufbeschworen, so doch zumindest entscheidend
förderten. In dieser spannungsreichen Welt des mittleren
Donauraumes mit dem unbestrittenen Zentrum Wien, wo sich
alle Erscheinungen um eine Nuance akzentuierter manife-
stierten, wuchs Schnitzler heran.

Mit Recht vermerkt R. Urbach: "Die Zeit, der er seine
Stoffe entnahm, endete mit dem 1. August 1914, dem Tag an
dem die Welt zusammenbrach, die zu gestalten er ein Leben lang unternahm, auch als sie längst Vergangenheit geworden war."[1] Zweifellos ist in diesem Umstand der
Hauptgrund dafür zu suchen, dass Schnitzler 1931, zum
Zeitpunkt seines Todes, nahezu vergessen war. Schon in
den Zwanzigerjahren kam sein Theater ausserhalb Wiens
kaum noch an. Das 1924 an der Berliner 'Tribüne' aufge-
führte Drama "Der einsame Weg" veranlasste Bertolt Brecht
zu abfälligen Bemerkungen über ein, wie er es nannte, "so
verstaubtes Stück".[2] Die Nachrufe in der Presse zu
Schnitzlers Tod waren zwar recht zahlreich, allerdings
machten sich bereits die Stimmen bemerkbar, welche die

---

1) R. Urbach: A. Schnitzler. Velber bei Hannover 1968,
   S. 17. Vgl. auch J. Körner: Arthur Schnitzlers Gestalten und Probleme. Zürich, Leipzig und Wien 1921,
   S. 226, und H. Singer: Zeit und Gesellschaft im Werk
   Schnitzlers. Diss. Wien 1948, S. 14 ff.
2) A. Schnitzler - M. Reinhardt: Der Briefwechsel. Salzburg 1971, S. 12.

literarische Geringschätzung für Schnitzlers Werk während
längerer Zeit bestimmten. So äusserte sich etwa der 'Völ-
kische Beobachter', kaum eine Woche nach Schnitzlers Ab-
leben, unter Berufung auf den nationalsozialistischen Li-
teraturhistoriker Adolf Bartels, folgendermassen:

> "Literarisch war der bekannte jüdische Autor
> schon längere Zeit, seit etwa zehn bis zwölf
> Jahren tot.(..) Nun gibt sein Hinscheiden
> der sogenannten 'grossen' Presse Gelegenheit,
> ihren Mann noch einmal herauszustellen; das
> Bestreben, Schnitzlers Ruhm in eine herauf-
> kommende neue Zeit hinüberzuretten, dürfte
> verlorene Liebesmühe sein. Um 1900 konnte ein
> Klassiker der 'Süsse-Mädl'-Dramatik allen-
> falls imponieren, heute interessiert er nicht
> einmal mehr.(...)Adolf Bartels zählt Schnitz-
> ler zur feineren jüdischen Dekadenz, und da-
> mit ist im Grunde alles gesagt. Da dem ge-
> sunden deutschen Volke weder jüdisches noch
> dekadentes Schaffen liegt, wird Schnitzlers
> Name bald vergessen sein.(..)"[1]

Schnitzler versank in der Tat in Vergessenheit, jedenfalls
machte es den Anschein.[2] Sein Nachlass musste 1938 vom
Zugriff der Nationalsozialisten nach Cambridge und Los An-
geles gerettet werden.[3] Erst nach 1961 erschien ein erster Teil von Schnitzlers Gesamtwerk.

In der vermeintlichen Schwäche des Werkes Schnitzlers,
nämlich, dass es vornehmlich Zeitwerk ist, liegt aber auch
seine Stärke. Die Darstellung dieser noch heute mit viel

---

1) Völkischer Beobachter vom 27.10.1931. (Zit. nach R. Urbach: op. cit. S. 15.)
2) F. Derré spricht in ihrer Studie von einer "totale mé-
connaissance ou effarante carricature" in der Schnitz-
ler-"Forschung" während des Dritten Reiches. L'oeuvre
d'Arthur Schnitzler. Diss. Paris 1966, S. 5.
3) H. Schnitzler: Der Nachlass meines Vaters. In: Aufbau.
New York 1951, S. 9.

Klischeevorstellungen behafteten Welt der "fröhlichen Apo-
kalypse Wiens" (Hermann Broch) ist keinem wie Schnitzler in
auch nur ähnlicher Vollendung gelungen. Epoche und Raum waren
für ihn überschaubar und bildeten seinen unmittelbaren Erfah-
rungsbereich. In Schnitzler, der Zeit seines Lebens mit Wien
aufs engste verbunden war, fand die Metropole des untergehenden 'Kakanien' einen Diagnostiker, wie sie ihn einfühlender
und mit wacherem Geiste ausgestattet nicht hätte wünschen können.[1] Seine Geburt fällt in die Zeit der grossen Veränderungen der Stadt. 1857 wurde durch kaiserliches Dekret beschlos-
sen, die Mauern und Festungen, welche den Stadtkern von den
Vorstädten trennten, durch die sogenannte Ringstrasse zu ersetzen. Fast gleichzeitig entstanden die neugotische Votivkirche, das Parlamentsgebäude, das Rathaus, etwas später das
Burgtheater. Während die Votivkirche die Erinnerung an ein
fehlgeschlagenes Attentat an Kaiser Franz Joseph wachhalten
sollte, als "Denkmal des Patriotismus und der Anhänglichkeit
der Völker Oesterreichs an das Kaiserhaus", wie es damals
hiess, so ist im Bau des Rathauses der "Aufstieg des Stadt-
bürgertums aus jahrhundertelanger politischer Schwäche zu
neuem Selbstbewusstsein"[2] zu sehen. Die städtebaulichen
Veränderungen Wiens veranschaulichen sinnenfällig die politische Situation Oesterreichs. 1861 eröffnete Kaiser Franz
Joseph den ersten Reichsrat in einem provisorischen Holzge-
bäude. Damit begann das letzte Kapitel der österreichischen
Monarchie: die Konstitution.

Englands Krone hatte dem Volke längst demokratische Rechte
eingeräumt; in Frankreich wurde das monarchische Prinzip bereits im Jahrhundert vorher in seinen Grundfesten erschüt-

---

1) Vgl. Briefwechsel Arthur Schnitzler - G. Brandes. Bern
   1956, S. 142.
2) In: Spectrum Austriae. Wien 1957, S. 689.

tert. In Oesterreich freilich vollzog sich der Wandel unauf-
fällig, ohne Eklat. Noch empfand man die Monarchie, vor allem
in Wien, kaum als lästig. Franz Joseph erfreute sich einer
mit Sentimentalität aber auch mit Ehrfurcht gemischten Beliebtheit. Doch er war nicht der Kaiser, der die immer schwe-
rer lastenden Probleme, etwa die Nationalitätenfrage, hätte
lösen können. Hermann Broch nennt Franz Joseph in seinem
Essay "Hofmannsthal und seine Zeit" den "abstrakten Monarchen
schlechthin", einen "recht ausblickslosen, engen und kleindi-
mensionierten Menschen", der trotzdem "Inbegriff der Majestät"
war.[1] Wie die Beurteilung Franz Josephs auch aussehen mag -
sie schwankte wohl immer zwischen Lob und Tadel[2] - eines
steht fest: in seiner starrsinnigen Ablehnung der neuen Ideen
und seiner unseligen Eigenart, schwerwiegende politische Ent-
schlüsse überhastet und über die Köpfe seiner Berater hinweg
zu fassen, war er nicht der Herrscher, der die drohende Katastrophe hätte abwenden können. Er passte ins Bild dieses
"Landes der ererbten Müdigkeiten und Halbheiten" (J. Redlich)
wie auch ins Bild seiner Zeit, "ein alle Gegensätze sanft mil-
dernder Herbst voll weichen Septemberlichts und verklärend-
müder Oktobersonne (...) - nicht ohne einen Hauch von Verwesung"[3] und bestärkte seine Untertanen in ihrer Haltung der
Nicht-Konfrontation und Beschwichtigung, der müden Resignation und des Vertuschens. Alker nennt ihn einen "Kaiser-Epi-
gonen", der "weder wirklicher Kaiser noch apostolische Majestät
oder Imperator"[4] war.

---

1) H. Broch: Gesammelte Werke. Essays I. Zürich 1953-1961,
   S. 95.
2) A. Novotny: Franz Joseph I. Göttingen, Frankfurt a.M.
   1968, S. 96.
3) E. Alker: Die deutsche Literatur im 19. Jahrhundert. Stuttgart 1969, S. 597.
4) ebda. S. 599.
   Mit wieviel Sentimentalität das Volk an seinem Kaiser hing,
   zeigt O. Friedländers Schilderung der Fronleichnamspro-
   zession in: Letzter Glanz der Märchenstadt. Wien 1969:

Die Historiker bestätigen es; der Vielvölkerstaat Oesterreich
konnte nicht mehr gerettet werden. J. R. von Salis spricht in
bezug auf die Habsburg-Monarchie als von einem "Schulbeispiel
für die Unaufhaltsamkeit und Unabwendbarkeit des Zerfalls eines Reiches, das einst seine historische Aufgabe erfüllt hat,
aber durch neue Kräfte und Ideen, die mit seiner ursprüngli-
chen politischen Funktion und seinen konstitutionellen Grundlagen im Widerspruch standen, zersetzt und in seiner Existenz
bedroht wurde."[1] Diese "neuen Ideen" wurden vorerst von den
Liberalen getragen. Sie waren es auch, die anfangs der Sech-
zigerjahre eine konstitutionelle Regierung errichteten. Ihre
Vormachtstellung wurde aber durch die Finanzkrise 1873 schwer
erschüttert und war 1895 vollends gebrochen. Gerade das Wiener Grossbürgertum sah sich spätestens seit 1880 in seiner
Existenz durch die aufkommenden Massenparteien, Christlichso-
ziale und Alldeutsche, bedroht und suchte daher eine Annähe-
rung an den Adel. Es wäre völlig irrig zu glauben, die Libera-

---

"Und dann kommt allein in der Mitte der Strasse barhaupt,
von Alter und Demut gebeugt, der Kaiser mit einer Kerze
in seiner rechten Hand, die linke am Säbelknauf, den Ge-
neralshut haltend. Alles schaut ergriffen den alten Mann
an, der so einsam und gebeugt seiner Pflicht nachgeht mit
seinen weissen Haaren, in seinem weissen Generalsrock,
und die Sonne brennt erbarmungslos auf seine glänzenden
Orden und seinen kahlen Greisenkopf." (S. 43).

Die Vorstellung vom alten weisen Kaiser klingt auch in
Joseph Roths Roman "Radetzkymarsch" an, doch ungleich
differenzierter:

"Der Kaiser war ein alter Mann. Er war der älteste Kaiser
der Welt. Rings um ihn wandelte der Tod, im Kreis, im
Kreis, und mähte und mähte. Schon war das ganze Feld leer,
und nur der Kaiser, wie ein vergessener silberner Halm,
stand noch da und wartete. (...) Die Leute glaubten, Franz
Joseph wisse weniger als sie, weil er so viel älter war
als sie. Aber er wusste vielleicht mehr als manche. Er sah
die Sonne in seinem Reich untergehen, aber er sagte
nichts. Er wusste, dass er vor ihrem Untergang noch sterben werde." Zürich 1965, S. 271 f.

1) J.R. von Salis: Weltgeschichte der neuesten Zeit. Band II.
Zürich 1955-1960, S. 328.

len hätten den Adelsstand untergraben.[1] Ihre politischen Ziele hatten sich seit den stürmischen Tagen der Jahre 1848/49
weitgehend gewandelt. Das liberale Gedankengut, dem auch das
wohlhabende jüdische Grossbürgertum Wiens nahe stand, wurde
durch fanatischen Antisemitismus, Klerikalismus und gross-
deutschen Nationalismus der genannten Massenparteien abgelöst.
Wohl versuchte Franz Joseph die Wahl des Christlichsozialen
Karl Lueger zum Bürgermeister Wiens zu hintertreiben. Spätestens 1900 setzten sich jedoch die Christlichsozialen in ganz
Oesterreich durch. Diese Situation bestärkte das Grossbürgertum Oesterreichs und insbesondere Wiens in seinem Bestreben,
sich immer mehr an den Adel anzulehnen. Grossbürgertum und
Adel wurden gemeinsam massgebende Träger der Kultur.

Während der Adel traditionell die Kunst als seine Domäne betrachtete, verschrieb sich das Grossbürgertum vorab der Wissenschaft. Doch schon die städtebaulichen Veränderungen
Wiens nach 1859 lassen offenbar werden, dass die aristokratische Alleinherrschaft in der Kunst durchbrochen war und
dass es nicht bei der Architektur bleiben würde. Die Begeisterung des Wiener Mittelstandes für Musik, Malerei und Theater war um die Jahrhundertwende weitverbreitet und zweifellos
echt. Künstler genossen zum Teil fürstliches Ansehen. Einem

1) J.C. Allmeyer-Beck bemerkt dazu: "Die Stellung des Adels
   wurde durch den Absolutismus des Staates, genauer der
   Krone, von obenher zerschlagen. (...) In den sturmerfüll-
   ten Monaten der Jahre 1848/49 wurde dem Adel gewissermassen im Zeitraffertempo (...) ein Prozess demonstriert,
   der bereits ein Jahrhundert im Gange war, aber infolge
   der Langsamkeit seiner Entwicklung und dank gelegentli-
   cher, scheinbar rückläufiger Bewegungen nie so krass in
   Erscheinung getreten war. Entscheidend war vielmehr, dass
   die Krone, wiederum im Vollbesitz ihrer Macht, freiwillig
   die revolutionären Forderungen des Bürgertums gegen den
   Adel sanktionierte und damit als eine Vollstreckerin des
   sozialen Wollens der Revolution auftrat."
   In: Spectrum Austriae. op. cit. S. 266.

Maler wie Hans Makart, dem Sohn eines Aufsehers von Schloss
Mirabell in Salzburg, kamen Ehrungen zuteil, wie sie sonst nur
den Helden des Schlachtfelds vorbehalten waren. 1879 führte
er einen von ihm selbst entworfenen Kaiser-Festzug als Rubens
verkleidet hoch zu Ross an. Die Schauspielerin Katharina
Schratt gehörte während annähernd dreissig Jahren zum engsten
Kreis um Franz Joseph und war selbst am Totenbett des Kaisers
von dessen Familie als einzige Aussenstehende geduldet.[1] Im
Schatten von wenigen wirklich begabten Künstlern grassierte
aber der Dilettantismus. Hermann Broch erachtet die Zeit
zwischen 1870 und 1890 als von einem "Wert-Vakuum" "beherrscht": "Man spielte Kunstblüte, zwar nicht ganz so plump
wie später unter Wilhelm II., geschweige denn unter Hitler,
dennoch nicht ganz unbewusst, also nicht ohne Verlogenheit."[2]
In der Tat wurde hinter der Kulisse der Heiterkeit und der
scheinbar unbeschwerten Lebensfreude die bedrohliche Lage des
Staates verborgen. Wien war nicht nur die Stadt des Walzers,
der glanzvollen Ballnächte und der Operette. Es gab auch ein
Wien der sozialen Spannungen und Arbeiterunruhen. In letzte-
rem unterschied sich Wien kaum von anderen europäischen
Hauptstädten. Wohl wog die Nationalitätenfrage in diesem Viel-
völkerstaate schwer, doch wurde sie zum Nachteil der sogenannten 'sozialen Frage' stets in den Vordergrund gedrängt.
Der gehobene Bürgerstand reagierte mit Gelassenheit auf die
Forderungen des Proletariats der Wiener Vorstädte. Die Wiener 'Beschwichtigungsluft' (E. Alker) liess die soziale Krise
in weit weniger grellem Licht erscheinen als etwa in Berlin.
Das zu Wohlstand gekommene Bürgertum sah am Ring Prachtbauten
wie das Rathaus, das Burgtheater und das Parlamentsgebäude

---

1) A. Novotny: op. cit. S. 95.
2) H. Broch: op. cit. S. 77. Vgl. auch H. Schnitzler: 'Gay
   Vienna' - Myth and Reality. In: Journal of the History
   of Ideas 15, Nr. 1, 1954, S. 94-118.

entstehen. Diese Kulissen der Selbsttäuschung reimten sich
mit der oberflächlichen Verspieltheit des Wiener Gesellschafts-
lebens: "Glücklich ist, wer vergisst, was nicht mehr zu ändern
ist."[1] In Hofmannsthals "Schema", "Preusse und Oesterreicher",
heisst es unter anderem: Der Preusse "drängt zu Krisen", der
Oesterreicher "weicht den Krisen aus".[2] Die Spannungen, heraufbeschworen durch die immer krasser werdenden Unterschiede
zwischen den sozialen Klassen, wurden vom Grossbürgertum als
lästig empfunden. Vehement Verbesserung ihrer Lage fordernde
Arbeiter betrachtete man als Störenfriede. Die Kluft zwischen
Bürgertum und Proletariat war in der Ringanlage zu Stein geworden.[3]

Die Familie Arthur Schnitzlers gehörte zu diesem "arrivierten
Bürgertum". Sein Vater, Johann Schnitzler, hatte es, aus eher
bescheidenen Verhältnissen stammend, zu einem gewissen Wohlstand gebracht. Er war ein Mann der Wissenschaft, der durch
Fleiss und Hingabe an seinen Beruf als Arzt zu einem der an-
gesehensten Medizinern Wiens wurde. Sein Spezialfach, die
Laryngologie, brachte es mit sich, dass der Patientenkreis
sich vornehmlich aus Sängern und Schauspielern, aber auch aus
Adeligen und selbst aus Mitgliedern fremder Fürstenhäuser zu-
sammensetzte,[4] was enge Beziehungen zur Wiener Theaterwelt
und zur Aristokratie schuf. Zweifellos kam dieser Umstand den

---

1) Vgl. dazu H. Hantsch: Die Geschichte Oesterreichs. Band II.
   Graz, Wien, Köln 1953, S. 447.
2) H. von Hofmannsthal: Gesammelte Werke in Einzelausgaben.
   Prosa III. S. 409.
3) H. Hantsch schreibt dazu: "Die hohen Zinshäuser, die den
   Ring einsäumen, verbildlichen die geistige Gestalt jenes arrivierten Bürgertums, das nach aussen hin so selbst-
   sicher und pathetisch aufzutreten wusste, so überlegen
   mit seinem Wohlstand prahlte und doch innerlich hohl und
   richtungslos dem Zerfall entgegentrieb."
   op. cit. Band II, S. 462.
4) A. Schnitzler: Jugend in Wien. Wien 1968, S. 201.

Neigungen Johann Schnitzlers entgegen, vor allem was das
Theater angeht, zu dem er sich seit frühester Jugend hingezo-
gen fühlte. Schon als Gymnasiast verfasste er Dramen in
deutscher und ungarischer Sprache, später betätigte er sich
in der Journalistik als Mitbegründer und Herausgeber der
'Wiener Medizinischen Presse' (1860 bis 1886). Sein Verhältnis zur Kunst war indes nicht dasselbe wie das des Sohnes
Arthur, nach dessen Aussagen Johann Schnitzler mehr "Interesse für Menschen, die zur Kunst, insbesondere zur Bühne,
in Beziehung standen" bekundete, was von einer "etwas naiven
Sympathie für die äusserlich heitere und scheinbar leichtere
Lebensführung innerhalb dieser Kreise" zeugte.[1] Immerhin,
er zählte sich zu jenem Teil des Wiener Grossbürgertums, das
für Gesetz und Ordnung eintrat, in Wissenschaft und Forschung
auf verschiedensten Gebieten Grossartiges leistete und sich
von den schönen Künsten angezogen fühlte. Die Kunstauffas-
sung unterschied sich freilich von der traditionellen der
Aristokratie Oesterreichs. Sie basierte auf der Grundlage
der liberalen Ideen, d.h. auf Verstand und Naturgesetz. In
den oben beschriebenen Assimilationstendenzen des gebildeten
Grossbürgertums mit dem Adel eignete es sich jene "ästhetisch, sinnliche Sensibilität"[2] an, welche die Voraussetzungen für das Entstehen von Impressionismus und Dekadenz
bildeten.

Der Einfluss Johann Schnitzlers auf seinen Sohn Arthur war
bedeutend. Von ihm gingen die Anregungen zur Pflege von Wis-

---

1) ebda. S. 30.
2) C. E. Schorske: Schnitzler und Hofmannsthal. Politik und
   Psyche im Wien des Fin de siècle. In: Wort und Wahrheit
   XVII, 1962, S. 370 ff. Der Autor dieser Studie glaubt auch
   an eine grundlegende Umorientierung der Kunst, nämlich:
   "Kunst wurde vom Ornament zur Essenz umgeformt, von einem
   Ausdruck des Wertes zu einer Quelle des Wertes." (S. 372)

senschaft und Kunst aus. Man verkehrte in der gehobenen Gesellschaft Wiens, besuchte fleissig die zahlreichen Bühnen,
was des jungen Schnitzlers Neigung zum Theater früh weckte.
Hinzu kamen die vielen Bekannten aus den Schauspielerkreisen,
etwa Adolf Sonnenthal oder Charlotte Wolter, um nur die be-
rühmtesten zu erwähnen. So ist es nicht verwunderlich, dass
Arthur Schnitzlers erste literarische Versuche schon relativ früh, zwischen 1874 und 1878, erfolgten.[1]

Arthur Schnitzlers weitere Laufbahn wurde vom Vater bestimmt.
Im Herbst 1879 nahm er an der medizinischen Fakultät der
Universität Wien sein Studium auf, wenn auch ohne Ueberzeugung. Die erste Vorprüfung bestand er noch mit Auszeichnung;
doch machte sich in ihm ein immer tiefer gehendes allgemeines Missbehagen der Medizin gegenüber bemerkbar, das auch
seine besondern Interessen, die er den Nerven- und Geistes-
krankheiten entgegenbrachte, nicht aus dem Wege räumen konnten.[2] Er wandte sich vermehrt philosophischen und ästhetischen Problemen zu, verkehrte in Kaffeehäusern und unter-
hielt Freundschaften zu Künstlern, was von seinem Vater aufs
heftigste missbilligt wurde.[3] Dennoch hielt er durch und
promovierte 1885.

Die Zwistigkeiten im Hause Schnitzler sollten in ihren Aus-

---

1) Davon ist lediglich ein, zwar verlorenes, Drama in zwei
   Akten erwähnenswert, "Der ewige Jude", von dem Schnitzler
   noch Jahre danach ausserordentlich viel hielt. Vgl. Jugend in Wien. op. cit. S. 74 f.
2) ebda. S. 190, 294.
3) Arthur Schnitzler musste sich zwangsläufig mit seinem Vater überwerfen, der in ihm einen Nachfolger in der Laryngologie, einen würdigen Weiterführer der grossen Tradition der Wiener Medizin sah. Bertha Zuckerkandl berichtet
   in ihren Erinnerungen von einer Auseinandersetzung im
   Hause Schnitzler, deren unfreiwilliger Zeuge ihr Mann,
   der berühmte Anatom Emil Zuckerkandl und sie selbst waren.
   Vgl. B. Zuckerkandl: Erinnerungen. Brief an Mme Paul Clé-
   menceau. In: Oesterreich intim. Frankfurt a.M. 1970, S. 25.

wirkungen keinesfalls überbewertet werden. Sie zeigen aber
hinlänglich, dass der alte Schnitzler ein noch in den ethi-
schen Vorstellungen der Jahrhundertmitte verwurzelter und
zugleich befangener Moralist war. Arthur Schnitzler gehörte
bereits einer neuen Generation an, auch in der Medizin.
Wenngleich seine medizinische Karriere in den damals traditionellen Bahnen, Sekundararzt, Ausbildung zum Speziali-
sten, Assistenzarzt, nebenbei Militärarzt, verlief, so muss
gerade sein spezielles Interesse an der Psychiatrie im Hinblick auf die schriftstellerische Tätigkeit hervorgehoben
werden. Schnitzler wandte sich einem medizinischen 'Neben-
fach' zu, das im Begriffe war, die Aechtung und Vernachlässi-
gung zu überwinden. In den Siebziger- und Achzigerjahren
nahm die Psychiatrie in ganz Europa einen unvergleichlichen
Aufschwung. Sie vermochte immer mehr junge Mediziner in ihren Bann zu ziehen, auch Schnitzler. Als Assistent des Hirn-
pathologen Theodor Meynert befasste er sich vornehmlich mit
Hypnose und deren Anwendung zu therapeutischen Zwecken. Aus
diesen Studien ging seine einzige grössere medizinische Ab-
handlung hervor: "Behandlung der funktionellen Aphonie durch
Hypnose". Dadurch trat er nicht nur in die Fussstapfen seines Vaters als Kehlkopfspezialist, sondern geriet in die unmittelbare Nähe Sigmund Freuds. Schnitzlers Wesensverwandtschaft mit dem Begründer der Psychoanalyse ist kaum zu übersehen, ja es liegt sogar die Vermutung nahe, dass sich die
beiden aus der Erkenntnis heraus, "Doppelgänger" zu sein, gegenseitig mieden. Jedenfalls kam es nie zu einem wahrhaft
freundschaftlichen Verkehr.[1]

---

1) Nachgewiesene wichtige Begegnungen zwischen Schnitzler und
   Freud finden sich u.a. bei R. Lantin: Traum und Wirklichkeit in der Prosadichtung Arthur Schnitzlers. Diss. Köln
   1958, S. 7: am 16.6.1922, 16.8.1922 und am 12.3.1926. Vgl.
   dazu auch den Brief Freuds an Schnitzler vom 14.5.1922.
   In: S. Freud: Briefe 1873-1939. Frankfurt a.M. 1960.

Die Wirkung, wie sie von der Psychoanalyse ausging, war nicht
nur auf die Medizin und insbesondere auf die Psychiatrie gewaltig. Ihre Spuren lassen sich nicht zuletzt auch im Literaturschaffen bis in die neueste Zeit verfolgen. Was Schnitzler angeht, kann aber kaum von einem Einfluss im herkömmlichen Sinn gesprochen werden. Schnitzler und Freud gehörten
der selben Generation an (Freud war sechs Jahre älter) und
erkannten etwa gleichzeitig die Bedeutung gewisser Vorgänge
in der Psyche des Menschen, der eine als Psychiater mit klinischer Erprobung, der andere als Schriftsteller.[1]

Die vermehrte Beschäftigung mit Fragen des Seelenlebens des
Menschen ist nach 1870 in ganz Europa zu beobachten. Zwar
beruhten die Voraussetzungen dafür nicht überall auf den
gleichen Ursachen, weder in Paris, wo J. M. Charcot lehrte,
der eigentliche Urheber der Psychotherapie, noch in Wien, wo
dessen Schüler und Uebersetzer Sigmund Freud die Psychoanalyse begründete. Hier erfolgte die Zuwendung zum eigenen
Seelenleben aus der besonderen politischen und sozialen Lage
des Bürgertums heraus. Die Einengung des kultivierten Bür-
gers in seinem politischen und kulturellen Betätigungsfeld
und dessen Unfähigkeit aus dem Individualismus auszubrechen,[2]
kurz, die Vorzugsstellung des Adels gegenüber dem Bürgertum
beschworen diese 'Flucht nach innen' herauf.[3]

---

1) Vgl. dazu den Brief Freuds an Schnitzler vom 8.5.1906:
   "Ich habe mich oft verwundert gefragt, woher Sie diese
   oder jene geheime Kenntnis nehmen konnten, die ich mir
   durch mühselige Erforschung des Objektes erworben, und
   endlich kam ich dazu, den Dichter zu beneiden, den ich
   sonst bewundere.
   Nun mögen Sie erraten, wie sehr mich die Zeilen erfreut
   und erhoben, in denen Sie mir sagen, dass auch Sie aus
   meinen Schriften Anregung geschöpft haben." op. cit.
   S. 249 f.
2) Vgl. Vorwort K. Bergels zum Briefwechsel A. Schnitzler -
   G. Brandes. op. cit. S. 32.
3) C. E. Schorske: op. cit.:
   "Als seine Empfindung von dem, was Hofmannsthal 'das Glei-
   tende' nannte, zunahm, wandte der Bürger seine angeeignete

Die Zergliederung des Seelenlebens, wie sie von der Psychoanalyse angewandt wird, stellt zugleich ein wichtiges Chrak-
teristikum der Dekadenzliteratur dar. In der Psychoanalyse
wie in der Dekadenzliteratur geht es um das Hineinleuchten in
die verborgendsten Winkel der Psyche und das Aushorchen der
feinsten Regungen. Hier wie da stehen Grenzsituationen im
Vordergrund, "die Schwebezustände des Willens, zwischen Bewusst und Unbewusst, aber doch ziemlich tief im Unbewussten,
dem Freud in der Psychopathologie des Alltagslebens ganze
Nester und Ketten sehr geistreich nachgewiesen hat",[1] fliess-
ende Uebergänge zwischen Traum und Wirklichkeit und nicht
zuletzt pathologische Seelenzustände wie Hysterie und Hypochondrie. Auf Schnitzler bezogen lassen sich, wie die oben
angegebenen Briefstellen zeigen, hinlänglich Parallelen zwischen klinischer und literarischer Analyse anführen. Die literarische Methode zeigt mitunter verblüffende Aehnlichkeit
mit der psychoanalytischen, man denke an Hypnose (in "Paracelsus" und "Anatol") oder Traumdeutung (in "Der Schleier der
Beatrice" und "Traumnovelle"). Die starke Betonung des Erotischen, wie sie in der Psychoanalyse zutage tritt, d.h. das
fast ausschliessliche Herleiten psychischer Fehlentwicklungen
aus sexuellen Konflikten, blieb auf Schnitzler nicht ohne
Eindruck. In seinem Werk spielt das erotische Moment eine be-
achtliche Rolle, und es trifft zweifellos zu, dass sich

ästhetische Kultur nach innen, um das Ich zu kultivieren,
seine persönliche Eigenartigkeit. Diese Tendenz führte
unvermeidlich zu der vorwiegenden Beschäftigung mit dem
eigenen Seelenleben. Sie stellt die Verbindung zwischen
der Hingabe an die Kunst und die Beschäftigung mit der
Psyche dar." (S. 371).
1) Hofmannsthal an Schnitzler, Briefwechsel. Frankfurt a.M.
   1964, S. 258.

Schnitzler Erkenntnisse der Psychoanalyse, was den Bereich
des Erotischen angeht, zueigen gemacht hat.[1] Nichtsdestoweniger wird in der Sekundärliteratur die Verhängung von
Schnitzlers Werk mit der Psychoanalyse übertrieben,[2] d.h. es
entsteht der Eindruck, dass die psychoanalytische Leistung
Schnitzlers, das lediglich diagnostische Vorgehen, über die
schriftstellerische gestellt wird. Zudem darf nicht ausser
acht gelassen werden, dass sich Schnitzler gegenüber gewissen Theorien der orthodoxen Psychoanalytiker sehr zurückhal-
tend, wenn nicht ablehnend verhielt. Aus kritischen Tage-
buchnotizen geht dies deutlich hervor.[3] In diesem Zusammenhang ist es nicht uninteressant, dass das Aufkommen der
Psychoanalyse mit ihrer Ueberbetonung des Sexuellen zumal in
der frühen Sekundärliteratur mit dem dekadenten Charakter
der Epoche des ausgehenden 19. Jahrhunderts in Verbindung
gebracht wird.[4]

---

1) Freud schrieb diesbezüglich an Schnitzler: "Seit vielen
   Jahren bin ich mir der weitreichenden Uebereinstimmung
   bewusst, die zwischen Ihren und meinen Auffassungen mancher psychologischer und erotischer Probleme besteht,
   und kürzlich habe ich ja den Mut gefunden, eine solche
   ausdrücklich hervorzuheben (Bruchstück einer Hysterie-
   analyse, 1905)." Brief vom 8.5.1906. Briefe 1873-1939.
   op. cit. S. 249.
2) Es existieren mehrere Arbeiten, die sich mit dem Verhältnis Schnitzler und Psychoanalyse befassen:
   F.J. Beharriell: Schnitzler, Freuds Doppelgänger. In:
   Literatur und Kritik 19, 1967, S. 546-555.
   T. Reik: Arthur Schnitzler als Psychologe. Minden 1914.
   W. Dehorn: Psychoanalyse und neuere Dichtung. In: Germanic Review 7, 1932, S. 245-262.
3) O. P. Schinnerer: A. Schnitzler's Nachlass. In: Germanic
   Review 8, 1933, S. 114-123.
4) So heisst es etwa bei J. Körner: op. cit.: "Das übertrie-
   bene oder ausschliessliche Interesse an erotischen und
   sexuellen Fragen war schon immer und überall das Kenn-
   zeichen politisch toter oder gebundener Zeiten gewesen.
   (...) Hier wären die kulturhistorischen Voraussetzungen
   für die erstaunliche Tatsache zu suchen, dass die letzte
   Dekade des vorigen Jahrhunderts in Wien neben Schnitzlers
   Sexualpoesie, Weiningers Sexualphilosophie und Sigmund
   Freuds Sexualbiologie erstehen liess;" S. 14.

Nicht minder wichtig für das Werden Schnitzlers ist, neben
der Psychoanalyse, die Philosophie. 1895 wurde in Wien ein
Lehrstuhl für Geschichte und Theorie der induktiven Wissenschaften geschaffen, auf den Ernst Mach (1838 - 1916) berufen wurde. Er gilt als der Begründer der Wiener empiri-
stischen Schule, aus welcher sich der sogenannte 'Wiener
Kreis' entwickelte. Mach, der von der experimentellen Phy-
sik her kam - er trat mit einigen grundlegenden Arbeiten
über die Bewegung von Festkörpern im Ueberschallbereich hervor -, stellte in seiner 1885 erstmals erschienenen "Analyse
der Empfindungen" folgende Thesen ins Zentrum: Zwischen Erscheinung und Ding an sich besteht kein Unterschied," (...)
die Wissenschaft (hat sich) auf eine möglichst exakte und
ökonomische Beschreibung des unmittelbar Gegebenen zu be-
schränken. Gegeben sind nur solche qualitativen Elemente wie
Farben, Töne, Gerüche usw., die Empfindungen genannt werden."[1] Die Lehre Machs wie auch die Avenarius', der nur die
"reine Erfahrung" (Empiriokritizismus) gelten lässt, liefer-
ten die erkenntnistheoretischen Grundlagen des Impressionismus. Empfindlichstes Wahrnehmen, Registrieren von Ton und
Zwischenton, kurz, höchste Verfeinerung der Sinnesempfindungen, darin bestand das Anliegen der Philosophen des Immanenzpositivismus (M. Schlick) wie der Künstler des Impressionismus. Nach Mach baut sich das Subjekt aus Empfindungen
auf, die allerdings ihrerseits wiederum Rückeinflüsse auf
das Subjekt ausüben. Dieses stellt, immer nach Mach, keine
eigentlich substantielle Einheit dar. Das Ich besteht bloss
aus einer Gesamtheit von Gefühlen und Stimmungen. Da nun
diese durch die Zeit einem steten Wandel unterworfen sind, d.h.
jede Beständigkeit fehlt, verblasst die Identität des Ichs.
Objektive Wirklichkeiten, die von den Empfindungen losge-

---

1) W. Stegmüller: Hauptströmungen der Gegenwartsphilosophie.
   Stuttgart 1960. S. 362. Wir stützen uns im folgenden
   auf dieses Buch.

löst sind, gibt es so wenig wie absolute Wahrheiten. Dadurch
sind letztlich auch moralische Werte in Frage gestellt. Die
Subjektivität jedes Ich-Bewusstseins schafft sich seine
Welt, was notwendigerweise in eine totale Isolation des Individuums führt. Der Dandy wie auch der spätimpressioni-
stische Aesthet sind dafür typische Beispiele. Nach Mach ist
das "Ich unrettbar".[1] Alfred Adler sah darin die zwangs-
läufige Entwicklung zum "nervösen Charakter", der sich in
der Manie der Selbstbeobachtung und des Auslotens der
menschlichen Psyche gefällt.[2] Psychoanalyse und Immanenzpositivismus greifen somit ineinander und bilden eine
wichtige Determinante für die Dekadenz, speziell für deren
besondere Erscheinungsform im Spätimpressionismus in Wien.

An dieser Stelle drängt sich ein Exkurs auf: Schnitzlers
Zugehörigkeit zum Judentum. Zweifellos muss dieser Tatsache in der Diskussion um Schnitzler und sein Werk Rechnung getragen werden, wenn auch nicht auf die ungehörige
Art, wie es zeitweilig der Fall war. Um es vorweg zu nehmen, die Zuordnung von Schnitzlers Werk zur Dekadenzliteratur kann kaum einleuchtend mit Schnitzlers Judentum begründet werden.

Schnitzlers Verhältnis zum Judentum war ein zwiespältiges.
Zumindest in religiöser Hinsicht war die Familie dem mo-
saischen Glauben weitgehend entfremdet. In seiner Autobiographie "Jugend in Wien" lassen sich einige Stellen finden, die dies beweisen. So heisst es etwa im ersten Buch:
"Schon die Feier des Laubhüttenfestes oder gar die Heili-
gung des Sabbats fand im grosselterlichen Hause nicht
statt; und in den folgenden Generationen trat - bei allem,
oft trotzigen Betonen der Stammeszugehörigkeit - gegenüber

---

1) E. Mach: Die Analyse der Empfindungen und das Verhältnis des Physischen zum Psychischen. Jena 1900. S. 20.
2) A. Adler: Ueber den nervösen Charakter. München 1922,
   S. 45.

dem Geist jüdischer Religion eher Gleichgültigkeit, ihren
äusseren Formen gegenüber Widerstand, wenn nicht gar
spöttisches Verhalten zutage."[1] Religiosität, in welcher
Form auch immer, war Schnitzler zutiefst zuwider. In ver-
schärftem Ton äussert er seine Kritik am Christentum in
seinen "Aphorismen und Betrachtungen".[2]

Diese Haltung lässt sich durch den in der Donaumonarchie
unter Georg von Schönerer und Karl Lueger um die Jahrhundertwende mit Heftigkeit aufgeflammten Antisemitismus
leicht erklären. Er richtete sich in erster Linie gegen Intellektuelle und Künstler, die im Wiener Kultur- und Gei-
stesleben eine einzigartige Stellung einnahmen. Stefan
Zweig meint in seiner "Welt von Gestern", dass "neun Zehn-
tel von dem, was die Welt als Wiener Kultur des neunzehn-
ten Jahrhunderts feierte, (...) eine vom Wiener Judentum
geförderte, genährte oder sogar schon selbstgeschaffene
Kultur" war.[3] Er fährt dann weiter, wenn auch bisweilen
übertreibend, den Kern der Sache aber treffend:

> "Denn gerade in den letzten Jahren war - ähnlich
> wie in Spanien vor dem gleichen tragischen Un-
> tergang - das Wiener Judentum künstlerisch
> produktiv geworden, allerdings keineswegs in
> einer spezifisch jüdischen Weise, sondern indem
> es durch ein Wunder der Einfühlung dem Oester-
> reichischen, dem Wienerischen den intensivsten
> Ausdruck gab. Goldmark, Gustav Mahler und
> Schönberg wurden in der schöpferischen Musik
> internationale Gestalten, Oscar Strauss, Leo
> Fall, Kálmán brachten die Tradition des Walzers
> und der Operette zu einer neuen Blüte, Hof-
> mannsthal, Arthur Schnitzler, Beer-Hofmann, Pe-
> ter Altenberg gaben der Wiener Literatur einen
> europäischen Rang, (...)."[4]

---

1) op. cit. S. 19.
2) A. u. B. S. 254-266.
3) St. Zweig: Die Welt von Gestern. Frankfurt a.M. 1969,
   S. 39.
4) op. cit. S. 39.

Die Ansichten Schnitzlers über den Antisemitismus waren in
mancher Hinsicht differenzierter als dies in jüdischen
Kreisen Wiens üblich war. Schnitzler bekannte sich Zeit
seines Lebens zum Judentum, als einer, der"der jüdischen
Rasse entstammt."[1] Es blieb ihm, nach eigenen Aussagen,
auch nichts anderes übrig: "Es war nicht möglich, insbesondere für einen Juden, der in der Oeffentlichkeit stand,
davon abzusehen, dass er Jude war, da die andern es nicht
taten, die Christen nicht und die Juden noch weniger."[2]

Was hier verhalten anklingt, nämlich Kritik am Judentum,
findet sich in ausgeprägter Form im Roman "Der Weg ins
Freie": das betonte Anders-sein-Wollen, die übersteigerte
Verletzlichkeit, das permanente Sich-angegriffen-Fühlen,
die Verachtung gegenüber Renegaten, die, um den 'Makel'
des Judentums loszuwerden, sich durch besonders extremen
Antisemitismus hervortun. Zwei Stellen mögen dies belegen:

"Georg lächelte liebenswürdig. In Wirklichkeit
aber war er eher enerviert. Seiner Empfindung
nach bestand durchaus keine Notwendigkeit,
dass auch der alte Doktor Stauber ihm offiziel-
le Mitteilung von seiner Zugehörigkeit zum Judentum machte. Er wusste es ja, und er nahm es
ihm nicht übel. Er nahm es überhaupt keinem
übel; aber warum fingen sie denn immer selbst
davon zu reden an? Wo er auch hinkam, er be-
gegnete nur Juden, die sich schämten, dass sie
Juden waren, oder solchen, die darauf stolz
waren, und Angst hatten, man könnte glauben,
sie schämten sich."[3]

---

1) A. u. B. S. 198.
2) A. Schnitzler: Jugend in Wien. op. cit. S. 328.
3) E I S. 661.

"Aber was geht das mich an, dachte Georg. Schon
wieder einer, den man beleidigt hat! Es war
wirklich absolut ausgeschlossen, mit diesen Leuten harmlos zu verkehren."[1]

Der aufkommende Antisemitismus in Oesterreich fand nicht
nur im Werk Schnitzlers seinen Niederschlag. Auch nichtjüdische Autoren wie Ferdinand von Saar ("Seligmann Hirsch",
1887), Franz Nabl ("Oedhof", 1911) und Hermann Bahr ("Die
Rotte Korah", 1919) nahmen das Thema auf. Letzterer glaubte allerdings nicht an eine tiefere Ursache des Antisemitismus: "Man ist Antisemit, um Antisemit zu sein. Man
schwelgt in diesem Gefühle. (...) Die Reichen halten sich
an Morphium und Haschisch. Wer sich das nicht leisten kann,
wird Antisemit. Der Antisemitismus ist der Morphinismus
der kleinen Leute."[2] Die unverhältnismässig starke Stellung der Juden in Wirtschaft, Wissenschaft und nicht zuletzt in der Literatur, vorab im Theater, dürfte als Trieb-
feder für den Antisemitismus in Frage kommen. Sowenig aber
Dekadenz auf jüdisches Glaubensgut oder jüdische Ethik zurückgeführt werden kann, sowenig lässt sich der Rang jüdischer Wissenschaftler, Musiker und Schriftsteller durch
besondere, der jüdischen Rasse inhärente Begabung und Ver-
anlagung erklären. Gerade im Wien der Donaumonarchie mit
ihrer überaus starken Standesbetonung war "der Ruhm als
Künstler oder Wissenschaftler nahezu das einzige Mittel,
die Schranken der Herkunft zu überspringen und in der -
seit den Achzigerjahren zunehmend antisemitischen - 'guten
Gesellschaft' einen Platz als Gleicher unter Gleichen ein-
zunehmen." Es ist im selben Zusammenhang von einer "im ma-

---

1) E I S. 670.
2) H. Bahr: Der Antisemitismus. Ein internationales Interview. Berlin 1894, S. 2.

teriell saturierten jüdischen Bürgertum Wiens vor dem Ersten
Weltkrieg" verbreiteten "Ruhmbesessenheit" die Rede.[1] Gewisse Gestalten aus Schnitzlers "Der Weg ins Freie" und
"Professor Bernhardi" entsprechen diesem Typ des jüdischen
Karriere-Besessenen. Immerhin dürfte sich aber aus der
Isolation der jüdischen Bevölkerung und der damit verbundenen Distanzgewinnung zu politischen und sozialen Ereignissen des Staates, der sie wohl duldete, jedoch nicht zu in-
tegrieren gewillt war, ein unbefangenes Urteilsvermögen
entwickelt haben. Man registrierte aus der Gettostellung
die die heraufziehende Katastrophe wie ein fernes Donner-
rollen begleitenden Erschütterungen, welche von den 'andern'
nicht wahrgenommen werden wollten. So bildete sich ein feines, gleichsam seismographisches Sensorium heraus, das der
impressionistischen und "dekadenten" Kunstvorstellung mit
ihrer über alles gesetzten verfeinerten sinnlichen Wahrnehmung in einer Weise entsprach, dass zumindest von einer er-
höhten Empfänglichkeit für die neuen Kunstrichtungen, wenn
nicht gar von Affinität gesprochen werden kann.

Der Anteil der Juden im Dichterkreis Jung-Wien ist kaum zu
übersehen. Um nur die bekanntesten zu nennen: Peter Altenberg, Arthur Schnitzler, Richard Beer-Hofmann, Felix Salten, Felix Dörmann, Hugo von Hofmannsthal und Karl Kraus.
Es bleiben als 'nichtjüdische' Jung-Wiener deren Wortführer
Hermann Bahr, Leopold von Andrian und Richard Schaukal. Die
Auseinandersetzung zwischen Christlichsozialen und Juden,
wie sie in der Oeffentlichkeit der letzten Jahrzehnte des
19. Jahrhunderts geführt wurde, mochte kaum je im Zentrum
der Diskussionen in Café Griensteidl gestanden haben. Die
Jung-Wiener verbanden ästhetische Probleme: einerseits die

---

1) W. Rothe: Schriftsteller und Gesellschaft im 20. Jahrhundert. In: Deutsche Literatur im 20. Jahrhundert.
   Bern 1967, S. 212.

rigorose Ablehnung des Naturalismus deutscher und vor allem
norddeutscher Provenienz, anderseits die Begeisterung für
Symbolismus und Impressionismus.

Jung-Wien darf allerdings in seiner Bedeutung als Bewegung
nicht überbewertet werden. Die Bezeichnung 'Kreis' dürfte
wohl den Sachverhalt am treffendsten wiedergeben, und zwar
im Sinne einer nur auf einen relativ kurzen Zeitraum be-
grenzten Gruppenbildung, welche der Jugend und ersten Reife
der Dichter und Schriftsteller Wiens die entscheidenden
künstlerischen Impulse vermittelte. Man traf sich im Café
Griensteidl am Michaelerplatz, erstmals am 11. April 1891
anlässlich einer Aufführung von Ibsens "Kronprätendenten".
Von da ab fanden sich die Jung-Wiener beinahe allabendlich
in diesem Kaffeehaus zu stundenlangen Diskussionen ein.
Doch schon im November 1896, gewissermassen als Vorbote
der drohenden Auflösung der Bewegung, erschien in der Wo-
chenschrift "Wiener Rundschau" erstmals Karl Kraus' "Demolierte Literatur". Die Streitschrift, die anfangs 1897 in
noch weit schärferer Form als Separatdruck erschien, er-
regte grosses Aufsehen und war zweifellos die literarische
Sensation des Jahres. Ohne Namen zu nennen, doch unverwechselbar, wurden die 'habitués' des Griensteidls vernichtend kritisiert, angefangen beim "Herrn aus Linz" (Bahr)
und dem "Jungen Freiherrn " (Andrian) bis zu Hofmannsthal
und Schnitzler. Im Januar 1897 fiel das Café Griensteidl
den baulichen Veränderungen am Palais Herberstein zum
Opfer. Jung-Wien hatte als literarischer Kreis aufgehört
zu existieren. Wenig später, im April 1899, erschien das
erste Heft der "Fackel". Karl Kraus hatte als Stammgast
des Griensteidl den fieberhaften Literaturbetrieb beobachtet. Abseits von hitzigen Debatten, sich höchstens mit Peter Altenberg unterhaltend, registrierte er das aufkommende

Kaffeehausliteratentum und den zusehends ins Triviale ab-
sinkende Journalismus. Er wurde ihr erklärter Feind. Während
sechsunddreissig Jahren, die "Fackel" erreichte 922 Einzel-
nummern, geisselte Kraus die sprachliche Verwahrlosung des
Wiener Zeitungs-Feuilletons. Der anfänglich konziliante Ton
schlug bald einmal in boshafte Polemik um. Seine mit
beissendem Spott vorgetragenen Glossen verraten zwar echte
Sorge um Reinheit von Sprache und Stil - fast sämtliche
satirischen Stücke der "Fackel" beginnen und enden mit
Stil- und Sprachkorrekturen an fremden Texten - hinterlassen aber in ihrer verletzenden Aggressivität sehr oft einen zwiespältigen Eindruck. Kraus' Bedeutung darf jedoch
nicht allein an der "Fackel" gemessen werden; sein Werk um-
fasst zahlreiche Essays und Aphorismen, mehrere Gedicht-
bände und sein berühmtes Antikriegsdrama "Die letzten Tage
der Menschheit". Das Bild der Wiener Dichter- und Schrift-
stellergeneration um 1900 wäre unvollständig, übersähe man
Karl Kraus. Kein Schriftsteller konnte es sich leisten,
Karl Kraus zu ignorieren. Schnitzler hatte alles andere als
eine hohe Meinung von Kritikern. Seine Verachtung galt denn
auch vornehmlich dem Kritiker Karl Kraus, dem er Eitelkeit,
Rachsucht, ja Niedrigkeit vorwarf.[1] Dem "Stilist(en) von
hohem Rang" zollte er aber Anerkennung und teilte dessen
Ansichten über den Feuilletonisten als den "Mann der Neben-
absichten", der die Literatur durch Verkommerzialisierung
entwürdige.[2]

Die Beziehungen zwischen den Führern der 'Wiener Moderne',
wie der Kreis Jung-Wien auch etwa genannt wurde, waren
über das Jahr 1897 (Aufhebung des Café Griensteidl) hinaus
teilweise recht eng. Dies verrät nicht zuletzt der herzliche

---

1) A. u. B. S. 475 f.
2) ebda. S. 346.

Ton in den Briefwechseln Hofmannsthals, Schnitzlers, Bahrs
und Beer-Hofmanns. Sie übten den entscheidenden literarischen Einfluss auf Schnitzler aus. Neben Bahr ist Hofmannsthal für das Werden Schnitzlers von Bedeutung. Dies mag in
Anbetracht des Altersunterschiedes verwundern. Als sich
die beiden kennenlernten, höchstwahrscheinlich Ende 1890
im Café Griensteidl, war Hofmannsthal knapp 17 und
Schnitzler bald 29 Jahre alt. Stefan Zweig berichtet über
die Erscheinung des jungen Hofmannsthal als von einem "der
grossen Wunder der frühen Vollendung".[1]

Auch Schnitzler stimmte mit ein in die Lobeshymne auf Loris. In Schnitzlers Tagebuch findet sich folgende Notiz,
datiert vom März 1891: "Bedeutendes Talent, ein 17jähri-
ger Junge, Loris (von Hofmannsthal), Wissen, Klarheit und,
wie es scheint, auch echte Künstlerschaft, es ist uner-
hört in dem Alter."[2] Während annähernd vierzig Jahren
standen Schnitzler und Hofmannsthal in engem Kontakt zueinander. Die ersten Jahre ihrer Freundschaft waren dabei für
Schnitzler von Entscheidung. Wie gewaltig der Eindruck des
zwölf Jahre jüngeren auf Schnitzler gewesen sein muss, geht
aus der Tatsache hervor, dass Loris mehrere Arbeiten zur
Begutachtung überlassen wurden; zumindest was "Anatols
Grössenwahn" angeht, lässt sich anhand eines Blattes aus
Hofmannsthals Nachlass einwandfrei nachweisen. Es enthält

---

1) St. Zweig: Die Welt von Gestern. op. cit. S. 65.
   In den 1894 erschienenen "Studien zur Kritik der Moderne"
   (Frankfurt a.M.) schreibt H. Bahr: "Sein Stil trifft und
   er trifft ohne Mühe. Das nervöse Suchen, das Tasten mit
   unzulänglichen Vergleichen, die Qual um das fliehende
   Wort, das den rechten Gedanken, die letzte Note der
   Stimmung nicht geben will, sind ihm fremd. Er hat die
   Gnade der zeichnenden, malenden Form. So möchte man seine fröhliche Gesundheit rühmen, die sonst heute der ge-
   peinigten Jugend fehlt. Aber die lauschende Empfindlich-
   keit, das helle Gesicht und Gehör seiner Nerven für die
   leisesten Reize ist von einer unheimlichen Feinheit,
   (...)." (S. 85).
2) Briefwechsel H. v. Hofmannsthal - A. Schnitzler. op. cit.
   S. 317.

eine Liste mit Abänderungsvorschlägen, die Schnitzler fast
durchwegs berücksichtigt hat.[1]

In unserem Zusammenhang kann nur der Hofmannsthal des ly-
rischen Jugendwerkes und der kleinen Dramen, die nicht nur
seinen frühen Ruhm begründeten, sondern ebensosehr die
Einschätzung seiner Person und seines Werkes lange Zeit bestimmten, von Interesse sein. Nur in "Gestern" (1891),
"Ascanio und Gioconda" (1892), "Der Tod des Tizian" (1892),
"Der Tor und der Tod" (1893), "Alkestis" (1894) und in den
"Terzinen" begegnen wir dem Hofmannsthal, der literarisch
auf Schnitzler wirken konnte. In rein formaler Hinsicht,
Wahl des Einakters mit dominierender Konversation, drängen
sich schon Parallelen zwischen dem jungen Hofmannsthal und
Schnitzler auf. Der beiden Nähe äussert sich freilich erst
recht in thematischer Hinsicht: Aesthetizismus, subtiler
Stimmungsreiz, historisches Kolorit, Traum und Wirklichkeit, Melancholie, Leben und Tod in unmittelbarer Nachbarschaft. Das Gefühl künstlerischer Verwandschaft der beiden
und darüber hinaus mit der 'Wiener Moderne'[2] findet in
der schon zitierten Einleitung zum "Anatol" ihren treffendsten Ausdruck:

---

1) ebda. S. 317.
2) H. v. Hofmannsthal in Prosa II, "Ueber Charaktere im
   Roman und im Drama": "Um 1890 werden die geistigen Er-
   krankungen der Dichter, ihre übermässig gesteigerte
   Empfindsamkeit, die namenlose Bangigkeit ihrer herab-
   gestimmten Stunden, ihre Disposition, der symbolischen
   Gewalt auch unscheinbarer Dinge zu unterliegen, ihre
   Unfähigkeit, sich mit dem existierenden Worte beim Ausdruck ihrer Gefühle zu begnügen, das alles wird eine
   allgemeine Krankheit unter den jungen Männern und Frauen
   der obern Stände sein. Denn der Künstler gleicht jenem
   Midas, unter dessen Händen alles zu Gold wurde."
   op. cit. S. 48.

"Also spielen wir Theater,
Spielen unsere eignen Stücke,
Frühgereift und zart und traurig,
Die Komödie unsrer Seele,
Unseres Fühlens Heut und Gestern,
Böser Dinge hübsche Formel,
Glatte Worte, bunte Bilder,
Halbes heimliches Empfinden,
Agonien, Episoden ..."[1]

Was der knapp neunzehnjährige Hofmannsthal in diesen Versen
ausdrückt, ist in doppelter Hinsicht bedeutsam. Einmal
klingt in ihnen so etwas wie das Credo eines Dichterkreises
an, zum andern zeigen sie eine zumindest beim jungen Hofmannsthal vorhandene Affinität zur Dekadenzliteratur.[2] Hofmannsthal gehörte mit Schnitzler, Bahr und Beer-Hofmann
zweifellos zum Kern des Jungen Wien. Er fand aber hinaus
aus der Enge der 'Wiener Moderne', und der Höhenflug des
Genies Hofmannsthal liess sie alle weit hinter sich zurück.
Broch bemerkt in seinem Essay "Hofmannsthal und seine Zeit"
bezüglich Hofmannsthals Verhältnis zur 'Moderne' und Wien:
"Als er, kaum siebzehnjährig, ins Café Griensteidl, d.h.
in den daselbst unter dem Präsidium Hermann Bahrs residie-
renden, damals führenden Wiener literarischen Kreis eingeführt wurde, da fand er einen Aesthetizismus vor, von dem
er sich mit der Ethik seines neugefundenen Dichterberufes
genau so unterschied, wie er sich in seiner ästhetisieren-
den Traumhaftigkeit vordem vom Schulbetrieb und den dorti-
gen Kameraden unterschieden hatte."[3]

---

1) D I S. 29.
2) Vgl. H. Rheinländer-Schmitt: Dekadenz und ihre Ueberwindung bei Hofmannsthal. Diss. Münster 1936.
3) H. Broch: op. cit. S. 123.

Von kaum minderer Wichtigkeit für Schnitzler ist Richard
Beer-Hofmann. Die beiden verband zwar nicht nur das gemeinsame Interesse an der Literatur, sondern darüber hinaus
eine echte persönliche Freundschaft. Schnitzler bestimmte
Beer-Hofmann testamentarisch zu einem der Berater seines
Sohnes in Angelegenheiten des literarischen Nachlasses.[1]
Beer-Hofmanns Stellung innerhalb der 'Wiener Moderne' war
eine besondere. Er widmete sich als unabhängig lebender
Privatmann der Dichtkunst, getragen von einem ausserordent-
lich feinen Sprachbewusstsein. Sein Werk nimmt sich, ange-
sichts der langen Schaffenszeit, umfangmässig recht gering
aus, erklärt sich jedoch durch sein langsames und skrupu-
löses Arbeiten. Was für Hofmannsthal gilt, trifft auch auf
Beer-Hofmann zu: lediglich sein Frühwerk, die Erzählung
"Der Tod Georgs" (1900) und das Trauerspiel "Der Graf von
Charolais" (1905), ist für unsern Zusammenhang bedeutsam.
Was später folgte, etwa die Symboldramen "Jakobs Traum"
(1918) oder "Der junge David" (1933) entstanden unter dem
Einfluss der zionistischen Bewegung Theodor Herzls und
zeugen von seinem Bekenntnis zur orthodox-jüdischen Tradition und zur Theodizee. Die Entstehungsgeschichte der Erzählung "Der Tod Georgs" fällt in die Zeit vor 1900, der
Zeit der engsten Kontakte mit den Jung-Wienern Bahr,
Schnitzler und Hofmannsthal. Sie trägt denn auch die typischen Merkmale der 'Moderne' und somit der Dekadenz: Ineinanderfliessen von Illusion und Wirklichkeit, müdes Aesthetentum, zergliederndes Psychoanalysieren, Widerstreit von
Leben und Tod und insbesondere das feine Ausloten der geheimsten Gedanken, Empfindungen und Wachträumen, wobei
sich Beer-Hofmann des einzig hiezu adäquaten formalen Mit-

---

1) H. v. Hofmannsthal - A. Schnitzler: Briefwechsel. op.cit.
   Anhang S. 324.

tels, des innern Monologs, bedient. Nur wenige Monate später, am 25. Dezember 1900, erscheint Schnitzlers "Leutnant Gustl", die erste deutsche Novelle mit konsequent durch den ganzen Text führendem innern Monolog. Gleich wie "Der Tod Georgs" ist Beer-Hofmanns Drama "Der Graf von Charolais" zu den "Dichtungen der Wiener Dekadenz" zu zählen.[1] Der Protagonist des Stücks, der junge Graf, ist von "dekadentem Lebensgefühl beherrscht"; leicht irritierbar, schwermütig und lebensmüde, lässt er eine, "bei so vielen Figuren Schnitzlers feststellbare verräterische Bereitschaft für Krankheit"erkennen. [2] Beer-Hofmann, der vielfach, und mit Recht, als Mentor des jungen Hofmannsthal und Schnitzlers angesehen wird, lässt sich jedoch nicht nur in formaler und thematischer Hinsicht unmittelbar neben Schnitzler ansiedeln. Bei beiden spielt das Problem des Judentums eine gewichtige Rolle, wenngleich zwischen dem orthodoxen Juden und Zionisten Beer-Hofmann und dem religiös völlig indifferenten Schnitzler in der Beurteilung und Einschätzung des Semitismus erhebliche Unterschiede bestehen. Wenn bei Schnitzler die Juden sozusagen in allen Rollen vertreten sind, so lässt sich gerade im Frühwerk Beer-Hofmanns eine seltsame Koinzidenz décadent-Jude feststellen. In "Der Tod Georgs" erweist sich der décadent Paul unvermittelt als Jude und in "Der Graf von Charolais", ganz abgesehen davon, dass bereits zu Anfang das Judentum in der Gestalt des roten Itzig zur Debatte steht, verkörpert der junge Graf gewissermassen das Schicksal Ahasvers, des ewigen Juden, des rastlosen Fremdlings. Das Stück nimmt in dem Moment eine tragische Wende, als der Graf Charolais versucht, mittels der Ehe mit Désirée seinem

---

1) O. Oberholzer: Richard Beer-Hofmann. Werk und Weltbild des Dichters. Bern 1947, S. 43-117.
2) ebda. S. 87.

Schicksal als décadent und Jude zu entrinnen.[1]

Eine für den Lebensweg Schnitzlers nicht unbedeutende Rolle
hat Olga Waissnix gespielt. Olga Waissnix, "das Abenteuer
meines Lebens", wie Schnitzler seine Liebe zu ihr bezeichnet,[2] war die Wirtin eines Kurhotels in der Nähe von Wien,
unglücklich verheiratet und Mutter dreier Kinder. Schnitzler hatte sie im April 1886 in Meran kennengelernt. Aus
dieser unglücklichen Liebe ohne Aussicht auf Erfüllung ent-
spann sich ein ziemlich umfangreicher Briefwechsel, der für
das Verständnis von Schnitzlers Anfängen als Schriftsteller zum Teil recht aufschlussreich ist.[3] Tatsächlich hatte
er zu diesem Zeitpunkt ausser wenigen unbedeutenden Gedichten nichts geschrieben. Olga Waissnix erlebte sozusagen
aus nächster Nähe das Werden Schnitzlers. Im Vorwort zum
Briefwechsel wird sogar von den Herausgebern betont,
Schnitzler sei durch die Hoffnungslosigkeit seiner Liebe zu
Frau Waissnix das geworden, was er für die Nachwelt darstelle: eine Ehe dagegen hätte ihn "vielleicht glücklich"
gemacht, vermutlich wäre er aber "ein vielbeschäftigter Wiener
Arzt und kein Dichter" geworden.[4] Hier wird Olga Waissnix'
Persönlichkeit und Einfluss auf Schnitzler deutlich über-
schätzt. Viel wichtiger scheint uns, dass durch die enge
Vertrautheit der beiden Schranken fielen, die im Umgang
etwa mit Hofmannsthal oder Beer-Hofmann bestehen blieben.
Schnitzler bestätigt es in seiner Autobiographie "Jugend
in Wien":

---

1) ebda. S. 90.
2) Jugend in Wien. op. cit. S. 322.
3) A. Schnitzler - O. Waissnix: Liebe, die starb vor der
   Zeit. Wien 1970.
4) ebda. S. 13.

"Am ungetrübtesten finde ich mein Wesen immer noch
in meinen Briefen an Olga wieder, gewissermassen
auch in den ihren. Nicht etwa, als ob ich mich
ihr gegenüber aufgespielt hätte, wenn es auch
nicht gänzlich ohne Pose abging, - sondern weil
ich, nach dem immanenten Gesetz solcher Beziehungen, gar nicht anders konnte, als im Verkehr mit
ihr meine eigentliche Natur in ihrer angeborenen
Richtung, aber ins Edlere und Höhere zu steigern."[1]

Aus der Fülle der hier geschilderten Ereignisse und Gegebenheiten im politischen, sozialen und kulturellen Bereich im
Wien der Jahrhundertwende ergaben sich die Voraussetzungen
für die Entwicklung einer besondere Züge aufweisenden Dekadenzliteratur, gemildert im Vergleich zu Paris oder Berlin,
aber nicht minder typisch. Die unverkennbar die Zeichen des
drohenden Untergangs tragende Donaumonarchie mit ihrem
schwachen Herrscher Franz Joseph I. lieferte die Kulisse zu
gesellschaftspolitischen Vorgängen, wie sie für das Werden
eines Arthur Schnitzler bestimmend waren: eine aus dem Bürgerstand herausgewachsene Gesellschaftsschicht, ein wohl-
habendes Grossbürgertum, das, in besonderem Masse Wissenschaft und Kunst pflegend und sich dadurch vom Durch-
schnittsbürger und Vorstadtproletariat abhebend, bemüht
war, sich dem erschütterten Adelsstand, dem traditionellen
Träger österreichischer Kultur, zu assimilieren. Schnitzler
als grossbürgerlicher Intellektueller nahm regen Anteil
am wissenschaftlichen und kulturellen Leben Wiens, stand
von seinem Beruf als Mediziner her der Psychoanalyse nahe
und engagierte sich im Dichterkreis Jung-Wien. Bahr, Hof-

---

1) op. cit. S. 263.

mannsthal, Beer-Hofmann, Freud, die Lehre Machs und nicht
zuletzt die Familienverhältnisse und seine Beziehungen zu
Olga Waissnix gehören zur Welt, die Schnitzler geformt
hat. Diese, im wechselwirksamen Zusammenspiel mit jener
von einem ausgesprochenen Spätzeitlichkeitscharakter geprägten Epoche, stellt den dekadenten Erlebnisraum
Schnitzlers dar, der sich unverwechselbar in seinem Werk
spiegelt.

IV. D E K A D E N T E   F I G U R E N

Ein im abschliessenden Band der "Gesammelten Werke" Schnitzlers, "Aphorismen und Betrachtungen", aufgenommener Essay
"Der Geist im Wort und der Geist in der Tat" (erstmals erschienen 1927) enthält im wesentlichen eine auf zwei Diagrammen basierende Typologie des Menschen. Sie versucht,
"das Gebiet des menschlichen Geistes, erstens insofern er
sich durch das Wort und zweitens insofern er sich durch
die Tat kundzugeben vermag, insbesondere die Beziehung
zwischen den Urtypen des menschlichen Geistes, schematisch
in zwei Diagrammen darzustellen, womit keine Wertung, sondern ausschliesslich eine Kategorisierung beabsichtigt
ist."[1] Dieser "Versuch", denn als solcher wollte Schnitzler dieses Unterfangen verstanden wissen, mag kaum zu verwundern, verraten doch die Betrachtungen den an den Naturwissenschaften geschulten Verstand mit dem unverkennbaren
Hang zum Schematisieren. Schnitzler war sich der Unzu-
länglichkeit einer solchen Typologie zweifellos bewusst,
und seine vorsichtigen Formulierungen beweisen, dass er zu
relativieren wusste, ohne indessen die Ernsthaftigkeit des
Essays in Zweifel zu ziehen. Die rigorose Aufteilung der
Menschen in eher Intellektuelle ("Der Geist im Wort") und
Tatmenschen ("Der Geist in der Tat"), mit einer innerhalb
jeder Kategorie aufgerichteten unüberwindlichen Schranke
zwischen "positiven" und "negativen Typen", interessiert
im vorliegenden Zusammenhang zwar nur am Rande, zeigt aber
hinlänglich Schnitzlers Vorliebe für möglichst genau um-
grenzte, psychologisch fixierbare Figuren. Allerdings
könnte, nicht einmal unberechtigterweise, die Vermutung aufkommen, alle Typen unterhalb der punktierten Linie, also

---

1) A. u. B. S. 136.

die zum "Tückebold" und "Teufel" deszendierenden, wären décadents. Da jedoch in erster Linie mehr moralische Krite-
rien der Trennung von "positiven" und "negativen Typen"
zugrunde gelegt werden, die sich nur bedingt mit den sonst
hier angewandten für die Dekadenz decken, wäre ein solcher
Schluss völlig falsch, zumal selbst Schnitzler mit den Be-
zeichnungen nicht so sehr "Berufsarten oder spezifische Begabungen" meint, als vielmehr "Geistesverfassungen, zu denen die entsprechenden spezifischen Begabungen eine grössere oder geringere Affinität besitzen und deren Vorhanden-
sein die Repräsentanten der betreffenden Typen zu den entsprechenden Berufen zu disponieren pflegt."[1] Ganz abgesehen davon, dass Schnitzler sich vollkommen im klaren
darüber ist, dass seine Typen "in der Wirklichkeit" kaum
vorkommen dürften, sind es nichtsdestoweniger gewisse Erkenntnisse wert, etwas näher betrachtet zu werden.

Im Absatz vier von "Der Geist im Wort" heisst es gegen
Ende:

> "Der positive Typus ist einsam, aber eingeordnet;
> der negative Typus gesellig, aber isoliert.
> Für den positiven Typus ist der Raum bedeutungs-
> los, da er ins Ewige und ins Unendliche wirkt.
> Der negative Typus lebt ohne das Gefühl von Zu-
> sammenhängen; das Gestern ist tot für ihn, das
> Morgen unvorstellbar, nur im Raume vermag er
> sich auszubreiten, er hat im wahren Sinn des
> Wortes 'keine Zeit'; daher seine Ungeduld, seine
> Unruhe und seine Unbedenklichkeit in der Wahl
> seiner Mittel."[2]

---

1) A. u. B. S. 137.
2) A. u. B. S. 142.

Appliziert man den ersten der beiden Abschnitte auf die in
den folgenden Kapiteln zu behandelnden Figuren, so fallen
Casanova ("Casanovas Heimfahrt"), Friedrich Hofreiter ("Das
weite Land"), selbst Gustl ("Leutnant Gustl") und Anatol
unter die "negativen Typen", während Stephan von Sala und
Julian Fichtner ("Der einsame Weg"), Filippo Loschi ("Der
Schleier der Beatrice") und Georg von Wergenthin ("Der
Weg ins Freie") eher dem "positiven Typus" zuneigen. Auf
den zweiten Teil des Zitats bezogen ist Anatol weit mehr
dem "positiven Typus" und Loschi, so schwierig es auszuma-
chen ist, dem "negativen Typus" zuzuordnen. In Tat und
Wahrheit handelt es sich bei beiden, dem Dandy und dem
Aestheten, um geradezu "klassisch" zu nennende décadents.

Es geht hier nicht um eine Beurteilung von Schnitzlers
theoretisch-philosophischen Schriften, vielmehr soll damit
die mangelnde Schlüssigkeit und vor allem die Unmöglichkeit der Anwendung solcher Schematisierungen auf vorliegenden Zusammenhang dargelegt werden, ausserdem zeigt das
Beispiel, dass einem Begriff wie 'Dekadenz' nicht ohne
weiteres mit Kategorien wie "negativ" (oder "positiv") bei-
zukommen ist; seine Vielschichtigkeit entzieht sich simpli-
fizierenden Modellen.

Wenn in diesem Kapitel von 'Typen' die Rede ist, so nur
in einem streng charakterisierenden und nicht kategori-
sierend-wertenden Sinn, nämlich so, wie Anatol in "Weihnachtseinkäufe" den Begriff versteht:

> Anatol Dort in der ... 'kleine Welt' gibt's
> ja keine speziellen Fälle - eigentlich
> auch in der grossen nicht. ... Ihr
> seid ja alle so typisch!

(...)

Anatol	Es ist ja nichts Beleidigendes - durchaus nicht!
	- Ich bin ja auch ein Typus!
Gabriele	Und was für einer denn?
Anatol	... Leichtsinniger Melancholiker!
Gabriele	... Und ... und ich?
Anatol	Sie? - ganz einfach: Mondaine!
Gabriele	So ...! ... Und sie!?
Anatol	Sie ...? Sie ..., das süsse Mädl![1]

Was hier dargestellt wird, ist daher nur insofern eine Typologie dekadenter Figuren, als versucht wird, markante Erscheinungsformen dekadenter Lebensäusserung aufzuzeigen und diese untereinander abgrenzend zu analysieren. Dabei wird sich zeigen, dass mitunter nur feine Unterschiede einzelne Gestalten voneinander trennend zu charakterisieren vermögen, da sie sich auf den ersten Blick verblüffend ähneln. Im weitern bedarf es kaum besonderer Erklärungen, dass die Figuren durch ihre verbindenden Wesensmerkmale, die sie unter den Begriff 'dekadente Figuren' fallen lässt, in Charakter und Lebensgefühl gleichsam Verwandte sind. Sie wirken allesamt feinnervig, kränkelnd und lebensschwach; es sind eigentümlich zwischen Illusion und Wirklichkeit, Wahrheit und Lüge Schwankende, gleichermassen leidenschaftlich einer ekstatischen Lebenslust wie abgrundtiefer Athymie und Skepsis hingegeben. Bei den zu behandelnden Figuren - das

---

1) D I S. 46. Im übrigen benützt Schnitzler im "Reigen" keine Familien- oder Vornamen, um die Gestalten zu bezeichnen, sondern "Soldat", "Dirne", "das süsse Mädel", "der Graf", "der junge Herr" etc.; ebenso in der einaktigen Burleske "Zum grossen Wurstel": "der Bissige", "der Naive", "der Räsoneur", neben namentlich genannten Personen bzw. Marionetten.

Kapitel zerfällt eigentlich in zwei Hauptteile, wovon der
eine den Dandy, den Aestheten und den gealterten Abenteurer, die Vertreter "klassischer Dekadenz" zum Inhalt hat,
der andere dagegen den österreichischen Adeligen, den
k. u. k. Offizier und den Grossbürger, die Repräsentanten
des dekadenten Erlebnisraumes Schnitzlers, das Wien des
Fin de siècle, - haben wir es imgrunde nur beim Casanova
der Novelle "Casanovas Heimfahrt" mit einem weithin
sichtbaren biologischen Zerfall zu tun. Alle andern sind
der sogenannt'verfeinerten Dekadenz'zuzuordnen, fern jeglicher Radikalität baudelairescher oder verlainescher
Prägung. Es ist die Dekadenz zarter Nerven und müder Melancholie, der überreizten Empfindung und Morbidezza,
des 'überhöhten Augenblicks' und der alles klärenden
'Grenzsituation'. In dieser 'Grenzsituation' der absoluten
Endzeit, des äusserst kurz bemessenen Zeitraums vor dem
unmittelbar drohenden Untergang, jene von Schnitzler bevorzugten Experimentierszenerie, die alle von Moral und ge-
sellschaftlicher Konvention aufgestellten Schranken zum
Einsturz bringt, weil sich in ihr Zeit und Raum verflüch-
tigen, bricht die reine dekadente Existenz hervor. Hier
zeigt sich die alles dominierende Grundstimmung der
Schnitzer-Figuren unverhüllt: das negative Lebensgefühl.

DER DANDY

Der Einakterzyklus "Anatol", Erstling und Meisterwerk zugleich, ist wie kaum ein anderes Werk Schnitzlers mit dem
Autor identifiziert worden; nicht selten wird Schnitzler
als "Anatol-Dichter" apostrophiert. Die Gründe hiefür dürften nicht so sehr in der Tatsache zu suchen sein, dass der
Name Anatol, der einst in der zweiten Fassung an die Stelle
von Richard trat, zuvor als Pseudonym Schnitzlers für dessen erste, in den Jahren 1889-90 in der Zeitschrift "An der
schönen blauen Donau" erschienenen Gedichte diente, als
vielmehr in der stofflichen und formalen Originalität der
Stücke, die in der Geschichte des modernen Dramas einen
wichtigen Abschnitt darstellen. Tatsächlich hat der Einakterzyklus vom Genre eines "Anatol", nämlich die lose
Folge von episodenhaften Szenen ohne geschlossenen zusam-
menhängenden Handlungsablauf, kaum literarisch ernstzuneh-
mende Nachahmer gefunden, wenngleich die dramatische Kurz-
form 'Einakter' um die Jahrhundertwende als Gattung ausserordentlich verbreitet war und sich bis heute zu behaupten wusste.[1)]

Die Entstehungsgeschichte des "Anatol" fällt in die Zeit
zwischen Juni 1888 (Londoner Aufenthalt) und November
1891,[2)] zugleich Zeit der ersten zaghaften Versuche einer
Gruppenbildung unter den Wiener 'Modernen'. Es ist die
"Epoche" in Schnitzlers Leben, deren "Atmosphäre nicht

---

1) Vgl. D. Schnetz: Der moderne Einakter. Bern 1967, S.
   212-242.
2) Bereits 1886 entstand ein Einakter unter dem Titel "Das
   Abenteuer meines Lebens", dessen Protagonisten Anatol
   und Max hiessen. Das Stück ist als Vorläufer zu betrachten und deshalb in den "Gesammelten Werken" nicht
   berücksichtigt worden. Vgl. Anatol. Hrsg. von E. L.
   Offermanns. Berlin 1964, S. 118-140.

sehr rein und erquicklich war", nicht "frei von Affektation
und sogar von einer gewissen Geckerei" und die in diesem
"charakteristischen Buch zu spüren ist."[1] Dies will keineswegs heissen, dem "Anatol"-Zyklus käme autobiographi-
scher Charakter zu, gewissermassen die Chronik der amourö-
sen Abenteuer Schnitzlers, wie etwa Karl Kraus in einer
"Anatol"-Rezension behauptet.[2]

Allerdings lässt sich auch nicht bestreiten, dass Handlung
und Gestalten des "Anatol" in jener Welt wurzeln, die
Schnitzler so gut kannte, weil er einer ihrer Repräsentanten war: die Welt der Jeunesse dorée im Wien der Jahrhundertwende.[3]

Die sieben Szenen des Zyklus variieren in kunstvollen Dialogen einen Themenkreis: Liebe, Treue, Wahrheit. Sie führen
eine ganze Reihe soziologisch und psychologisch leicht zu
bestimmende Typen vor, die in ihrer gemilderten Form wienerische Spielarten eines um 1900 in den Grossstädten Europas verbreiteten Menschenschlages sind: der "leichtsinnige
Melancholiker" Anatol, der Skeptiker Max, dessen Freund,
sowie Frauengestalten wie die "Mondaine", "das süsse Mädel",
die Komparse, die Kokotte. Anatol steht dabei immer im Zentrum der Handlung, Max "souffliert" und ist "für die Stich-
wörter da", die Frauen sind wohl Anlass der Konversation,
ihr Auftritt beeinflusst aber den abzusehenden Verlauf des
Geschehens nur unerheblich.

---

1) A. Schnitzler: Jugend in Wien. op. cit. S. 263 und v.a.
   S. 142.
2) In: Die Gesellschaft. Leipzig 1893, S. 109 f.
3) Vgl. dazu St. Zweig: Die Welt von Gestern. Frankfurt a.M.
   1969, S. 378. St. Zweig erinnert sich an einen Schnitzler
   mit recht dandyhaftem Aussehen: "Schon als Knabe waren
   mir jene Schriftsteller und Künstler der früheren Generation immer unverständlich, die durch Samtjacken und
   wallendes Haar, durch niederhängende Stirnlocken wie
   etwa meine verehrten Freunde Arthur Schnitzler und Hermann Bahr, oder (...)".

In den "Studien zur Kritik der Moderne" schreibt Hermann Bahr,
nur ein Jahr nach Erscheinen des "Anatol" über die Titel-
figur:

> "Der Mensch des Schnitzler ist der österreichi-
> sche Lebemann. Nicht der grosse Viveur, der
> international ist und dem Pariser Muster folgt,
> sondern die wienerisch bürgerliche Ausgabe zu
> fünfhundert Gulden monatlich, mit dem Gefolge
> jener gemütlichen und lieben Weiblichkeit, die
> auf dem Wege von der Grisette zur Cocotte ist,
> nicht mehr das erste und das zweite noch
> nicht."[1]

Wenn diese Charakterisierung des Anatol auf den ersten Blick
einleuchten mag, so erfordert diese doch eine wichtige Re-
tusche. Abgesehen davon, dass Bahrs pauschale Beurteilung
der Frauengestalten im "Gefolge" Anatols kaum einer näheren Prüfung standhält, muss die Einschätzung der Titelge-
stalt als billige "Ausgabe" als unzutreffend bezeichnet werden.[2] Anatol unterscheidet sich wesentlich von dem damals
weitverbreiteten 'Salonlöwen- und Bonvivant-Typ' wie er etwa
in der Person des Barons Diebl in "Anatols Grössenwahn" in
all seiner öden Mediokrität auftritt. Diesen Flaneurs des
österreichischen Adels und Wiener Grossbürgertums ist ein
bezeichnender Charakterzug eigen, der Anatol gänzlich ab-
geht: die Albernheit, ihre geistige Anspruchslosigkeit
und die Gleichgültigkeit den Gefühlen gegenüber. Aus dieser
Sicht missdeutet auch der Schnitzler sonst gesonnene Star-
schauspieler des Burgtheaters Adolf von Sonnenthal Stück und
Figuren des "Anatol", wenn er sagt: "(...) Du schilderst
ja eine Kloake, nichts als Strizzis und Dirnen."[3]

---

1) H. Bahr: Studien zur Kritik der Moderne. Frankfurt a.M.
   1894, S. 82.
2) Schnitzler findet die Formulierung "Fünfguldenlebemann"
   nicht sonderlich treffend. Vgl. Jugend in Wien. op. cit.
   S. 163.
3) A. Schnitzler - O. Brahm: Der Briefwechsel. Berlin
   1953, S. 20.

Im vielleicht wichtigsten Stück des Zyklus, in "Agonie",
meint Anatol über sich selbst:

> "Ich bin stets ein Hypochonder der Liebe gewe-
> sen ... Vielleicht waren meine Gefühle nicht
> einmal so krank, als ich sie glaubte - um so
> ärger! - Mir ist manchmal, als werde die Sage
> vom bösen Blick an mir wahr ... Nur ist der
> meine nach innen gewandt, und meine besten Empfin-
> dungen siechen vor ihm hin."[1]

In diesem Bekenntnis Anatols wird die feine "Grenzlinie"
überschritten, die zwischen Impressionismus und Dekadenz
verläuft (A. Bettex). Aus den Sätzen spricht nicht mehr nur
der reine Empfindungsmensch, sondern der melancholische,
sein kränkelndes Innere zerfasernde décadent. Anatols Wesen
trägt typische Züge des Spättypus: verfeinerte Kultiviert-
heit, selbstquälerisches Grübeln, Flucht in eine Schein-
welt, resignierende Schwermut. Der Leere seines Lebens bewusst, jedoch unfähig eine Wende herbeizuführen, ja nicht
einmal willens dazu, pflegt er seine zerwühlte Psyche, um
den Zustand der totalen sozialen Vereinzelung und der Orientierungslosigkeit zu bewahren. Auf diese Weise bleibt für
Anatol die Möglichkeit bestehen, im Ausloten und Beobachten
seiner selbst, gewissermassen als Selbstmedium, ein sich
lohnendes Experimentierfeld zu erhalten. Allerdings, ein
Versuch der Selbsthypnose scheitert ("Frage an das Schicksal"). Seine Haltung zielt bewusst darauf ab, jede tiefgreifende Veränderung seines Lebens zu vermeiden. Die
Aeusserung Anatols, "Ich mache nichts, wie gewöhnlich! (...)
Als wenn es was Schöneres gäbe!" ("Weihnachtseinkäufe") ist

---

1) D I S. 82.

nur Symptom einer tieferen, dem Dandy der Jahrhundertwende
innewohnende Passivität. Er hat es ja nicht nötig, einem
Beruf nachzugehen, um seinen Lebensunterhalt zu bestreiten.[1] Bei Anatol gründet diese Passivität in einer patho-
logischen Furcht vor der Zukunft, im negativen Zeiterleb-
nis. Seine Blickrichtung ist stets retrospektiv; an der
Vergangenheit misst er die Gegenwart.[2] Max spricht es
aus, gleichsam als psychoanalytische Diagnose: "Deine Gegenwart schleppt immer eine ganze schwere Last unverarbei-
teter Vergangenheit mit sich. ... Was ist nun die natür-
liche Folge - ? Dass auch um die gesundesten und blühend-
sten Stunden deines Jetzt ein Duft dieses Moders fliesst
- und die Atmosphäre deiner Gegenwart unrettbar vergiftet
ist."[3] Die Gegensätzlichkeit des im psychoanalytischen
Sinn Fixierten zu den vielen "Glücklichen, für die jedes
Stück Leben ein neuer Sieg ist"[4] wird offenbar. Was hier
wie tragisches Schicksal anmutet, ist eigentlich gewollt.
Gleich dem "klassischen" Dandy, der durch den erlesenen
'goût' seiner Kleidung der sozialen Nivellierung mit der
Massengesellschaft zu entfliehen sucht,[5] will sich Anatol
von den Ueberwindern der Vergangenheit unterscheiden. Gewissermassen als Mittel der Individuation ist in diesem
Sinn Anatols Bekenntnis zur Krankheit zu werten, die in
ihrer Vielfältigkeit sich von der Banalität des Gesunden

---

1) Vgl. O. Mann: Der moderne Dandy. Heidelberg 1962, S.
   90 f.
2) Vgl. den Prolog Hofmannsthals: "Unseres Fühlens Heut
   und Gestern". D I S. 29.
3) D I S. 83.
4) D I S. 83.
5) Vgl. Ch. Baudelaire: "Ces choses (sc. Kleidung des
   Dandy) ne sont pour le parfait dandy qu'un symbole de
   la supériorité aristocratique de son esprit. Aussi, à
   ses yeux, épris avant tout de distinction, la perfec-
   tion de la toilette consiste-t-elle dans la simplicité
   absolue, qui est, en effet, la meilleure manière de se
   distinguer."
   In: Oeuvres complètes. Le Peintre et la Vie moderne.
   Bd. 3. Genève 1967, S. 84.

abhebt. Auf die ironische Aufforderung Maxens, "Sei stark,
Anatol - werde gesund!" antwortet Anatol: "Es ist ja möglich, dass ich die Fähigkeit dazu hätte! - Mir fehlt aber
das weit Wichtigere - das Bedürfnis! - Ich fühle, wie
viel mir verloren ginge, wenn ich mich eines schönen Tages
'stark' fände! ... Es gibt so viele Krankheiten und nur
eine Gesundheit - ! ... Man muss immer genau so gesund wie
die andern - man kann aber ganz anders krank sein wie jeder
andere!"[1]

Nicht bloss auf persönlicher Heraussonderung beruht Anatols
Willen zur Krankheit. Sie ist ebensosehr Quelle neuer Empfindungen durch die Steigerung des Erlebniskomplexes in
der Isolation.

Aus Anatols Kranksein, eigentlich nur verzärtelter Schwach-
heit und Hypochondrie, folgt die Flucht in die sentimentale
Illusion, ins erotische Erlebnis. Zur Vereinzelung seiner
Person gesellt sich die Orientierungslosigkeit seines Wesens, die sich in zahllosen oberflächlichen Liebesbezie-
hungen ohne Treue niederschlägt. Die "unsterblichen Stunden" der "Seligkeit" müssen Stunden bleiben, und, da Beständigkeit der Gefühle ausgeschlossen ist, wird ihre Endlichkeit durch Multiplikation und Variation der Beziehungen
zu Frauen, die nichts als banale Repetitionen sind, ersetzt.
Anatol durchschaut seine Lage, wie seine Eigentypisierung
"leichtsinniger Melancholiker" beweist.[2] Er weiss, dass
seine Liebschaften "Agonien" und "Episoden" sind,[3] denen
frische Spontaneität und Arglosigkeit fehlen, weil kultivierte 'Nervlichkeit' die "Atmosphäre (s)einer Gegenwart

---

1) D I S. 84.
2) Vgl. auch "Aber mein Leichtsinn ist so schwermütig geworden." aus "Anatols Grössenwahn". D I S. 122.
3) Vgl. dazu Loris' Prolog. D I S. 29.

vergiftet", um die bereits "ein Duft des Moders fliesst."
Für den episodenhaften Charakter der losen Bindungen Anatols sprechen sowohl die Requisiten (Blätter, Blumen
Locken) seiner Liebschaften, welche Vergangenes beleben
sollen, als auch das illusionslose Vorausahnen des sichern
Endes wie es im "Abschiedssouper" in der gegenseitigen Ab-
machung gipfelt: "(...) wer von uns eines schönen Tages
spürt, dass es zu Ende geht - sagt es dem andern rund heraus."[1]

Illusion bleibt letztlich auch Anatols Suche nach Wahrheit, die erfolglos bleiben muss, da sie nur mit halbem
Herzen betrieben wird. Selbst als ihm die Möglichkeit geboten wird, mittels Hypnose untrüglich an die Wahrheit
heranzukommen, zaudert er und schreckt schliesslich davor
zurück ("Frage an das Schicksal"). Der labile Zustand
des zwischen Wahrheit und Lüge Schwebenden wird der Gewissheit vorgezogen. Wenn Emilie in den "Denksteinen"
sagt, "(...) ihr vertragt sie nicht, die Wahrheit!" so
meint sie damit nur die Aufrechterhaltung der Illusion,
die Anatol "tausendmal lieber ist als die Wahrheit" ("Frage an das Schicksal"). Die Wahrheit wird indessen so wenig
ertragen wie die Lüge.[2] Vor diesem Dilemma flüchtet sich
Anatol in die Pose und Selbsttäuschung. Er glaubt an die
reinigende Macht seiner Liebe, die "die andern alle zu
Vergessenen mach(t), zu nie Gewesenen", er glaubt in den
Geliebten durch seine Hingabe etwas vom eigenen Ich ein-
zupflanzen - " (...) und was dir entgegenglänzte, war
Licht von deinem Lichte" -, das seiner narzisshaften Eitelkeit schmeichelt. Damit rundet sich das Bild des deka-

1) D I S. 71.
2) Vgl. "Anatols Grössenwahn": Berta zu Anatol: "Ihr lockt
   sie uns ja heraus, die Lügen, ihr zwingt uns ja dazu".
   D I S. 119.

denten Dandys Anatol ab: Exzentrik, ja Ausserbürgerlichkeit,
Selbststilisierung, Originalitätssucht, Selbstanalyse und
Misanthropie; er ist ein von öder Langeweile geplagter
asthenischer Melancholiker, dessen überfeinerte 'Nervlichkeit' und Hypochondrie jede Aktivität ausserhalb des Erotischen lähmen. Anatols "kultivierte Morbidezza" und "Attitüde des Aristokratismus' des Leidens", freilich "gemütli-
cher als die westeuropäischen Muster" der Dekadenz, sind
"Ausdruck des allgemeinen Wertzerfalls, in dem sich die
traditionelle metaphysische, sittliche und gesellschaftliche
Ordnung, aber auch die geschlossene Personalität des Individuums zersetzt hat."[1]

Das Geschehen, von Handlung kann im eigentlichen Sinn
nicht gesprochen werden, ist überwölbt von der Stimmung eines "glänzenden Salons, wo die schweren Portieren nieder-
fallen - mit Makartbuketts in den Ecken, Bibelots, Leuchttürmen, mattem Samt ... und dem affektierten Halbdunkel
eines sterben Nachmittags."[2] So definiert Anatol in "Weihnachtseinkäufe" die dekadente Stimmungswelt, mit welcher
er und die "Mondaine" Gabriele sich bewusst umgeben; denn
Stimmung ist das Lebenselixier des Empfindungsmenschen und
ist für diesen grundsätzlich herstellbar.[3] Der Impressionist sucht deshalb Kongruenz zwischen Aeusserem und Innerem, das heisst, er wählt seine Umwelt nach den Bedürfnis-
sen und Ansprüchen seines Gemüts. Für den décadent Anatol
bedeutet dies Erzeugung einer Atmosphäre der Dämmerung,
der Schwermut und Resignation, des Schwebezustandes zwischen
Wachen und Träumen, der das Erkennen scharfer Konturen
verhindert, kurz,der Atmosphäre der Spätzeit, der sanften
Agonie.

---

1) E. L. Offermanns: Anatol. Berlin 1964, S. 165.
2) D I S. 47. Vgl. Kapitel 'Stimmung der Spätzeit', S. 168 ff.

Die Ambiance einer dekadenten Szenerie ist eine raffinier-
te Komposition. Sie wird von düsteren Farben beherrscht
(dunkelrote Tapeten und Vorhänge).Auf der in dumpfes Licht
einer "grün-roten Ampel" gehüllten Bühne ertönt verspiel-
tes Improvisieren auf dem Klavier. Diese Farben und Töne
schmeicheln der unerhörten Reizbarkeit der Sinne, sie machen Anatols "Leben so vielfältig und wandlungsreich".[1]
Die besondere Stimmung, die auf seine Psyche einwirkt,
lässt ihn "empfinden", wo andere nur "geniessen". Diese
äussern Stimmungsbilder wirken wechselseitig mit der Ge-
mütsverfassung und dem Bewusstseinszustand der Figuren.
Ihr Ineinanderfliessen bildet das impressionistisch-dekadente Erlebnismoment schlechthin. Halbschlaf und Hypnose,
das Innewerden des drohenden Verfalls jedwelcher mate-
riellen Realität bewirken jene gesteigerte, ja geradezu
seismographische Hellhörigkeit und Reizbarkeit der Sinne
und Nerven, mit "Augenblicken, in denen alles schöner ist
als je zuvor", in welchen das Leben "heisser, glühender
als je - und trügerischer als je"[2] erfahren werden kann.
Diese verfeinerte Empfindungsfähigkeit, hervorgerufen
durch die Grenzsituation, sucht der dekadente Impressionist über den gesteigerten Augenblick hinweg zu perpetu-
ieren, was ihm nicht gelingen kann. Auf dieser bittern Erfahrung beruht die morbide Schwermut, der 'spleen', nämlich das Fehlen jeglicher Lebensfreude, und das sentimentale Hängen am "Denk"-Stück, am Erinnerungen heraufbe-
schwörenden Requisit. Anatol glaubt an die "unsterblichen
Stunden" in den Armen seiner zahllosen Geliebten und be-
tet sie aufs neue an, wenn er "in diesen Blättern, Blumen,
Locken wühlt".[3] Hier tritt der grundlegende Unterschied im
Wesen des Dandys Anatol zum erotischen Abenteurer Casanova

---

1) D I S. 57.
2) D I S. 83.
3) D I S. 51.

offen zutage. Während Anatols Verhältnis zur Realität gebrochen ist, haben wir es bei Casanova ("Die Schwestern
oder Casanova in Spa") mit einem vitalen, hemmungslos ge-
niessenden Roué zu tun, dessen Charakter in seiner unkom-
plizierten Natürlichkeit und skrupellosen Oberflächlichkeit keinerlei tieferen Regungen fähig ist. Casanova
braucht für seine Liebesabenteuer nicht "in Stimmung" zu
sein, was für Anatol selbst zum Heiraten Voraussetzung
ist ("Anatols Hochzeitsmorgen").[1]

Das letztgenannte Stück bildet den Abschluss des "Anatol"-
Zyklus. Es wurde dem ursprünglich dafür geplanten "Anatols Grössenwahn" vorgezogen, ein Einakter, der im gleichen
Jahr wie "Weihnachtseinkäufe" und "Abschiedssouper" entstanden ist und aus guten Gründen nurmehr ausserhalb des
Zyklus figuriert.[2] Eine Zeitspanne von ungefähr zwanzig
Jahren trennt "Anatols Grössenwahn" inhaltlich von "Anatols
Hochzeitsmorgen". Dieser Umstand bringt einen neuen Gesichtspunkt in die Betrachtung: den alternden Dandy. Wer
aber im gealterten Anatol einen klarsichtigen, durch die
zeitliche Distanz zum Gewesenen von Illusionen geläuterten
Realisten erwartet, sieht sich getäuscht. Zwar macht es
zunächst den Anschein, als ob eine grundlegende Aenderung
im Wesen Anatols eingetreten sei. Die Erkenntnis, dass
Erinnerungen Trugbilder sind, ist ihm schon vorher gekommen,
doch empfindet er sie jetzt in aller Härte; seine "ganze
Vergangenheit" kommt ihm "armselig" vor.[3] Er ist von einer tiefen Skepsis gegenüber der Macht menschlicher Gefühle ergriffen. Bald aber zeigt sich wieder das gewohnte
Bild des melancholischen Poseurs, wenn er im Verlauf der
Begegnung mit dem etwas ordinären Stutzer Baron Diebl in

---

1) D I S. 90.
2) Vgl. D I S. 105.
3) D I S. 107.

massloser Ueberheblichkeit, daher der Titel "Anatols Grössenwahn", dessen ausschliesslich am Sexus orientierten Liebe an seiner idealisierten, mystisch überhöhten Liebes-
ethik misst. Sein "Ehrgeiz in der Liebe" zielt darauf ab,
sich die "Jungfrauen selber zu machen".[1] Die Ernüchterung
folgt auf dem Fuss in der Person Bertas, einer Verflossenen. In schonungsloser Offenheit zerstört sie Anatols Illusion von der wenigstens an den Augenblick gebundenen
Aufrichtigkeit der damaligen Liebesbeteuerungen, und er
begreift für einen kurzen Augenblick die grausame Wirklichkeit der unumstösslichen Trennmauer zwischen Mensch und
Mensch, "die ewige, verständnislose, leichtfertige Fremdheit."[2] Doch schon keimen neue Illusionen, die Bertas
Erinnerungen in Zweifel ziehen: "In diesem Weib haben sich
die Erinnerungsbilder mit der Zeit vielleicht verändert,
verschoben, verfälscht!"[3]

Zwanzig Jahre haben Anatols Wesen nicht zu wandeln vermocht. Er ist der "leichtsinnige Melancholiker" geblieben,
wie er selber bekennt, der alle seine Erinnerungen "wie
einen Sack voll Perlen herumschleppt",[4] dessen Skepsis
nicht der Wahrheitsfindung, vielmehr als Nährboden neuer
Illusionen dient. Auch das Gefühl der Isoliertheit besteht
fort. Auf eben dieser "ewigen Fremdheit", die Anatol empfindet, auf seinem Herausgelöstsein aus der Wirklichkeit
und Zurückgeworfensein auf das vereinsamte, unverstandene
Ich beruht im wesentlichen das negative Lebensgefühl des
dekadenten Dandys. Als solcher setzt er den Problemen

---

1) D I S. 113. Vgl. dazu die gleiche Thematik in der während der "Anatol"-Entstehungszeit verfassten legenden-
   artigen Kurzgeschichte "Die drei Elixiere", E I S.
   79-83.
2) D I S. 121.
3) D I S. 121.
4) D I S. 122.

Scheinlösungen entgegen, wie sie sich in der Flucht vor der
Realität in die stimmungssteigernde Dekoration oder in der
Rettung in die Vergangenheit äussern. Obwohl die Verläss-
lichkeit der Erinnerungen während des gesamten Zyklus und
auch in "Anatols Grössenwahn" mehrmals in Frage gestellt
wird, obsiegt letztlich immer wieder die Selbsttäuschung,
am subtilsten wahrscheinlich gegen Ende von "Anatols
Grössenwahn": "Und wer weiss, vielleicht hab ich einmal
das Weib geliebt, das mich wirklich verstanden, und durfte
glücklich sein ... und hab es nicht gewagt ..."[1]

"Anatols Grössenwahn" endet mit den Worten Annettes, eines
koketten jungen Mädchens: "(...) eifersüchtig? (...) auf
so einen Alten!!"[2] Anatol, der verwöhnte Dandy, der ehemals begehrte Galan, der "Aesthet des Schlafzimmers"[3] ist
zum nicht mehr ganz ernstgenommenen, tragikomischen alternden Liebhaber geworden ...

Anatol steht als Dandy-Figur in Schnitzlers Werk keineswegs allein da.[4] Allerdings ist sie nirgends sonst auch
nur ähnlich typisch und abschliessend, gewissermassen bis
zum Zusammenbruch, gezeichnet. Er gehört mit Huysmanns
Jean des Esseintes zu den grossen Dandy-Figuren der Literatur. Der Schnitzlersche Dandy Anatol entspricht denn auch
ziemlich genau den Vorstellungen Baudelaires, in dessen

---

1) D I S. 122.
2) D I S. 123.
3) H. Politzer: Diagnose und Dichtung. In: Das Schweigen
   der Sirenen. Stuttgart 1968, S. 110-144.
4) Vgl. dazu Schnitzlers Aeusserungen im Nachlass: "Es
   gibt auch in meinen späteren Werken unter den Dutzenden
   Gestalten, die darin auftreten, einige unter den jungen
   Leuten, die dem Anatol sehr ähnlich sehen und manche
   Züge mit ihm gemeinsam haben." Spulenbezeichnung (Nachlass A/16).

Essay "Le Peintre et la Vie moderne" das Dandytum als Reaktion auf die Verfallserscheinungen in den Uebergangszeiten vom Aristokratenstaat zur Demokratie verstanden wird.[1] Der Dandy will, immer nach Baudelaire, eine Art neuer Aristokratie begründen, die aber schliesslich, obwohl sie sich auf unzerstörbaren und kostbaren Werten ruhend wähnt, von der unaufhaltsam steigenden Flut der alles nivellierenden Demokratie zerstört wird: "Le dandysme est un soleil couchant; comme l'astre qui décline, il est superbe, sans chaleur et plein de mélancolie."[2] Gerade in diesem Licht besehen, erscheint Karl Kraus' vernichtende Kritik an der Dekadenzliteratur im allgemeinen und die vorwiegend negative, wenn auch hintergründig noch wohlwollende Beurteilung[3] von Schnitzlers "Anatol" im speziellen, als überspitzte Polemik:

> "Arthur Schnitzler gehört zu den bedeutendsten
> Talenten Jung-Oesterreichs. Ehrliche Realisten
> gibt es allerdings sehr wenige bei uns. Auch
> Schnitzler, der es doch wahrhaftig nicht nötig
> hätte, kokettiert bisweilen sehr gerne mit den
> bei uns leider so stark vertretenen 'Dekadenten',
> die gar stolz sind - auf die schwachen Nerven,
> die sie haben oder auch nicht haben. Schnitzler
> hat es, wie gesagt, bei seinem wirklichen Talent
> nicht nötig, nach diesen neurotisch 'überwinden-
> den' Kaffeehausdekadenzmodernen hinüberzuschie-
> len. Diesmal, beim 'Anatol' hat er stark ge-
> schielt."[4]

---

1) O. Mann: Der moderne Dandy. op. cit.: "Der Dandysmus erscheint als Reaktion ästhetisch gerichteter Individuen gegen die Auflösung der Gesellschaft." S. 22.
2) Le Peintre et la Vie moderne. op. cit. S. 86.
3) Die Kritik am Werk Schnitzlers sollte sich in der Folge bedeutend verschärfen. Vgl. "Die demolirte Litteratur", Wien 1897, S. 18.
4) Karl Kraus: In: Die Gesellschaft. Monatsschrift für Literatur, Kunst und Sozialpolitik. Leipzig 1893, S. 109.

Kraus verkennt in der von ihm pauschal verurteilten Literatur Oesterreichs der Jahrhundertwende, dass den sensiblen
Impressionisten und Neuromantikern mitunter literarische
Meisterwerke gelungen sind, deren Wert heute unbestritten
ist. Der "Anatol"-Zyklus Schnitzlers gehört zweifellos dazu, nicht so sehr wegen seiner ausgefallenen Form, als
vielmehr, weil hier ein Typus gestaltet ist, eben ein Dandy
der Wiener Belle Epoque, wie er treffender kaum je gestaltet worden ist.

DER AESTHET

Im ersten Brief der nicht sonderlich umfangreichen Korrespondenz zwischen Schnitzler und Max Reinhardt - eine persönliche Beziehung kam übrigens kaum zustande - bittet der
bedeutende Theatermann Schnitzler um die Aufführungsrechte
des Versdramas "Der Schleier der Beatrice", in der Hoffnung, das 1899 entstandene und 1900 uraufgeführte Stück
zusammen mit Strindbergs "Rausch", Wedekinds "Erdgeist",
Maeterlincks "Aglavaine et Sélysette" und andern, teils
klassischen Bühnenwerken in den Spielplan des von ihm neu
gegründeten "Kleinen Theaters"[1] in Berlin aufzunehmen.
Reinhardts Auffassung, dass "Der Schleier der Beatrice"
"derzeit an keiner andern Bühne so gespielt, inszeniert
und ausgestattet werden kann wie auf der unseren",[2] sollte sich am 7. März 1903 bestätigen, als das Stück im
"Deutschen Theater" in Berlin in der Inszenierung von Otto
Brahm, den Schnitzler Reinhardt vorgezogen hatte, kläglich
durchfiel. Kein Wunder, das Stück entsprach weder Geschmack noch Inszenierungsstil des Naturalisten Brahm.
Schon drei Jahre vor der Berliner Aufführung hatte er Bedenken gegenüber dem Stück "Der Schleier der Beatrice"
geäussert und sich gefragt, ob "die stilisierte Anatolhaf-
tigkeit des Dichters Filippo dem Publikum verständlich und
sympathisch sein"[3] würde. Wenn er das Stück dennoch her-
ausbrachte, so nur deshalb, um es nicht seinem ehemaligen
Schützling und nunmehrigen 'Konkurrenten' Reinhardt über-

---

1) Im Grunde war es eine Umbenennung von "Schall und Rauch"
   in "Kleines Theater", die eine Aenderung des Repertoi-
   res, nämlich vom Kabarett zum literarischen Theater,
   zur Folge hatte.
2) A. Schnitzler - M. Reinhardt: Briefwechsel. Salzburg
   1971, S. 42 f.
3) Vgl. A. Schnitzler - O. Brahm: Der Briefwechsel. op. cit.
   S. 93.

lassen zu müssen. Dieser erstrebte, ganz im Gegensatz zur
naturalistischen Atmosphäre der Elendsschilderung Brahmscher
Hauptmann Inszenierungen, das Theater der Verzauberung; sein
ausgeprägter Sinn für das Theatralische, ja Spektakuläre,
sein szenischer Einfallsreichtum, der Paläste, üppige Gärten, Kathedralen und selbst den Salzburger Domplatz für
die Bühne erschloss, kurz, seine Lust am reinen Spiel liessen ihn zum bevorzugten Regisseur der Impressionisten und
Neuromantiker des beginnenden 20. Jahrhunderts werden.

In Hofmannsthal fand Reinhardt denn auch den Dichter und
persönlichen Freund, mit dessen Werk bedeutende Bühnener-
folge gelangen. Schnitzlers "Der Schleier der Beatrice"
musste Reinhardts Neigungen entgegenkommen,[1] verrät es
doch wie kaum ein anderes seiner Stücke die Nähe des jungen Hofmannsthal. "Gestern", "Der Tor und der Tod", "Der
Tod des Tizian" und "Der Schleier der Beatrice" haben eines gemeinsam: die im Vordergrund stehende Thematik des
Aesthetizismus.

Aesthetizismus bedeutet nichts anderes als über-
steigerter Schönheitskult und ist, wie der Dandysmus, ein
typisches Spätzeit-Symptom. In seiner Erscheinungsform um
die Jahrhundertwende - Aesthetizismus oder zumindest die
Neigung zum Aesthetizismus lässt sich in der Kulturge-

---

1) Dies geht deutlich aus einem Brief Reinhardts an Schnitzler vom 31. August 1902 hervor: "Wir würden sicherlich
vor allen Theatern mit Freude und Begeisterung an diese
Aufgabe gehen, denn sie bedeutet für uns ein Programm.
Ich selbst liebe dieses kostbare Werk ausserordentlich(,)
und es wäre einer meiner Lieblingswünsche, es selbst in-
szenieren zu dürfen." op. cit. S. 42.

schichte mehrfach feststellen, etwa in der Spätantike, im
ausgehenden Mittelalter, in der Renaissance und in der Ro-
mantik - gehört er zu den wichtigsten Charakteristika der
Dekadenz. Er ist "Blüte einer Spätkultur", "in der der
Geist an keine Systeme mehr glaubt" und "die künstlerischen
Werte die einzigen bleiben, in die eine gesunkene Idealität
zu flüchten vermag,"[1] oder, anders formuliert, "Ersatz des
Metaphysischen durch das Aesthetische".[2]

Die Träger des Aesthetizismus des Fin de siècle, von dem
ganz Europa in den letzten Dezennien des 19. Jahrhunderts
ergriffen ist, nicht zuletzt auch Wien mit seinen neu
entstandenen Prachtsbauten am Ring und ihrem Künsterprin-
zen Hans Makart, um nur Beispiele aus dem Bereich der bil-
denden Kunst zu nennen, finden sich in den Reihen der Impressionisten, Symbolisten und Neuromantiker. Ihr Hang
zum Verfeinerten und Subtilen, gelegentlich gar zum Manie-
rierten, aber auch zu Prunk, ihre Forderung nach der reinsten Form und nicht zuletzt die Flucht aus der Gesellschaft
in eine Welt der Schönheitsideale, das heisst dieses Zu-
rückziehen auf sich selbst, beschwört, ähnlich wie beim
Dandy, ein 'negatives Lebensgefühl' herauf.[3] Es ist Folge
menschlicher Vereinsamung, um den Preis gesteigerten Emp-

---

1) K. J. Obenauer: Die Problematik des ästhetischen Menschen in der deutschen Literatur. München 1933, S. 13.
2) W. Kohlschmidt: Die Problematik der Spätzeitlichkeit.
In: Spätzeiten und Spätzeitlichkeit. Bern 1962, S. 17.
3) Die Unterschiede zwischen den einzelnen Figuren der Dekadenz sind, wie bemerkt, zuweilen sehr fein. Diese
Feststellung trifft insbesondere auf den Aestheten und
den Dandy zu. Zur Klärung des Sachverhaltes der folgende kurze Exkurs: Der Dandy und der Aesthet sind miteinander verwandt und sehen sich zum Verwechseln ähnlich. Beide sind Esoteriker und als solche bestrebt,
sich durch Erlesenheit des Geschmacks, durch Raffinement der Lebensführung von den breiten Massen abzuhe-
ben. Das 'negative Lebensgefühl' wird als dominierend
empfunden, sie fühlen sich als Spätlinge, als déca-

findens und Geniessens in der Kunst erkauft.[1]

Obenauer nennt als Hauptkennzeichen des Typus 'Aesthet'
"die Tendenz der Lebenseinstellung zu einem ästhetischen
Primat". Das heisst nichts anderes, als dass der Aesthet
nicht nur "die Werte des Schönen, der Kunst, der Phantasie objektiv für die höchsten hält", sondern dass er
ebensosehr "subjektiv den Schwerpunkt des Lebens in die
ästhetische Sphäre, d.i. in ästhetische(n) Erlebnisse(n),
in enthusiastische(n) Kunstgenüsse(n) und verfeinerte(n)
künstlerische(n) Empfindungen" verlegt.[2] Dass dabei po-
litisches und moralisches Bewusstsein hintangesetzt wird,
ja, dass ästhetische Werte nicht nur als vorrangig, vielmehr als die einzigen überhaupt postuliert werden, illu-
strieren die Werke der Vertreter des "L'art pour l'art"
nicht minder als die der Symbolisten und Impressionisten

dents. Zwischen den Charakteren dieser beiden typischen
Repräsentanten ihrer Zeit verläuft indessen eine
Trennungslinie, die einen erheblichen Unterschied offenbar werden lässt. Währenddem der Dandy ein auf Wirkung durch seine Extravaganz bedachter Poseur ist,
dessen Passivität und müde Apathie nur durch erotische
Abenteuer unterbrochen wird ("Ich mache nichts, wie gewöhnlich." "Anatol"), so ist der dekadente Aesthet en-
gagierter und vor allem auch schaffender Künstler, dem
der "Primat der Kunst" (K.J. Obenauer) zum Lebensideal
wird. Der Dandy dagegen ist nur ein Dilettant, dessen
'Kunstobjekt' er selber ist. Anatol ist der passive,
retrospektiv orientierte décadent, der Aesthet Filippo
Loschi ("Der Schleier der Beatrice") ist der aktive, am
Augenblick orientierte décadent.
1) "Der Herauslösung aus einem noch metaphysisch erfüllten
Lebenszusammenhang, das Absinken in die blosse Ichheit
und das Sichisolieren gegenüber der Umwelt haben das
Lebensgefühl des spätästhetischen Menschen negativ gemacht. Tritt diese Negativität deutlich ins Bewusstsein, so erscheint sie als offene Dekadenz, das Subjekt
wird einem durchgängigen, unlösbaren Leiden unterworfen."
O. Mann: Der moderne Dandy. op. cit. S. 38.
2) op. cit. S. 8.

des Fin de siècle in Wien zwischen 1890 und 1900. Sie alle
bringen Literatur hervor, in der die Thematik der Dekadenz
besonderes Gewicht hat.

Die Handlung von Schnitzlers "Der Schleier der Beatrice"
ist auf weniger als einen Tag zusammengedrängt; es sind
die letzten Stunden einer agonisierenden Stadt. Im Angesicht des sichern Untergangs bei Tagesanbruch durchlebt
Bologna, beherrscht von der überreizten Atmosphäre der
Weltuntergangsstimmung, in der Standesschranken fallen,
Wirklichkeit und Illusion ineinanderfliessen, Belangloses
ungeheure Bedeutung gewinnt und zum Symbol, ja zum bösen
Vorzeichen kommenden Unheils wird, in einem letzten Auf-
flackern wilder Lebensgier eine Nacht des Rausches und
leidenschaftlichen Taumels, die schliesslich in einem or-
giastischen Totentanz endet. Hier wird eine Endzeitstimmung
veranschaulicht, wie sie in der Dekadenzliteratur häufig an-
zutreffen ist. Schon allein die Tatsache, dass das Stück in
der Renaissance spielt ("(...) in Bologna, zu Beginn des
16. Jahrhunderts"),[1] weist auf das Dekadenzthema hin. Der
nach 1850 aufgekommene Renaissance-Kult, bezeichnenderweise Renaissancismus genannt, findet seinen Ausdruck nicht
nur in der vermehrten Beschäftigung mit kulturhistorischen
Aspekten der Renaissance, etwa bei Jacob Burckhardt ("Kultur der Renaissance in Italien", 1860, "Geschichte der Renaissance", 1867) oder Arthur de Gobineau ("La Renaissance,
Scènes historiques", 1877), sondern auch in der Belletristik: bei Conrad Ferdinand Meyer, Gabriele d'Annunzio,
Stefan George, Heinrich Mann und nicht zuletzt beim jungen

---

1) D I S. 554.

Hugo von Hofmannsthal und bei Arthur Schnitzler.[1] Ihre
Renaissance-Welt ist eine Welt der schweren Pracht, des
gesteigerten Lebensgefühls, der prunkvollen Exuberanz,
des Schönheits- und Formenkultes, nicht ohne einen Hauch
von Preziosität, des vitalen Menschen und Helden, aber
auch der Grausamkeit. In der Gestaltung dieser Welt erscheint allerdings letztlich, zumal bei Hofmannsthal und
Schnitzler, das Pittoreske als tonangebend. Viele Künstler der Jahrhundertwende sehen sich als Vertreter einer
Neu-Renaissance, die zu jener Kunstepoche, der Renaissance, eine gewisse Affinität entdeckt zu haben glauben und
in die hinein sie ihre Ideen vom 'Primat der Kunst' projizieren. Nicht zuletzt auch in formaler Hinsicht schlägt
sich der Renaissancismus bei Hofmannsthal und Schnitzler
gelegentlich nieder. So sprechen die Hauptpersonen in
feierlichen, pathetischen Versen (fünffüssige Jamben in
"Gestern", "Der Tod des Tizian", "Der Tor und der Tod" und
in "Der Schleier der Beatrice"[2]). Die letzten Verse in
"Der Schleier der Beatrice" sind gar in dem an Marlowe erinnernden 'Heroic Couplet' gehalten:

"Das Leben ist die Fülle, nicht die Zeit,
    Und noch der nächste Augenblick ist weit!"[3]

---

1) In einem Brief vom 10.7.1898 schreibt Schnitzler an Hofmannsthal: "Für das neue Stück (sc. "Der Schleier der
   Beatrice") ist mir viel und gutes eingefallen; doch
   werd ich es vor August kaum beginnen, da ich ein biss-
   chen Burckhardt, (...) lesen will (dazu)." Briefwechsel.
   op. cit. S. 105. Oder schon im Brief Schnitzlers an Hofmannsthal vom 27.7.1891: "Gelesen wird mancherlei,
   Burckhardt, Cultur der Renaissance (...)." Briefwechsel.
   op. cit. S. 9.
   Vgl. auch H. Bahrs Neue Studien zur Kritik der Moderne.
   Berlin 1897. Sie kamen unter dem Obertitel 'Renaissance'
   heraus.
2) In Blankversen.
3) D I S. 679.

Im übrigen kann die Nähe dieses Stückes zu Marlowe und vor
allem Shakespeare kaum übersehen werden. Schnitzler gibt
auch unumwunden zu, dass "'Der Schleier der Beatrice' als
fünfaktiges Drama, mit hauptsächlich von Shakespeare Anleihen machender Technik"[1] konzipiert sei (Vielzahl von
Personen und Figuren, Verstrickungen trotz Einfachheit und
Stringenz der Handlung).

Vor dem düsteren Hintergrund der belagerten Stadt Bologna
spielt sich die Tragödie des sechzehnjährigen Bürgermäd-
chens Beatrice Nardi ab, hin- und hergerissen zwischen dem
kraftvollen Renaissance-Fürsten Herzog Lionardo Bentivoglio und dem hypersensiblen, einmal nach Leben dürstenden,
einmal todessehnsüchtigen Dichter Filippo Loschi.[2] Diese
drei Personen stehen im Zentrum des Geschehens, umkreist
von fünfzig teils namentlich aufgeführten Nebenrollen, die
nur vereinzelt und in beschränktem Masse den Gang der Handlung mitbestimmen. Unsern Zusammenhang interessiert in erster Linie der Dichter Filippo Loschi, wenngleich allenfalls noch andere Figuren mit dem Begriff 'dekadenter
Aesthet' bezeichnet werden könnten, etwa der Musiker Agosti-
no Dossi oder der Bildhauer Ercole Manussi. Sie sind aber
zu farblos gezeichnet und dadurch zu wenig typisch, ausserdem handelt es sich um Nebenpersonen, die nur sehr kurz in
Erscheinung treten.

Filippo Loschi, zusammen mit Vergil und Petrarca genannt,
berühmter und gefeierter Dichter Bolognas, ist die reine
ästhetische Existenz und damit ein décadent. Von einem un-
widerstehlichen Einsamkeitsbedürfnis getrieben, lebt er in

---

1) A. u. B. S. 383.
2) "Der aus der Handlung hervorgehende Gedanke: das Weib-
   genie schwankt zwischen dem Mann der Tat und dem Mann
   des Gedankens (...)." A. u. B. S. 383.

Bologna in einem von weiten Gärten umgebenen Haus; eine
Mauer trennt sein Refugium von "der Strasse". Nur vereinzelt dringt der Lärm der Stadt an sein Ohr:

> "(...) Umfriedet ist mein Garten,
> Die Fenster sind verhängt, den Lärm und Unsinn,
> Der durch die Strassen fegt, lass'ich nicht ein;"[1]

Die gleiche Isoliertheit des Künstlers von der Gesellschaft findet sich in Hofmannsthals "Der Tod des Tizian"
und "Der Tor und der Tod". So sagt etwa Antonio vom Garten des sterbenden Tizian:

> "Darum umgeben Gitter, hohe, schlanke,
> Den Garten, den der Meister liess erbauen,
> Darum durch üppig blumendes Geranke
> Soll man das Aussen ahnen mehr als schauen."[2]

Desgleichen Claudio in "Der Tor und der Tod":

> "(...) So sperr die Tür,
> Die von der Gasse in den Garten, zu
> Und leg dich schlafen und lass mich in Ruh."[3]

Die Lebens- und Wirklichkeitsferne ist für den dekadenten
Aestheten typisch. Die Welt Filippo Loschis ist eine abge-
schlossene, künstliche Welt, ein Elfenbeinturm, ein Garten
des Schönen, den die Mauern gegen die übrige Welt ab-
schirmt. "In Flammen steht die Welt! Was kümmert's Euch?"[4]
ruft ihm der Bildhauer Manussi angesichts der für Bologna

---

1) D I S. 559.
2) H. v. Hofmannsthal: Gesammelte Werke in Einzelausgaben.
   Gedichte und lyrische Dramen. Stockholm und Frankfurt a.M.
   1949-1959, S. 260.
3) ebda. S. 276.
4) Vgl. D I S. 559.

aufziehenden Gefahr zu. Loschi verlässt während des ganzen
Stücks diese seine Umgebung nie. Den Versuch, aus ihr auszubrechen, das heisst sich mit Beatrice, zu welcher er in
leidenschaftlicher Liebe entbrannt ist, aus der dem Untergang geweihten Stadt zu retten, verhindert er selber, weil
Loschi in Beatrices Traum, in welchem sie sich als Herzo-
gin erlebt, einen Treuebruch sieht. Die Vorstellung, Beatrice nicht ganz besitzen zu können, ist für ihn unerträg-
lich; er stösst sie von sich.

Die Meidung der Gesellschaft und die Weigerung, den Herzog,
seinen Fürsten und Mäzen, nach dessen glücklicher Rückkehr
aus Rom, mit seiner Dichtung zu erfreuen, beruhen zwar auf
verschiedenen Voraussetzungen, nämlich die Weltflucht auf
dem Absolutheitsanspruch der Kunst, der Ungehorsam gegenüber seinem Herrn auf dem Verrat an der Sendung des Dichters und auf der Laune des Augenblicks in Erwartung des
Besuchs von Beatrice.[1] Mit der gleichen Radikalität, mit
welcher er sich der Kunst hingegeben, verfällt er der Liebe
zu Betrice. Die Enttäuschung seiner anspruchsvollen Neigung lässt Loschis Vereinsamung ins Unerträgliche wachsen.
Er zerbricht indessen nicht eigentlich daran, auch nicht
an der Bedrohung seines Lebens durch die politischen Ereignisse, vielmehr aus Verzweiflung darüber, dass er sich
in dieser Welt als Fremder fühlt und dass seine Existenz
als Dichter fragwürdig geworden ist. Aus der Erkenntnis
heraus, dass Dichtung letztlich kümmerlicher Lebensersatz
bedeuten muss, ergibt sich Loschis 'ennui' und schliesslich
seine bedingungslose Hingabe an den Augenblick:[2]

---

1) Vgl. D I S. 565 f.
2) Im übrigen billigt Ernst Mach in seiner "Analyse der
   Empfindungen" dem Augenblick höchste Bedeutung zu, da
   ja, wie er mehrfach betont, die Wirklichkeit nur in der
   Gegenwartserfahrung liegt.

"(...) Und quillt aus dieser Torheit
Einmal ein Lied, so ist's der höchste Preis,
Den mir das Leben hinwirft für die Schmach,
Dass ich zu schwach bin, es mit Stolz zu leben."[1]

Hierin ist, neben der Abgelöstheit des Künstlers von der Gesellschaft, das heisst seiner asozialen Lebensweise, das
zweite Charakteristikum des dekadenten Aestheten zu sehen.

Die ausschliessliche Augenblicksbezogenheit des Daseins
Loschis gründet auf zwei Voraussetzungen: einerseits auf
der Abgeschnittenheit von der Vergangenheit, anderseits
auf der Ziellosigkeit gegenüber Kommendem. Die Beziehung
zum Gewesenen ist bei Loschi in einem Masse getrübt, dass
er selbst eigene Gedichte nicht wiedererkennt,[2] wortbrü-
chig wird und sich skrupellos über ein Verlöbnis hinweg-
setzt.[3] Er versteht alles als Launen des Augenblicks.[4]

----

1) D I S. 578.
   In seiner Autobiographie "Jugend in Wien", im "Sieben-
   ten Buch" (1887-1889), vergleicht sich Schnitzler mit
   Loschi: "Und während ich mich in meinem Tagebuch weit-
   läufig und schonungslos über allen Zwiespalt und Jammer
   ausliess, war ich gleich wieder bereit, mich der Pose
   zu beschuldigen, glaubte mir in meinen innern Kämpfen
   irgendwie zu gefallen, während ich sie niederschrieb, -
   und glich so ein wenig jenem Dichter aus der 'Beatrice',
   der zehn Jahre später ausrufen sollte: 'Und quillt aus
   dieser Torheit ...'" op. cit. S. 309.
2) Vgl. D I S. 556:
   "Und so entfremdet meinem Heut dies Gestern,
   Dass sie, 'genüber Aug' in Aug' gestellt,
   Einander nicht erkennen,Brüdern gleich,
   Die nachts auf dunkler Strasse sich begegnen."
3) Hier zeigt sich ein prägnanter Unterschied zwischen dem
   Aestheten und dem Dandy. Letzterer sieht seine "Gegenwart" mit der "unverarbeiteten Vergangenheit" "unrettbar vergiftet". D I S. 83.
4) Vgl. D I S. 566:
   Ercole "(...) s'ist eine Laune, wie er sagt,
   Und weggespült vom nächsten Augenblick."

Auch Loschis Verhältnis zur Zukunft ist gestört. Wohl mag
hier der Umstand, dass das Ahnen, ja Wissen vom unmittelbar
bevorstehenden Ende ins Bewusstsein eingedrungen ist, eine
gewisse Rolle spielen. Wenn zu Beginn des ersten Aktes in
gewissem Sinn von einer noch bestehenden Zukunftsdimension
bei Loschi gesprochen werden kann, etwa als er, im Hinblick
auf eine gemeinsame Flucht mit Beatrice aus Bologna, ihr
zuruft: "Ich und du, wir wollen leben, Beatrice!"[1], so
geschieht dies doch vor allem in einer Art Euphorie. Die
Illusion eines zukünftigen Liebesglücks wird denn auch
durch die Schilderung von Beatrices Traum rasch zerstört,
und in der Ernüchterung stürzt sich Loschi in den Sinnenrausch der letzten Nacht:

> "Ich komme! - - Nicht mit schwerem Sinn bedacht,
> Nein, ganz gelebt sei endlich diese Nacht!"[2]

Der Kult des Augenblicks ist somit konsequente Folge aus
Loschis Zustand der Abgelöstheit vom Vergangenen und des
völligen Fehlens einer Zukunftsdimension.

Wenn hier von 'Augenblick' die Rede ist, so ist nicht in
erster Linie eine zeitliche, also quantitative Dimension
gemeint, sondern es geht im wesentlichen um eine qualita-
tive, nämlich das, was Schnitzler in den letzten zwei Versen des Stücks durch Bentivoglio verkündet:

> "Das Leben ist die Fülle, nicht die Zeit,
> Und noch der nächste Augenblick ist weit!"[3]

---

1) D I S. 570.
2) D I S. 584.
3) D I S. 679.

Aus diesen Versen geht ganz deutlich ein Bekenntnis hervor,
nämlich das Bekenntnis des Aestheten zum Leben des 'gesteigerten Augenblicks', denn im Erlebnis des gesteigerten
Augenblicks liegt die einzige Möglichkeit einer Verwirklichung der Erfahrung des Schönen. Die unaufhaltsam zerrin-
nende Zeit kann nur durch das Erlebnis, und zwar das in-
tensiv erfahrene durchbrochen werden. Die Anzahl solcher
Erlebnisse, durch die Endlichkeit des Lebens begrenzt,
spielt keine Rolle, und es kommt nur auf die durch keine
Schranken behinderte Intensität des Erlebnisses an. Gegen
Ende des dritten Aktes spricht es Loschi axiomatisch aus,
es mutet wie das Credo des dekadenten Aestheten an:

> "(...) Doch begreifst du's? Schau um dich!
> All dies ist Dasein - das bist du, das ich,
> Hier unten ruht die Stadt, drin atmen Menschen,
> Dort stürzt ins Weite Strass' und Strasse hin
> Ins Land, ans Meer, - und überm Wasser wieder
> Menschen und Städte; - ober uns gebreitet
> Dies blauende Gewölbe und sein Glanz,
> Und alles dies ist unser, denn wir s i n d !
> Und morgen schon gehört es uns so wenig,
> Als alles Lichtes Wunderfülle Blinden,
> Gelähmten aller Wege Lust und Fernen.
> Bedenk': ein hundertjähr'ger Greis ist jünger,
> An Hoffnung reicher, als wir beide sind-"[1]

Loschis Augenblicksempfinden erweist sich als die gewaltige
Momentaufnahme einer Gegenwart, die wie ein impressionisti-
sches Gemälde aufsteigt. Diese Gegenwart gilt es bewusst zu
erfahren und sich selber als einen Teil davon zu verstehen.
Erst dann wird sie zum überhöhten Augenblick. Mit einbezo-

---

1) D I S. 63^4 f.

gen ist in dieser Phase des Stücks (Ende des dritten Aktes)
allerdings die Hoffnungslosigkeit des 'Morgen', die nunmehr abgeklärt distanzierte Erkenntnis des Zutreibens auf
die unausweichliche Ernüchterung. Noch zu Ende des ersten
Aktes bekennt sich Loschi zum "Augenblick", der "so leicht
emporträgt",[1] zum Augenblick der reinen Sinnenfreude und
folgt dem Ruf der florentinischen Kurtisanen: "Kommt,
schönster Filippo!". Loschi erscheint hier als Verfechter
eines ästhetischen Immoralismus, wie er ausserdem noch von
Herzog Bentivoglio, vielleicht sogar um eine Nuance ausgeprägter, vertreten wird. Schon ganz am Anfang des Stücks
rechtfertigt Loschi den Bruch seines Verlöbnisses mit der
Schwester seines Freundes, des Grafen Fantuzzi, mit den
Worten:

> "Wer spricht von Schuld? Im Herbste fallen Blätter,
> Im Frühjahr spriessen andre!
> (...) Wenn ich schuldig bin,
> So ist die Jugend ein Geschenk der Hölle,
> Ist Schönheit Sünde und das Glück ein Gift,
> So tückisch wie kein andres."[2]

Ganz offen tritt Loschis Hedonismus in der Auseinandersetzung mit seinen Künstlerfreunden zutage, wenn er etwa sagt:

> "Wahn ist nur eins: das nicht verlassen können,
> Was uns nichts ist, ob Freund, ob Frau, ob Heimat,-
> Und eins ist Wahrheit: Glück, woher es kommt!"[3]

Kurz vor Beatrices erstmaligem Auftritt nähert sich Loschi
unversehens dem extremen Immoralismus Bentivoglios, ja

---

1) D I S. 584.
2) D I S. 561.
3) D I S. 567.

übertrifft ihn, indem er, Macht präsumierend, sogar Bologna
für sein Glück opfern würde:

> "(...)   Und hätt' ich Macht,
> Mit einem einz'gen Hauch sie zu befrein,
> Doch Beatrice wär' mir drum verloren,
> Gäb' ich Bologna hin; - und loht in Flammen
> Die Heimat hinter mir, wär's mir nichts weiter
> Als meines Glückes würd'ger Opferbrand."[1]

Bentivoglio ist nicht nur der kunstbegeisterte Renaissance-
Fürst, der nach antiken Schätzen sucht, sich Hofkünstler
hält, sondern auch der Renaissance-Fürst, der vor keiner
Grausamkeit zurückschreckt, der sich seiner Macht bewusst
ist und diese bis zur Grenze der Usurpation ausübt. Für
ihn gilt, gleich wie für Loschi, der 'Primat des Schönen',
allerdings nur in dieser unheilvollen Atmosphäre des Untergangs:

> "Für heut ist Schönheit Adel, nicht Geburt! (...)
> Kommt alle, ob ihr sonst in Treuen schlummert,
> An eines Liebsten oder Gatten Brust,
> Ob ihr in keuschen Betten einsam ruht,
> Ob ihr von denen, die unstillbar Glühn
> In jeder Nacht an neue Herzen drängt:
> Kommt alle, nur seid schön! Ihr seid willkommen!"[2]

Er setzt sich vollends über die Schranken von Gesetz und
Moral, wenn er während des dem Höhepunkt zutreibenden
'Fest(es) der Schönen' ausruft:

---

1) D I S. 569.
2) D I S. 615 f.

"(...)   Ich aber, euer Fürst,
Jeglichem Bund, der heute nacht sich schliesst,
Geb' ich die Weihe. Heiligt andre Ehen
Unlöslichkeit und Dauer, geb' ich diesen,
Was euch Beweglichen, Veränderungsfrohen,
Euch Menschen besser ziemt, das schnellste Ende:
Sie alle löst das erste Graun der Früh'."[1]

Auch der Herzog zieht das Ende des gesteigerten Augenblicks
mit ein, auch er weiss um die Ernüchterung. Doch für ihn
ist das Dasein unproblematisch. Er ist der kraftvolle, vitale Renaissance-Mensch, der diese Ernüchterung zu bewältigen
weiss. Filippo Loschi hingegen ist zu schwach, er ist ein in
seinem Lebenswillen angegriffener Stimmungs- und Augen-
blicksmensch, der als Lebensschwächling den Tod sucht, um
dem 'Morgen' zuvorzukommen. In der unmittelbaren Nachbarschaft von Lebensekstase und Tod beschwört er jenen Endzeit-
zustand herauf, der dem Dahindämmern zwischen Wachsein und
Schlaf ähnelt:

"Vielleicht auch, dass das Leben vor dem Ende
Mir bunte Abenteuer sendet, wie die Bilder,
Die durch die Sinne jagen, eh' man einschläft; -
Wach sein ist's nicht mehr, und noch nicht
der Schlaf!"[2]

Kierkegaard, wohl der berufenste Kritiker des ästhetischen
Menschen, schreibt dazu im zweiten Teil von "Entweder -
Oder":

---

1) D I S. 654.
2) D I S. 584.

"In der Stimmung ist die Persönlichkeit (...) zugegen,
aber sie ist dämmernd zugegen. Wer ästhetisch
lebt, der sucht nämlich, so sehr es nur möglich
ist, in der Stimmung ganz und gar aufzugehen,
er sucht sich ganz in ihr zu bergen, so dass in
ihm nichts übrig bleibt, das nicht mit in die
Stimmung hineingebeugt werden könnte, denn solch
ein Rest wirkt stets störend, und ist ein Fort-
dauerndes, das ihn zurückhalten möchte. Je mehr
also die Persönlichkeit in der Stimmung hin-
dämmert, um so mehr ist das Individuum dem Augenblick hingegeben, und dies wiederum ist der
zutreffendste Ausdruck für die ästhetische Existenz: sie ist im Augenblick."[1]

Wie Anatol braucht auch Filippo Loschi den stimmungsvollen
Dekor: die Allee seines Gartens wird von Dienern mit Blumen bestreut (erster Akt), das Innere des Hauses zeugt von
erlesenem Geschmack, "schwere, dunkelrote Vorhänge" (szenische Anweisung, dritter Akt) trennen die einzelnen Räume
voneinander, Vorherrschen von düsteren Farben, Halbdunkel,
Musik. Diese bedrückend-melancholische Stimmung in Loschis
Haus harmoniert mit der allgemeinen Weltuntergangsstimmung
in der Stadt zu Anfang des zweiten Aktes. Sie ist jedoch
mit ästhetischem Raffinement verfeinert gegenüber der nackten Angst und Panik der Bevölkerung in Bologna.

Hofmannsthal hat, um zum Ausgangspunkt des Kapitels, nämlich
der gemeinsamen Thematik des Aesthetizismus bei diesen beiden Jung-Wienern , zurückzukehren, die reine ästhetische
Existenz in "Der Tor und der Tod" in der Gestalt Claudios
vorgezeichnet. Doch macht sich hier bereits eine tiefgehen-
de Skepsis, vielleicht gar Ablehnung gegenüber dem übersteigerten Aesthetentum bemerkbar. Der Aesthet Claudio erfährt den Richtspruch aus dem Mund des Todes nicht nur wie
ein Fatum, er akzeptiert einsichtig:

---

1) S. Kierkegaard: Entweder - Oder. Uebers. von E. Hirsch.
Düsseldorf 1957, Zweiter Teil, S. 244 f.

"Kann sein, dies ist nur sterbendes Besinnen,
Heraufgespühlt vom tödlich wachen Blut,
Doch hab ich nie mit allen Lebenssinnen
So viel ergriffen, und so nenn ichs gut!
Wenn ich jetzt ausgelöscht hinsterben soll,
Mein Hirn von dieser Stunde also voll,
Dann schwinde alles blasse Leben hin:
Erst, da ich sterbe, spür ich, dass ich bin.
Wenn einer träumt, so kann ein Uebermass
Geträumten Fühlens ihn erwachen machen,
So wach ich jetzt, im Fühlensübermass
Vom Lebenstraum wohl auf im Todeswachen."[1]

Des Aestheten Claudios erste Begegnung mit der Wirklichkeit
ist der Tod[2] und in ihm erkennt er, dass sein Leben ihm
zwischen den Fingern zerronnen ist:

"Da tot mein Leben war, sei du mein Leben,
Tod!"[3]

Auch Schnitzlers Filippo Loschi, wie Claudio eine reine
ästhetische Existenz, geht an seiner Lebensschwäche zugrunde. Wohl ringt er sich ebenfalls zur Bejahung des Todes
durch,[4] von welchem er eine Perpetuierung des gesteigerten
Augenblicks erwartet, weil er das 'Morgen' verhindert.

---

1) H. v. Hofmannsthal: Gesammelte Werke in Einzelausgaben.
Gedichte und lyrische Dramen. op. cit. S. 292.
2) Vgl. dazu: "Worin liegt eigentlich die Heilung? Dass der
Tod das erste wahrhaftige Ding ist, das ihm begegnet,
das erste Ding, dessen tiefe Wahrhaftigkeit er zu fassen
imstande ist. Ein Ende aller Lügen, Relativitäten und
Gaukelspiele. Davon strahlt dann auf alles andere Ver-
klärung aus." H. v. Hofmannsthal: Aufzeichnungen.
op. cit. S. 106.
Vgl. auch: "Der Tod des Aestheten" von R. Alewyn. In:
Neue Schweizer Rundschau 9, 1949, S. 543-554.
3) H. v. Hofmannsthal: Gedichte und lyrische Dramen. op.cit.
S. 291.
4) "Wir leben unser eignes Sein. Mit Willen
Dahinzugehn, ist Freiheit, und mich dünkt,
Die einz'ge, die uns Sterblichen gegönnt ist!"
D I S. 637.

Lebensschwäche, Absolutheitsanspruch der Kunst und der darin gründende Immoralismus, Abgelöstheit von der Gesellschaft
und der politischen Wirklichkeit und Ueberformung der Wirklichkeit im Augenblick machen Filippo Loschi zum dekadenten
Aestheten.

Schon zehn Jahre zuvor, 1889, hat Schnitzler in "Alkandi's
Lied", seinem ersten gedruckten dramatischen Versuch, das
Thema des übersteigerten Schönheitskultes antizipiert. Un-
mittelbar nach "Der Schleier der Beatrice"[1] entstand ein
aus vier Einaktern bestehender, lediglich thematisch (vom
Titel her) zusammenhängender Zyklus: "Lebendige Stunden".
In den vier Stücken "Lebendige Stunden", "Die Frau mit dem
Dolche", "Die letzten Masken" und "Literatur" spielen
Schriftsteller, Maler, Schauspieler oder Literaten Haupt-
rollen, und in allen klingt der Aesthetizismus mit dem
Antagonismus Aesthetik und Ethik, Leben und Tod an. In
"Die Frau mit dem Dolche" variiert Schnitzler dieselbe
Thematik wie in "Der Schleier der Beatrice"; hier wie dort
steht das Verhältnis Frau - Künstler im Zentrum. Allein,
im vorliegenden Einakter erfährt der Handlungsablauf eine
Zäsur: Schnitzler verdichtet den Traum Paulines zur Realität; ein Bild, "Frau mit dem Doch, unbekannter Maler -
starb um 1530"[2] wird psychoanalytisches Reizobjekt für
ein 'Déjà-vu-Erlebnis'[3] und versetzt Szenerie und Figuren

1) Zwischen "Der Schleier der Beatrice" und "Lebendige
Stunden" liegt in der chronologischen Reihenfolge der
dramatischen Werke lediglich ein siebenseitiger 'Dialog' "Sylvesternacht". Vgl. D I S. 681-688.
2) D I S. 703.
3) Pauline "Hab' ich Ihnen nicht das schon einmal ...?"
D I S. 706.
Pauline "Lionardo, einnerst du dich nicht?" D I S. 708.
An dieser Stelle ruft Pauline Leonhard schon mit dem
Partnernamen für Paola, d.h. die Schwelle zur Traumver-
wirklichung ist schon überschritten.

in die italienische Renaissance, ins Atelier des Malers Remigio. Die Wandlung vollzieht sich aber nur äusserlich,
ohne dass der dramatische Konflikt eine Aenderung erfährt:
Pauline wird zu Paola, Leonhard zu Lionardo, der Dialog
vollzieht sich nicht mehr in Prosa, sondern in fünffüssi-
gen reimlosen Jamben (Blankvers wie in "Der Schleier der
Beatrice"). Im Traumgeschehen wird lediglich die Lösung
vorweggenommen, indem nämlich Paola, die der drängenden
Werbung Lionardos in der Nacht nachgegeben hat, diesen in
der Ernüchterung des Morgens nun von sich stösst. Lionardo begreift vorerst nicht, dass der Künstler Remigio ihn
nur als "erbärmliches, zufälliges Instrument"[1] gebraucht,
um den ersehnten gesteigerten Augenblick der Inspiration
herbeizuführen. Remigio sieht ihn gekommen, als Paola
Lionardo ersticht:

>"War dies der Sinn? Ist mein Gebet erhört,
>Dass für mein Bildnis mir Erleuchtung werde?
>Ja, so vollend' ich's! Der du dies gefügt,
>O Himmel, eine Stunde lang gewähre
>Der Seele Frieden, Ruhe dieser Hand."[2]

Die totale Hingabe an die Kunst ('Primat der Kunst') lässt
Remigio angesichts des grausamen Mordes an Lionardo nicht
erschauern. Gleichermassen Vertreter des ästhetischen Immoralismus[3] wie Loschi ist er aber der vitale, triumphie-

---

1) D I S. 716.
2) D I S. 718.
3) Auch im Verhältnis zu Paola tritt der ästhetische Immoralismus Remigios (und des namenlosen Schriftstellers
   gegenüber Pauline in der Rahmenhandlung) klar zutage.
   Sie werden Opfer der künstlerischen Besessenheit:
   Paola   "(...)   Das weiss ich gut;
            Denn ich bin dann nichts mehr, bin ausgeschöpft,
            Und mein Lebend'ges bebt in jenem Bild."
   D I S. 710.

rende Aesthet. Loschi, wenngleich schaffender Aesthet, geht
aus Schwäche, aus dem Unvermögen der künstlerischen Verar-
beitung des Erlebnisses zugrunde.

"Der Schleier der Beatrice" und "Die Frau mit dem Dolche"
weisen zudem einen ähnlichen dramatischen Mechanismus auf:
Ein Traumerlebnis bildet den Wendepunkt in der Handlung.
Allerdings geht Schnitzler im Einakter einen Schritt weiter, wenn er den Traum sinnlich wahrnehmbar werden lässt,
ihn gleichsam in die ästhetische Atmosphäre der Renaissance
transponiert. Der Endeffekt bleibt sich jedoch gleich, denn
das Visionäre beider Träume, das heisst die präkognitive
Erfahrung der Zukunft, wenn auch in "Die Frau mit dem
Dolche" nur angedeutet, verhilft der Wirklichkeit zum
Durchbruch.[1] In diesem Ineinanderfliessen von Traum und
Wirklichkeit ist in bezug auf den dekadenten Aestheten ein
für seine künstlerische Welt entscheidendes Erlebnismoment
zu erblicken. Das gebrochene Verhältnis Loschis zur Realität in ihrer zeitlichen Dynamik, die Relativität aller
Dinge, lässt für den Aestheten nur die Flucht in eine Art
Wach-Traum zu, gewissermassen in eine "höhere Geistwirklich-
keit".[2] Gerade hier, wo der Empfindungskünstler im Glauben
an ein dauerhaftes Sein, an einen unwandelbaren überhöhten
Augenblick irre wird und sich in den alles auflösenden Traum
rettet, liegt der Grund für die tiefe Melancholie, das ty-

---

1) Vgl. dazu D I S. 633 ("Der Schleier der Beatrice").
        D I S. 718 ("Die Frau mit dem Dolche").
2) Im Zusammenhang mit Hofmannsthal schreibt Obenauer:
   "Wenn Hofmannsthal von der Traumhaftigkeit der Welt
   spricht, so ist dies sehr viel ästhetischer und rela-
   tivistischer: das Wesenlose, Unfeste, Zerfliessende
   der Erscheinungswelt wird damit bezeichnet. Nur in
   diesem Sinne sind Menschen, Träume und Gedanken völlig
   eins; der impressionistische Dichter kennt eben nur
   Erscheinungen, an denen er leidet und leidend sich beglückt." op. cit. S. 386.

pische impressionistisch-dekadente Lebensgefühl. Der
Aesthet sucht die Erlösung in der Kunst, denn nur sie vermag die Trostlosigkeit des Daseins zu lindern und sozusagen als Bindeglied zum Leben dessen Zeitlichkeit zu durch-
brechen.

In Hofmannsthals frühem Gedicht "Leben, Traum, Tod" begegnen wir jenem gleichsam magischen Dreieck der dekadenten Aesthetik:

> "Leben, Traum und Tod ...
> Wie die Fackel loht!
> Wie die Erzquadrigen
> Ueber Brücken fliegen,
> Wie es drunten saust,
> An die Bäume braust,
> Die an steilen Ufern hängen,
> Schwarze Riesenwipfel aufwärts drängen...
>
> Leben, Traum und Tod ...
> Leise treibt das Boot ...
> Grüne Uferbänke
> Feucht im Abendrot,
> Stiller Pferde Tränke,
> Herrenloser Pferde ...
> Leise treibt das Boot ...
>
> Treibt am Park vorbei,
> Rote Blumen, Mai,
> In der Laube wer?
> Sag wer schläft im Gras?
> Gelb Haar, Lippen rot?[1]
> Leben, Traum und Tod."

Schnitzlers "Der Schleier der Beatrice" und "Die Frau mit
dem Dolche" wie die erwähnten frühen lyrischen Dramen Hofmannsthals fussen auf dem, freilich mehr anempfundenen
ästhetischen Lebensgefühl der Renaissance. Sie umgibt die
gleiche Atmosphäre wie Gabriele d'Annunzios Roman "Il piacere" und, mit Einschränkungen, Oscar Wildes "The picture

---

1) H. v. Hofmannsthal: Gedichte und lyrische Dramen.
   op. cit. S. 190 f.

of Dorian Gray". Allerdings muss hier, wie bei allen Vergleichen mit nicht-österreichischen Vertretern der Dekadenzliteratur, darauf hingewiesen werden, dass die Figur des
dekadenten Aestheten bei Hofmannsthal und Schnitzler oder
bei wem der Jung-Wiener auch immer, um eine Spur gemildert
erscheint, und dass bezüglich der Radikalität des Aesthetizismus beträchtliche Unterschiede bestehen. Wenn im Zusammenhang mit Schnitzlers Filippo Loschi von ästhetischem
Immoralismus die Rede ist, müssen d'Annunzios Graf Andrea
Sperelli d'Ugenta ("Il piacere") und Wildes Dorian Gray
schon als extreme Ausformung eines pervertierten Aesthetizismus betrachtet werden. Sie sind aber vergleichsweise
aktiv, ja sogar vital, währenddem die Aestheten-Figuren
Schnitzlers melancholische, grüblerische Lebensschwächlinge
sind. Dies trifft auf viele in Schnitzlers Werk recht zahlreich auftretenden Künstler zu, freilich sind die meisten
Dilettanten und Literaten minderer Begabung wie Gilbert
und Margarete in "Literatur" und Martin Brand "Mein Freund
Ypsilon", oder, wie in "Der Weg ins Freie", zwar ziemlich
erfolgreiche Schriftsteller und Komponisten, deren Diskussionen sich aber vornehmlich um die im franzjosephinischen Oesterreich der Jahrhundertwende aktuellen gesellschaftspolitischen Tagesfragen drehen. Nur am Rande und
meist zufällig werden ästhetische Probleme erörtert. Allenfalls in Schnitzlers erstem eigentlichen Wiener Gesell-
schaftsdrama "Der einsame Weg" begegnen wir in Stephan von
Sala und Julian Fichtner Künstlerfiguren, die in gewissen
Punkten, etwa ihrem abgrundtiefen Zukunftspessimismus, ihrem augenblicksbezogenen Dasein,[1] ihrer Lebensschwäche und
Melancholie dem dekadenten Renaissance-Aestheten Loschi
ähneln. Sie sind aber letztlich, wie Sylvester Thorn ("Der
Gang zum Weiher"), nicht mehr als Repräsentanten der vermischt grossbürgerlich-adeligen Erfolgskünstlerkreise der
Wiener Belle Epoque.

---

1) Vgl. Stephan von Sala, D I S. 817.

DER GEALTERTE ABENTEURER

Wenn Schnitzler in "Anatols Grössenwahn" den gealterten Dandy als eigentlichen Abschluss des "Anatol"-Zyklus auf die
Bühne bringt, so geschieht dies in der Absicht, jener Figur
durch die ad absurdum-Führung höchste Durchschaubarkeit zu
verleihen. Er erreicht es durch konsequente Weiterverfolgung
des Typus 'Dandy' bis zur Grenzsituation des gealterten
Dandys, im Moment also, wo er aufhört, ein Dandy (in des
Begriffs engster Bedeutung) zu sein, im Moment des Ueber-
gangs zur tragikomischen Figur. Mehr als ein Vierteljahr-
hundert später nimmt Schnitzler das Thema des Alternden als
zentrale Problematik mit ähnlichem Ziel wieder auf: der gealterte Abenteurer in "Casanovas Heimfahrt". Die knapp
hundertseitige Novelle, die zu den besten in Schnitzlers
Werk zählt,[1] vermittelt den Eindruck einer von der abgrundtiefen Skepsis des späten Schnitzler geprägten Analyse
eines unaufhaltsamen Niedergangs. Hier ist nur wenig von
jenem zarten Herbstlicht zu spüren, das den die Lage des
Gealterten inne werdenden Anatol des "Grössenwahn" umgeben
und wo noch ab und zu die Anteilnahme des Autors durchge-
schimmert hat. Casanova erleidet wohl das gleiche Schicksal,
doch ungemildert und in aller Grausamkeit und Härte.

Den Casanova-Stoff hat Schnitzler lange mit sich herumge-
tragen, bis dieser, "durch die Lektüre der Casanova Memoi-

---

1) Vgl. W. H. Rey: Arthur Schnitzler. Die späte Prosa als
   Gipfel seines Schaffens. Berlin 1968, S. 28-48; oder
   das Urteil Hofmannsthals: "Ich las es in einem Zug durch,
   es ist ja die Hand eines Meisters, die einen rasch und
   leicht vorwärts führt, alles ist von einer sichern Kunst,
   was da steht und was nicht da steht, die Verknüpfungen,
   die Antithesen und der Ausgang." Briefwechsel mit A.
   Schnitzler. op. cit. S. 282.

ren plötzlich lebendig geworden",[1] in der Novelle "Casanovas Heimfahrt"und dem dreiaktigen Lustspiel "Die Schwestern oder Casanova in Spa" Gestalt angenommen hat. Allerdings, etwas mehr als zwanzig Lebensjahre trennen die beiden Casanovas.[2] Erscheint der Casanova des Lustspiels auf
der Höhe seines etwas zweifelhaften Ruhms als erotischer
Abenteurer, Spieler und galanter Causeur, so begegnen wir
schliesslich dem gänzlich verarmten und heruntergekommenen
alten Casanova in der Novelle.

Die Problematik des Alters als Lebensgesetz gewinnt in
dieser späten Erzählung Schnitzlers eine besondere Bedeutung, da es sich bei Casanova um eine Figur handelt, die
schlechterdings nur als vitaler Grandviveur und begehrter
Liebesabenteurer von literarischer Attraktivität zu sein
scheint. Er besticht durch die Ungebundenheit seiner Lebensführung und die.Abgelöstheit von jeglicher gesellschaftlichen Konvention. Diese Freiheit von Gesetz und Ordnung
erlaubt die völlige Hingabe an den sinnlichen Reiz und den
sinnlichen Genuss. Welt und Ich verlieren ihre abgrenzenden
Konturen und machen den Abenteurer zum Impressionisten,
der in der Ruhelosigkeit seines Daseins eine schier endlose
Folge von Abenteuern durchlebt, die jedoch kaum mehr als
lose, unzusammenhängende Episoden darstellen. Hierin unterscheidet sich der Abenteurer grundlegend vom Aestheten,
der nicht so sehr die Häufigkeit als vielmehr die Tiefe des
Erlebnisses sucht, um dieses zu einem überhöhten Augenblick
hinaufzustilisieren. Die Abenteurerexistenz ist daher in

---

1) A. Schnitzler - G. Brandes: Briefwechsel. Bern 1956,
   S. 134.
2) Schnitzler vermerkt das Alter der beiden Casanovas genau.
   In "Die Schwestern oder Casanova in Spa" wird im Perso-
   nenregister "32 Jahre alt" (D II S. 651) angegeben. "Casanovas Heimfahrt" beginnt mit den Worten: "In seinem
   dreiundfünfzigsten Lebensjahre, als Casanova (...)."
   (E II S. 231).

ihrer Oberflächlichkeit problemlos. Höchstens ein erotischer
Abenteurer wie Casanova, der ja nicht nur als Roué, sondern
als Intellektueller und Dichter, als eine Art 'ingegno uni-
versale' zu bezeichnen ist, dürfte eine etwas profiliertere
und tiefgründigere Figur abgeben. Der Casanova des Lustspiels "Die Schwestern oder Casanova in Spa" entspricht
dieser traditionellen Vorstellung. Der gealterte Casanova
indessen kann als Figur allenfalls bei einer Literatur auf
Interesse stossen, bei der feines Psychologisieren und die
zergliedernde Darstellung eines Verfalls von stofflicher Re-
levanz sind: die Dekadenzliteratur der Jahrhundertwende.
Ihre Vorliebe für psychologische Sonderfälle, wie sie ein
alternder Casanova, ein Aesthet wie Loschi oder ein Dandy
wie Anatol darstellen, zeigt sich bei näherer Betrachtung
der Wiener 'Moderne' als auffällig verbreitet, man denke
nur an Gestalten wie Beer-Hofmanns jungen Grafen von Charolais, Hofmannsthals Florindo, Baron von Weidenstamm, Claudio, Andrea oder Leopold von Andrians Erwin ("Der Garten
der Erkenntnis"). Ein alternder Abenteurer wie Casanova
dürfte dabei in seiner Komplexität ein ausserordentlich
lohnendes Objekt hergegeben haben, schon allein deshalb, weil
die Vorstellung eines aus der Rolle geworfenen und in innern
Widerspruch zu sich selbst und seinem Nimbus geratenen Casanova notwendigerweise Konfliktsituationen heraufbeschwören
muss. Die übrigen mit dem Altern konfrontierten Figuren in
Schnitzlers Werk (Julian Fichtner, Friedrich Hofreiter oder
Doktor Gräsler) sind weit entfernt von der Problematik eines
alternden Casanova. Sie sind in den sie umgebenden gesellschaftlichen Konventionen gefangen und erstarrt, und sie
reagieren dementsprechend. Casanova hingegen handelt als
Abenteurer grundsätzlich frei von Gesetz und Ordnung, indem
er sich jeglicher einengenden Konvention entledigt. Der für
ihn fundamental veränderten Lebenslage als gealterter Lie-

besabenteurer, der seine äussere Faszination eingebüsst hat,
begegnet Casanova daher nicht mit Resignation, wie die oben
erwähnten Grossbürger, sondern mit der erbitterten Rebel-
lion eines Gesetzlosen, der vor nichts zurückschreckt, weder
vor skrupelloser Erpressung noch vor schmachvoller Unter-
würfigkeit. Der Immoralismus des gealterten Abenteurers geht
dabei wesentlich weiter als der des Aestheten.

Die auf zwei Tage zusammengedrängte Handlung umkreist die
Figur des gealterten Abenteurers Casanova und beschwört,
einem unheilvollen Finale gleich, die düstere Atmosphäre ihres letzten Auftritts. Die Erzählperspektive ist dabei derart auf Casanova angelegt, dass der Text sich zeitweilig
zu einem innern Monolog verdichtet. Der Leser befindet
sich sozusagen in ständiger Begleitung Casanovas, sodass er
über die andern Personen, insbesondere über die Gefühls-
und Gedankenwelt Marcolinas oder Lorenzis kaum etwas erfährt. Umsomehr gelingt es Schnitzler auf diese Weise, den
Zerfallsprozess des Protagonisten in seiner Vielfältigkeit
diagnostisch auszuleuchten.

Bereits im ersten Satz der Novelle wird der Verlauf der Erzählung metaphorisch vorgezeichnet:

> "In seinem dreiundfünfzigsten Lebensjahre, als
> Casanova längst nicht mehr von der Abenteuer-
> lust der Jugend, sondern von der Ruhelosigkeit
> nahenden Alters durch die Welt gejagt wurde,
> fühlte er in seiner Seele das Heimweh nach
> seiner Vaterstadt Venedig so heftig anwachsen,
> dass er sie, gleich einem Vogel, der aus luf-
> tigen Höhen zum Sterben allmählich nach ab-
> wärts steigt, in eng und immer enger werdenden
> Kreisen zu umziehen begann."[1]

---

1) E II S. 231.

Was im folgenden vor den Augen des Lesers vorbeizieht, ist
nichts anderes als die Geschichte einer auf den Zerfall zutreibenden Existenz, die in völliger Zukunftslosigkeit, gewissermassen wie lebendig begraben, dahinvegetiert. Casanova, der einst in totaler Hingabe an den Rausch des Augenblicks seine schier unerschöpfliche Vitalität an die Frauen
verschwendet hat, sieht sich unvermittelt mit der Tatsache
konfrontiert, "dass sich in ihrem Blick nichts von jenem
Leuchten zeigte,wie es ihn früher so oft begrüsst, auch
wenn er als Nichtgekannter im berückenden Glanz seiner Jugend oder in der gefährlichen Schönheit seiner Mannesjahre
erschienen war."[1] Auf dem Gut eines Bauern, dem er vor Jahren einmal geholfen und dessen Frau er verführt hat, begegnet er Marcolina, deren zauberhafte Schönheit und erstaunliche Gelehrtheit ihn in rasende Leidenschaft verset-
zen. Das Verlangen, sie zu besitzen, wird übermächtig und
steigert sich in Casanova zur Besessenheit, der er alles zu
opfern bereit ist. Marcolina, als Inbegriff einer idealen
Frauengestalt, wird zur letzten Herausforderung Casanovas.
Er gelangt schliesslich ans Ziel seiner Wünsche, indem er
den Geliebten Marcolinas, den in Spielschulden geratenen
Leutnant Lorenzi, zu einem niederträchtigen Pakt erpresst.
Der Genius der Liebesekstase Casanova, dem einst jedes erotische Abenteuer ungeheissen geboten worden ist, muss im
Alter zu List und tückischem Betrug Zuflucht nehmen, um seine Gier nach sexueller Erfüllung zu stillen. "Nur wo er Er-
innerung bedeutete, vermochte sein Wort, seine Stimme, sein
Blick noch zu bannen; seiner Gegenwart war die Wirkung ver-
sagt. Vorbei war seine Zeit!"[2]

---

1) E II S. 242.
2) E II S. 269.

Im gealterten Abenteurer Casanova ist Schnitzler eine Figur
gelungen, die in ihrer Wesensart nicht minder typisch als
der Dandy Anatol oder der Aesthet Filippo Loschi zu den
"klassischen" décadents gehört. Nach einem Leben, das über-
reich an letztlich belanglosen erotischen Abenteuern episodenhaften Charakters, erscheint er hier am Ende eines langen, unaufhaltsamen Abstiegs auf der untersten Stufe seiner
Lebensleiter. Im Schatten des Untergangs wird sein Dasein
aufs neue beschworen, Vergangenes lässt er durch die Macht
seiner Redekunst gleichsam zur Gegenwart werden, "als hätte
es sich in einer eben erst verflossenen Zeit zugetragen und
läge nicht in Wirklichkeit Jahre und Jahrzehnte zurück."[1]
Für Casanova existiert die Zukunft sowenig wie für den dekadenten Aestheten; indessen bereitet ihm die Vergangenheit,
im Gegensatz zum Dandy, Trost und Vergessen im nunmehr elenden Dasein. Es manifestiert sich also auch beim gealterten
Abenteurer eine akut gestörte Beziehung zur Zeitlichkeit,
allerdings weitgehend deshalb, weil Casanova als Typ in
der vorliegenden Lebenssituation schlechterdings absurd
wird. Der 'Ennui' äussert sich in den zwischenmenschlichen
Beziehungen, wo ihm eine Art Spiegel seiner selbst aufsteigt, in welchem er sein verwüstetes Aeusseres in aller
Hässlichkeit wahrnimmt, gleichgültig, ob es sich dabei um
die ebenfalls gealterte Bäuerin Amalia handelt, die um seine Gunst bettelt, oder um Marcolina, die seiner leidenschaftlichen Werbung mit Ablehnung, ja mit unverhohlenem
Ekel begegnet.

Die erste Nacht auf dem Landgut lässt Casanova vereinsamt
zurück auf seinem Zimmer, nachdem er im Spiel seine beschei-
dene Barschaft verloren hat. Ernüchtert bemächtigt sich sei-

---

1) E II S. 243.

ner eine abgrundtiefe Verzweiflung, die in einem sein zer-
wühltes Inneres blosslegenden innern Monolog kulminiert. Er
lässt seinem Grimm gegen die ganze Welt freien Lauf, seine
Misanthropie steigert sich nach der Beobachtung der Zusam-
menkunft Lorenzis mit Marcolina gegen sich selbst:

> "Angewidert wandte er den Kopf nach der Seite;
> von der Wand, aus dem Spiegel über der Kommo-
> de, starrte ihm ein bleiches, altes Gesicht
> entgegen mit wirrem, über die Stirn fliessen-
> dem Haar. In selbstquälerischer Lust liess er
> seine Mundwinkel noch schlaffer herabsinken,
> als gälte es, eine abgeschmackte Rolle auf dem
> Theater durchzuführen, fuhr sich ins Haar,
> dass die Strähnen noch ungeordneter fielen,
> streckte seinem Spiegelbild die Zunge heraus,
> krächzte mit absichtlich heiserer Stimme eine
> Reihe alberner Schimpfworte gegen sich selbst
> und blies endlich, wie ein ungezogenes Kind,
> die Blätter seines Manuskriptes vom Tisch her-
> unter."[1]

Die Szene, die in frappanter Weise an Baudelaire und Verlaine
erinnert, geht fliessend im dumpfen Schlaf Casanovas unter,
um sich nächstentags in gesteigerter Form zu wiederholen. Die
um den Preis von Spitzeldiensten angebotene freie Rückkehr
nach Venedig und der Besuch im Frauenkloster sind dabei äusserer Anlass. Beide Szenen sind symptomatisch für den Dekadenz schlechthin verkörpernden gealterten Abenteurer. Die
Szene mit Bragadinos Brief offenbart neben dem sichtbaren
rein physischen Zerfall auch den seines Intellekts, oder genauer, der Zerfall seines Körpers steht in kausalem Zusammen-

---

1) E II S. 274.

hang mit dem seiner geistigen Fähigkeiten. Schnitzler hat diesen Casanova mit fast universalem Genie ausgestattet, dem er
nur in Marcolina einen ebenbürtigen, ja überlegenen Menschen
gegenüberstellt. Spätestens im Gespräch der beiden über Voltaire muss sich Casanova die Niederlage eingestehen. Die Jugend hat über das Alter gesiegt, Casanova fegt das Manuskript
seiner Streitschrift gegen Voltaire vom Tisch.

> "Und nun gestand er sich auch ein, was er sich sonst
> mit besonderer Befliesenheit zu verhehlen suchte,
> dass selbst seinen schriftstellerischen Leistungen,
> dass sogar seiner Streitschrift gegen Voltaire, auf
> die er seine letzte Hoffnung gesetzt hatte, niemals
> ein in die Weite tragender Erfolg beschieden sein
> würde. Auch dazu war es zu spät."[1]

Zum physischen und intellektuellen Zerfall gesellt sich in
der oben erwähnten Szene der moralische; das Auslösungsmo-
ment bildet der Brief Bragadinos. Die Verzweiflung des in
der Ehre gekränkten Casanova scheint vorerst einem Wieder-
erwachen seiner Lebensenergie Platz zu machen, schlägt aber
unvermittelt in eine hemmungslose blasphemische Tirade gegen Gott um, "der nur den Jungen hold war und die Alten im
Stich liess."[2] Von Hass gegen die Jugend getrieben, ver-
greift er sich an der dreizehnjährigen Teresina und lästert
dabei Gott in zynischer Wollust.[3] Der Höhepunkt der No-

---

1) E II S. 269.
2) E II S. 288.
3) Die Szene weckt Assoziationen zu Baudelaires "Litanie du
   Satan", wenn Casanova Teresina "seinen Atem ins Gesicht
   haucht" und sagt: "'Du sollst überhaupt immer lügen; auch
   Vater und Mutter und Geschwister sollst du anlügen; auf
   dass es dir wohl ergehe auf Erden. Merk'dir das.'- So
   lästerte er, und Teresina musste es wohl für einen Segen
   halten, den er über sie sprach, denn sie nahm seine Hand
   und küsste sie andächtig wie die eines Priesters."
   E II S. 289 f.

velle steht unmittelbar bevor: die erpresste Liebesnacht Casanovas mit Marcolina. Sie bringt den vorläufigen Tiefstand
des Abstiegs Casanovas, eine Art Zusammenbruch. Zuvor erlebt er eine Nacht der Liebesekstase, einen überhöhten Augenblick:

> "Er hielt die Frau in seinen Armen, an die er sich
> verschwenden durfte, um sich unerschöpflich zu
> fühlen: - an deren Brüsten der Augenblick des
> letzten Hingegebenseins und des neuen Verlangens
> in einen einzigen von ungeahnter Seelenwonne zu-
> sammenfloss. War an diesen Lippen nicht Leben und
> Sterben, Zeit und Ewigkeit eines? War er nicht
> ein Gott -? Jugend und Alter nur eine Fabel, von
> Menschen erfunden? -"[1)]

Diese Nacht der Ekstase macht eines sehr deutlich: die heillose Verknotung von Illusion und Wirklichkeit, das Ineinanderfliessen von Lüge und Wahrheit, Gutgläubigkeit und Verrat.
Erst der grauende Morgen löst alle Verstrickung. Zweifellos
sind die Gefühle echt, die beide empfinden, allerdings auf
Seiten Marcolinas nur deshalb, weil sie vorerst nicht um den
Betrug weiss. Marcolina, die sich in den Armen Lorenzis
wähnt, ist somit die Betrogene. Da sie dessen ungeachtet die
Liebesekstase Casanovas teilt, ist sie gleichermassen Betrogene und Beglückte. Der Umstand, nur als Unterschobener ans
Ziel seiner Sehnsucht gelangt zu sein, ist für Casanova un-
erträglich. Bereits beim Aushecken des für einen erotischen
Abenteurer wie Casanova so entwürdigenden Plans argwöhnt er,
ob "ein so erzwungener Genuss für ihn, der, wenn er liebte,
tausendmal heisser danach verlangte, Glück zu geben, als
Glück zu empfangen, sich nicht in eine unnennbare Qual ver-

---

1) E II S. 307.

wandeln" muss, "die ihn zum Wahnsinn und in Selbstvernich-
tung trieb?"[1] Daher darf auch Casanova als Betrogener
oder besser Selbstbetrogener bezeichnet werden, denn er erkauft die Liebesnacht um den Preis des momentanen Verlusts
seiner Identität. Casanova ist sich der Jämmerlichkeit seiner Lage als substituierter Liebhaber völlig im klaren. Er
spielt während des Liebesrausches dauernd mit dem Gedanken,
sich Marcolina zu offenbaren. Die Identitätskrise äussert
sich zudem vollends in der Tatsache, dass er, für einen
erotischen Abenteurer wie Casanova gänzlich unvorstellbar,
in Erwägung zieht, mit Marcolina zu fliehen, sie "für immer (zu) halten, sein Lebenswerk damit (zu) krönen, dass
er, in Jahren, da andre sich zu einem trüben Greisentum
bereiten, die Jüngste, die Schönste, die Klügste durch die
ungeheure Macht seines unverlöschlichen Wesens gewonnen und
sie für alle Zeit zur Seinen"[2] gemacht zu haben.

Uebergangslos versinkt Casanova in einen Traum, der jäh von
der Ernüchterung des Morgens unterbrochen wird. Schutzlos,
dem vernichtenden Blick Marcolinas ausgesetzt, aus welchem
Ekel und Entsetzen spricht, erleidet Casanova die grausam-
ste Demütigung, "(...) er las das Wort, das ihm von allen
das furchtbarste war, da es sein endgültiges Urteil sprach:
Alter Mann".[3] Casanova macht sich wie ein "feiger Dieb"
aus dem Staube und trifft auf den ihn erwartenden Lorenzi,
sein verjüngtes Ebenbild. Lorenzi ist als Typus mit Casanova identisch. Allerdings lässt Schnitzler es den Leser
vorerst bloss erahnen, da Lorenzi nur von Casanova her er-
schlossen werden kann. Immerhin wird nach den beiden Auf-
tritten beim abendlichen Glücksspiel und der Auseinandersetzung mit dem eifersüchtigen Marchese klar, dass Lorenzis

---

1) E II S. 273.
2) E II S. 308.
3) E II S. 310.

Lebensauffassung und Ethik Casanova genau entsprechen und
dass er an Mut, aber auch an Skrupellosigkeit Casanova in
nichts nachsteht. Dies hat Casanova erkannt, und es bildet
gewissermassen die Voraussetzung für den Pakt. Spätestens
hier ergibt sich zwangsläufig die Wesensidentität der beiden: "Wir sind aus gleichem Stoff gemacht, Lorenzi, sind
Brüder im Geiste, und so dürfen sich unsre Seelen ohne fal-
sche Scham, stolz und nackt, gegenüberstehen."[1] Lorenzi
teilt daher die moralische Schuld Casanovas Marcolina gegenüber, tilgt sie aber im Duell, dem Höhepunkt einer von
der Rivalität bis zur offenen Feindschaft sich entwickeln-
den Antinomie zweier typologisch identischer Figuren. Hier
stehen sich zwei erotische Abenteurer gegenüber, der gealterte und der junge, "nackt", "Göttern" gleich. Casanova,
der sich eben erst noch aus dem Zimmer Marcolinas gestoh-
len hat, stellt sich Lorenzi, den Degen in der Hand, vollkommen ruhig, siegessicher. Im Angesicht des möglichen Todes fühlt er sich neu erstarken, und als Ausdruck der Hyb-
ris des Abenteurers fällt Lorenzi, beim zum innern Monolog
verdichteten Gedanken: "Er ist nur jung, ich aber bin Casanova!"[2] Der Tod Lorenzis ist vom tiefern Sinn und der Anlage der Novelle her logisch, da diese die Schilderung eines
Niedergangs erstrebt. Sie kann daher nicht mit einem läutern-
den, ja glorifizierenden Tod Casanovas enden, ganz abgesehen
davon, dass der historische Casanova ein solches Ende nicht
zuliesse.[3] Mit dem Mord an Lorenzi indessen vernichtet Casanova sein verjüngtes Ebenbild und damit seine durch den

---

1) E II S. 296.
2) E II S. 313.
3) Vgl. dazu die Anmerkung Schnitzlers am Schluss der Novelle.
   E II S. 323.

Anblick des jungen Lorenzi immer wieder beschworene glanz-
volle Vergangenheit. Sie ist nurmehr legendenhafter Mythos
geworden.[1] Der Tod Lorenzis hingegen wird zur Apotheose
überhöht: "Wie zu einem letzten Opfer beugte er sich nochmals nieder und drückte dem Toten die Augen zu. 'Glücklicher', sagte er vor sich hin, und, wie in traumhafter Be-
nommenheit, küsste er den Ermordeten auf die Stirn."[2] Casanova beneidet Lorenzi um den Tod, während seine "Heimfahrt", ein steter Niedergang, seinen Fortgang nimmt, wie
er im Traum der Liebesnacht seherisch vorgezeichnet worden
ist. Im Zeitraffertempo ist der symbolhafte Film seines
Lebens abgelaufen, ein unvergleichlicher Aufstieg und ein
jäher Sturz in die Tiefe. Als ein von Todesangst gepeinig-
ter Ertrinkender hat er sich ins offene Meer hinaustrei-
ben sehen.

Es ist schon im Zusammenhang mit der Figur des dekadenten
Aestheten auf die besondere Stellung des Traumes in Schnitzlers Oeuvre hingewiesen worden. Auch hier in "Casanovas
Heimfahrt" nimmt der Traum einen wichtigen Platz ein. Neben dem eben erwähnten unheilverkündenden Traum Casanovas
findet sich sozusagen komplementär dazu derjenige Amaliens,
der Casanova in der Pracht der glücklichen Jahre sieht. Er
gewinnt zwar durch das Auftreten Lorenzis als Almosen bet-
telnder Lakai einen seltsamen, den realen Sachverhalt ins
Gegenteil verkehrenden Bezug zur Wirklichkeit. Amaliens
Traum hinterlässt allerdings, gewiss beabsichtigt, einen

---

1) Vgl. die Szene, wo Casanova, nach Venedig zurückgekehrt,
   in einer Kneipe am Markusplatz "Freidenker und Umstürz-
   ler" bespitzelt. Er muss dabei die bittere Erfahrung machen, dass in den jungen Venezianern sein Name kaum mehr
   als nur vage Erinnerungen zu wecken vermag.
   E II S. 322.
2) E II S. 314.

zwiespältigen Eindruck, weil er der schwärmerischen Ideal-
vorstellung der Bäuerin von Casanova entspringt. Sie erzählt
den Traum nur fragmentarisch, das heisst, der unausweichlich
auf den Höhepunkt folgende Sturz Casanovas wird verheim-
licht. Demgegenüber kommt dem Traum Casanovas in der Liebesnacht mit Marcolina durch dessen präkognitive Symbolik,
gewissermassen als Orakel des Untergangs, grösste Bedeutung
zu. Dabei wäre es zweifellos falsch, im ertrinkenden Casanova dessen physischen Tod zu sehen; vielmehr zerstört der
Traum die Illusionen Casanovas, das Venedig wiederzufinden,
das er vor fünfundzwanzig Jahren verlassen hat. Venedig
wird ihm nicht mehr Heimat sein, ihn von sich stossen und
dem Verderben preisgeben. Im Schlussatz findet sich der
Traum bewahrheitet:

> "(...) und wenige Minuten später, in einer schmer-
> zenden Müdigkeit, die durch seine Glieder laste-
> te, ohne sie zu lösen, mit einembittern Nachge-
> schmack auf den Lippen, den er gleichsam aus dem
> Innersten seines Wesens nach oben steigen fühlte,
> warf er sich, nur halb ausgekleidet, auf ein
> schlechtes Bett, um nach fünfundzwanzig Jahren
> der Verbannung den ersten, so lang ersehnten Hei-
> matschlaf zu tun, der endlich, bei anbrechendem
> Morgen, traumlos und dumpf, sich des alten Aben-
> teurers erbarmte."[1]

Vor einer näheren Betrachtung des Schlussatzes von "Casanovas
Heimfahrt", in welchem sich der Zusammenbruch des gealterten
Abenteurers inhaltsschwer enthüllt, sei noch kurz, an-
knüpfend an bereits gesagtes, auf die tiefere Bedeutung der
explizite erwähnten Traumlosigkeit des ersten Schlafes von

---

1) E II S. 323.

Casanova in seiner Heimatstadt Venedig hingewiesen. Den beiden Träumen der Novelle, auch dem Amaliens, ungeachtet seiner Subjektivität und des Verschweigens des zwangsläufigen
Untergangs von Casanova, den der Leser nichtsdestoweniger
durch das Verhalten Amaliens erahnt, wohnt sowohl eine kau-
sale als auch finale Sinngebung inne, das heisst,sie erhel-
len symbolverhüllt Vergangenes und nehmen Zukünftiges prä-
kognitiv vorweg. Letztgenannter Komponente muss zweifellos
grösseres Gewicht beigemessen werden.[1] Zudem erfüllt der
zukunftsbezogene Traum innerhalb des Erzählgefüges eine
wichtige Funktion;[2] er weist über den Novellenschluss hinaus. Aus dieser Sicht kann der traumlose Schlaf Casanovas
am Ende der Erzählung kaum anders gedeutet werden, als
dass hier der absolute Tiefpunkt des Abstiegs erreicht wird,
denn Traumlosigkeit bedeutet Zukunftslosigkeit in des Wortes engstem Sinn. Casanova wird in eine unendliche Be-
wusstseinsferne von seinem elenden Dasein als gealterter
erotischer Abenteurer gerückt; der Schlaf "erbarmt sich"
seiner bei anbrechendem Morgen, der ihm kein Künder neuen
Lebens mehr sein kann und darf. Diese Flucht in den Schlaf
und dessen Traumlosigkeit sind gleichermassen symptomatisch
für Casanovas dekadentes Dasein. In Venedig endet somit die
"Heimfahrt", ein langer unaufhaltsamer Niedergang, denn eine Heimfahrt kann im Grunde für einen Abenteurer kaum etwas
anderes bedeuten. Es ist der totale Zusammenbruch von Casanovas Abenteurerexistenz.

---

1) An dieser Stelle sei darauf hingewiesen, dass in Schnitzlers Werk und in der Belletristik überhaupt der seheri-
   sche Traum gegenüber dem retrospektiven, kausalen deutlich überwiegt.
2) Ein typisches Beispiel dafür gibt der Traum Beatrices in
   "Der Schleier der Beatrice". Dazu die Erwiderung Loschis:
       "Doch Träume sind Begierden ohne Mut,
       Sind freche Wünsche, die das Licht des Tags
       Zurückgejagt in die Winkel unsrer Seele,
       Daraus sie erst bei Nacht zu kriechen wagen;"
   D I S. 576.

Die Stimmung der Schlussszene erweist sich nicht als zart
melancholisch, eine Stimmung wie sie Schnitzler so meisterhaft zu gestalten verstanden hat, sondern als von brutaler
Trostlosigkeit. Sie hebt sich dabei aber nur unwesentlich
von der Stimmung zu Beginn der Novelle ab, denn diese lässt
Casanova, genau wie am Schluss, seine Not nur verstärkt
empfinden. Sie schenkt ihm nicht Vergessen, im Gegenteil,
sie ruft ihm sein Elend eindringlich ins Gedächtnis. Ein
zähneknirschender, aggressiver Casanova bleibt zurück.

> "(...) all dies erschien ihm, in der linden, all-
> zu süssen Luft dieses Spätsommermorgens, gleicher-
> massen sinnlos und widerwärtig; er murmelte einen
> Fluch vor sich hin, ohne recht zu wissen, wen
> oder was er damit treffen wollte; und, den Griff
> seines Degens umklammernd, feindselige Blicke
> nach allen Seiten sendend, als richteten aus der
> Einsamkeit ringsum unsichtbare Augen sich
> höhnend auf ihn, (...)"[1]

Ziemlich genau in der Mitte der Novelle umgibt Schnitzler
die erwähnte Klosterszene mit einer ähnlich dekadent-impres-
sionistischen Endzeitstimmung wie der eben beschriebenen.
Wieder sind es "fast betäubende Düfte" und die besondere,
erinnerungsschwere Atmosphäre des Frauenklosters, die Casanovas Sinne verwirren. Erst der Schrei der ihr Schweige-
gelübde brechenden Nonne reisst ihn in die Wirklichkeit zurück, und er verlässt das Kloster "als letzter, mit geneigtem Haupt, wie von einem grossen Abschied."[2]

---

1) E II S. 232.
2) E II S. 282.

Diese Stimmungen der Ueberreife und der Endzeit konvergieren
mit der Lebenssituation Casanovas, ja sie wirken auf ihn,
indem sie ihn sein Schicksal eindringlich inne werden lassen. Der späte Schnitzler hat in der Novelle "Casanovas
Heimfahrt", sie stammt aus dem Jahre 1918, nicht auf diese
noch unverkennbar impressionistische Züge tragende, doch
nichtsdestoweniger eindrückliche Stimmungsmalerei verzichtet, um einer Figur wie dem gealterten Abenteurer Casanova
grösstmögliche Transparenz zu verleihen.

Wie schon zu Anfang dieses Kapitels erwähnt, verkörpert der
Casanova der Novelle Dekadenz schlechthin: einmal von der
Figur her als gealterter erotischer Abenteurer, zum andern
was seine Entwicklung innerhalb der Erzählung angeht. Sie
setzt bei dem bereits dekadenten Abenteurer ein, um ihn Stufe um Stufe immer tiefer hinabzuführen. Wohl gewinnt er im
Glücksspiel und überwindet Lorenzi im Duell, doch vermögen
diese Siege weder den Niedergang aufzuhalten, noch sind
sie mehr als der Ausdruck eines noch unbändigen Abenteurer-
tums, das in Casanovas Wesen ein letztes Mal aufflammt. Als
erotischer Abenteurer indessen, und auf Erotik gründet Casanovas Abenteurertum und Lebensprinzip weitgehend, ist er,
durch das Schicksal, nurmehr ein "alter Mann" zu sein, seiner Natur gewaltsam entfremdet. Die "Heimfahrt" macht denn
auch die rebellierende Verzweiflung eines gealterten erotischen Abenteurers sichtbar, der sich jeglichen Lebenssinns
beraubt glaubt und vergeblich gegen das Gesetz des Alterns
sich empört, das gerade ihn mit aller Schärfe trifft. Zurück bleibt ein Lebensgefühl, wie es im Schlussatz anklingt; es ist ein Lebensgefühl, dem der décadents des französischen Symbolismus nicht unähnlich: der 'spleen'. Wie
diese fühlt Casanova beim Gedanken an Vergangenheit und Gegenwart jenen "bittern Nachgeschmack" in sich aufsteigen,

der sein Dasein vergiftet. Gebrochene Vitalität, abgrundtiefe Verzweiflung und Verbitterung münden in einen beklemmenden
Lebensekel, einen 'ennui de toute chose'. Casanovas Handeln
ist Ausdruck einer 'révolte' baudelairescher Prägung, Reaktion eines physisch und psychisch verwüsteten Erotomanen.
Sein Zynismus, ja sein wiederum an Baudelaire erinnernder
Satanismus verraten ausserdem Casanovas Unfähigkeit, über
das Verhängnis des Alterns, das er wie keiner als solches
empfinden muss, durch die Flucht in eine tragfähigere Haltung gegenüber der Wirklichkeit zu triumphieren. Auch Casanova ist, wie Anatol und Filippo Loschi, ein im psychoanalytischen Sinne Fixierter, und es ist eben diesem Umstand zu-
zuschreiben, dass sein biologischer Alterungsprozess anormal
verläuft, das heisst die tiefe psychische Krise heraufbeschwört, wie sie etwa in der masochistischen Selbsternied-
rigung des sich im Spiegel betrachtenden Casanova zur Darstellung kommt.

In der einst vertrauten Umgebung seiner Vaterstadt Venedig
nimmt der "heimgefahrene" Casanova den Zusammenbruch seiner
galanten Abenteurerexistenz in schonungslos grellem Lichte
wahr, den "elenden Gasthof, dessen Tor erst auf wiederholtes
Klopfen sich träg und unfreundlich" öffnet, das "schlechte
Bett", auf das er sich "nur halb ausgekleidet"[1] wirft. Casanova, der ehemals an Fürstenhöfen verkehrt und seiner
glanzvollen Erscheinung und seines sprühenden Geistes wegen
ein gern gesehener Gast war, sieht seine Wirkung geschwun-
den und seine Originalität eingebüsst. Er fühlt sich als
Ausgestossener der Gesellschaft, die ihn nurmehr bestenfalls
für Spitzeldienste braucht.

---

1) E II S. 323.

Das weitgehend stimmungsgebundene und episodenhafte Erleben
Casanovas, die Verschmelzung von Illusion und Wirklichkeit,
alles Charakteristika, die der feinern Dekadenz des Fin de
siècle zuzuordnen sind, verbinden sich mit der Erotomanie
eines gealterten Abenteurers. Casanova gilt, neben Don
Juan, als Erotiker par excellence, und er wäre als vitaler
Roué wohl kaum unter die "klassischen" décadents einzu-
reihen. Schnitzlers Casanova der Novelle dagegen, dessen
fallende Lebenslinie dem Zusammenbruch zueilt, vereinigt
die wichtigsten Attribute einer typisch dekadenten Figur,
als markantestes die Erotomanie, die allein wegen ihres
ausgesprochen psychopathologischen Charakters zur Dekadenz
gehört. Die unersättliche sexuelle Gier, wohl schon beim
jungen Casanova ein dominierender Zug seines Wesens, freilich gemildert durch die Tatsache, dass er, "wenn er liebte,
tausendmal heisser danach verlangte, Glück zu geben, als
Glück zu empfangen",[1] gleitet während der "Heimfahrt" in
die Perversion ab und lässt ihn zum Verbrecher an jungen,
blühenden Menschen werden: Teresina, Marcolina und besonders Lorenzi wird diese gealterte, heruntergekommene Existenz zum Verhängnis.

---

1) E II S. 273.

DIE DEKADENTE GESELLSCHAFT IM WIEN DES FIN DE SIECLE

Schnitzler hat in seinem Werk, wie im Kapitel "Arthur Schnitzler im Wien des Fin de siècle" mehrfach betont, das Wien der Jahrhundertwende in Vollendung gezeichnet. Es ist gewissermassen die Anamnese einer Stadt und ihrer Menschen, das anmutig-melancholische Porträt eines Untergangs. Die Stimmung jener Zeit findet sich in den Gestalten der Einakter und Novellen wieder, die in ihrer Typisierung beinahe als Schnitzler-Figuren bezeichnet werden könnten, etwa der k. u. k. Offizier, der grüblerisch-schwermütige Adelige, die "Mondaine", das "süsse Mädel" u.a.m. Sie sind der Abglanz einer überreifen Spätzeit, frivol, neurasthenisch, überspannt, melancholisch, in ihrem Gehaben gekünstelt, maniert; dennoch sind sie nicht eigentlich 'klassische' décadents wie etwa der Dandy oder der Aesthet. Wohl teilen sie mit diesen wichtige determinierende Eigenschaften, die zu dekadentem Lebensgefühl, ja zur Dekadenz schlechthin gehören, sie verkörpern indessen die unverwechselbar wienerische Spielart des Belle Epoque-Menschen. Die Gestalten geraten Schnitzler umso überzeugender, als er selber "ein Kind der obern Bourgeoisie und des endenden 19. Jahrhunderts, einer skeptischen, beobachtenden und 'historischen' Epoche" war.[1] Es sind Bürger eines Staates, in dessen "Windstille" jeglicher Auftrieb zu neuem Leben fehlt, Spätlinge, deren Vitalität am Verlöschen, Repräsentanten einer asthenischen Epoche, deren Persönlichkeit verschüttet ist und denen ein nüchterner Realitätssinn abhanden gekommen zu sein scheint. Als solche sind sie in ihrer originalen Wesensart der verfeinerten Wiener Dekadenz zuzurechnen. Die folgenden drei Kapitel zielen infolgedessen darauf ab, einige besonders markante Schnitzler-Figuren herauszustreichen und diese vor ihrem

---

1) H. v. Hofmannsthal: Aufzeichnungen. op. cit. S. 272.

jeweiligen sozialen Hintergrund zu studieren.

Der k. u. k. Offizier

Im Herbst 1883 wird Schnitzler am Ende seiner Dienstzeit als
'Einjährig-Freiwilliger im Corps der militärärztlichen Ele-
ven' zum Offizier der Reserve der k. u. k. Armee befördert.
Das Leben im Garnisonsspital behagt ihm zwar nicht sonderlich, doch nimmt er das "Mosesdragoner-Dasein" eigentlich
ohne Widerwillen auf sich.[1] Sein Verhältnis zur Armee
trübt sich indessen zusehends, aus der anfänglichen Indif-
ferenz entwickelt sich unverhohlene Abneigung. Dies kommt
in einem seiner Briefe an Georg Brandes ganz deutlich zum
Ausdruck, wenn er im Hinblick auf die Publikation der Novelle "Leutnant Gustl" schreibt:

"Wegen dieser Novelle stehe ich - (da ich noch
Militärarzt 'in der Evidenz' bin) in 'ehren-
gerichtlicher' Untersuchung und werde wahrscheinlich
meine Charge verlieren. Wenn Sie die Novelle
noch nicht kennen und sie lesen werden - und
sich dieser Mitteilung erinnern - wird Ihnen
wieder manches 'österreichische' klar werden.
Die Sache ist für mich natürlich gleichgültig -
da ich ja mit den Leuten nichts mehr zu tun habe und meine Charge nur im Kriegsfall von Bedeutung wäre - aber sie ist charakteristisch
für die man könnte sagen naive Heuchelei in
Kreisen, von denen man in gewissem Sinne immer
abhängig ist; wenn sie auch keine unmittelbare
Macht über einen besitzen."[2]

---

1) Vgl. A. Schnitzler: Jugend in Wien. op. cit. S. 154 ff.
2) op. cit. S. 84.

Tatsächlich verliert Schnitzler durch das Urteil eines militärischen Ehrenrates am 14. Juni 1901 seine Charge als Re-
serveoffizier, weil er durch die Darstellung eines Offi-
ziers, des Leutnant Gustl der gleichnamigen Novelle, das
Ansehen der österreichisch-ungarischen Armee beleidigt habe.[1]

"Leutnant Gustl" gehört zu den bekanntesten Novellen Schnitzlers, nicht zuletzt aus formalen Gründen, ist sie doch die
erste Erzählung deutscher Sprache mit konsequent durchgehal-
tenem innern Monolog.[2] Es wurde schon in einem andern Zusammenhang darauf hingewiesen, dass im Grunde nur der innere Monolog durch die Projektion der Wirklichkeit in des
monologisierenden Menschen Seele deren feinste Schwingungen
zu registrieren vermag. So verbringt denn der Leser der Novelle eine Nacht in intimer Gesellschaft mit dem jungen
k. u. k. Leutnant Gustl, der, durch einen Zwischenfall mit
dem nicht satisfaktionsfähigen Bäckermeister Habetswallner
sich vor die Alternative gestellt sieht, "mit Schimpf und
Schand (zu) quittieren" oder "eine Kugel vor den Kopf".[3] Da
Gustl nach militärischem Ehrenkodex die verlorene Offi-
ziersehre nur durch Freitod wiedergewinnen kann, ergibt sich
für Schnitzler jene, in "Der Schleier der Beatrice" schon
beschriebene, angestrebte Grenzsituation der letzten Nacht
vor dem Sterben, jenes Preisgeben eines Menschen an höchste
existenzielle Bedrohung, die alle Schranken einreisst und
die geheimsten Regungen des Menschen blosslegt. Was hier in
"Leutnant Gustl" aufgedeckt wird, ist die erschreckende

---

1) Vgl. O. P. Schinnerer: Schnitzler and the Military Cen-
   sorship. Unpublished Correspondence. In: The Germanic
   Review 5, 1930, S. 238-246.
2) Schnitzler gibt an, durch den 1888 erschienenen Roman
   "Les lauriers sont coupés" von Edouard Dujardin "zu der
   Form" des innern Monologs gekommen zu sein (vgl. Briefwechsel mit G. Brandes, op. cit. S. 88). Vgl. auch Brief
   Hofmannsthals an Schnitzler, op. cit. S. 312. Der innere
   Monolog ist im übrigen Gegenstand eines eigens auf formale Aspekte der Dekadenzliteratur eintretenden Kapitels.
3) E I S. 345 f.

Leere einer von allem Anfang verpfuschten Existenz. Der Lebensinhalt besteht darin, ruhelos von Duell zu Duell, von
Liebelei zu Liebelei zu eilen. In der losen sexuellen Beziehung zu leichten Vorstadtmädchen sieht er das "einzige
reelle Vergnügen".[1]

Die Figur des k. u. k. Leutnant Gustl ist kaum als Einzel-
fall gedacht, vielmehr exemplarisch, als Repräsentant einer Institution, die sich selbst überlebt hat, sich an
längst veraltete, beinahe grotesk anmutende Vorstellungen
von Ehre und Stand krallt und den morschen Grund, auf den
sie sich beruft, nicht gewahr wird. Gerade das jugendliche
Alter Gustls erlaubt es, auf das im Formalismus erstarrte
Wesen der k. u. k. Armee vor dem ersten Weltkrieg zu schliessen. Gustl unterscheidet sich höchstens durch seine unge-
brochene Aggressivität von den alten Offizieren. Nicht umsonst nennt ihn der Bäckermeister "dummer Bub", und die
Tatsache, dass Schnitzler den Leutnant nur 'Gustl' nennt,
eine burleske Verbindung von Offiziersgrad und Kosenamen,
spricht für die Ironie und Skepsis Schnitzlers in der Einschätzung des österreichischen Heeres. Gustl ist unfähig,
sich ausserhalb der Armee zu behaupten:

> "Und was hab' ich denn vom ganzen Leben ge-
> habt? - Etwas hätt' ich gern noch mitgemacht:
> einen Krieg - aber da hätt' ich lang' warten
> können ..."[2]

Nur kurz lässt Gustl den Zweifeln an der Armee als staatli-
cher Institution freien Lauf. Die Erkenntnis von der Notwendigkeit des Freitodes folgt auf dem Fuss: "Ich muss! Ich
muss! Nein, ich will!"[3] Die nervöse Hektik, mit welcher

1) E I S. 359.
2) E I S. 356.
3) E I S. 361.

Gustl seine Vergangenheit abtastet, offenbart seine chaoti-
sche Seelenverfassung im Angesicht des Todes. Selbstmitleid
bemächtigt sich seiner beim Gedanken an die Wirkung seines
Todes bei Verwandten und Freunden, nackte Angst beim Betre-
ten der Kirche. All dies ist durchwoben von disparaten Assoziationen und Gedankenfetzen, aufflammendem Stolz und
hysterischer Verzweiflung. Dabei wächst Gustl zeitweilig
über seine eigene Mediokrität hinaus und lässt ihn Wahrheiten aussprechen, die man ihm kaum zutraut. Zumindest unbewusst erkennt Gustl, dass das Leben als Offizier letztlich
hohl und öde ist, denn das unvermittelte Innehalten beim
Reizwort "Krempel": "Wenn ich wollt', könnt' ich noch immer
den ganzen Krempel hinschmeissen. ... Amerika ... Was ist
das: 'Krempel'? W a s ist ein 'Krempel'? Mir scheint,
ich hab' den Sonnenstich!"[1] weist auf ein in der Psychoanalyse bekanntes Symptom im Zusammenhang mit Verdrängtem
zusammen, der assoziativen Resistenz, ein Phänomen der
Psychosomatik.

Schliesslich kommt Gustl beim Morgengrauen der Zufall rettend
zu Hilfe: Der Bäckermeister ist in der selben Nacht unerwartet einem Schlaganfall erlegen. Die Reaktion Gustls ent-
larvt sein Wesen vollends:

> "Ich glaub', so froh bin ich in meinem ganzen Le-
> ben nicht gewesen ... Tot ist er - tot ist er!
> Keiner weiss was, und nichts ist g'scheh'n! - Und
> das Mordsglück, dass ich in das Kaffeehaus gegan-
> gen bin ... sonst hätt' ich mich ja ganz umsonst er-
> schossen."[2]

---

1) E I S. 361.
2) E I S. 365 f.

Am Tatbestand des Ehrverlusts von Leutnant Gustl hat sich
indessen, nach den Satzungen des militärischen Ehrenkodex',
die Gustl anerkennt, nicht das geringste verändert. Da nun
aber keinerlei Möglichkeit mehr besteht, dass der Zwischenfall in der Konzertsaalgarderobe ans Tageslicht kommen
könnte, fühlt sich Gustl rehabilitiert. Dadurch erweisen
sich die militärischen Ehrengesetze, auf die sich Gustl
ständig beruft, durch Heuchelei und Verlogenheit als frag-
würdiger denn je. Prunkvolle Uniformen, strammes Auftreten
und der immer wieder beschworene Ruhm geschlagener Schlach-
ten sind letztlich nur glänzende Fassade und können nicht
darüber hinwegtäuschen, dass die Armee eine ihre Daseinsberechtigung immer mehr einbüssende, ausgehöhlte Institution geworden ist. Gustl repräsentiert jenen heruntergekommenen, dekadenten Offiziersstand der k. u. k. Armee der
Jahrhundertwende, dessen Glieder, in überheblichem Standes-
dünkel befangen, herablassend, aggressiv, antisemitisch und
feige sind und in der Armee allenfalls eine behagliche Ver-
sorgungsinstitution sehen. Gustl ersteht der qualvollen
Nacht unverändert. Wenn er an das bevorstehende Duell mit
dem Zivilisten denkt, der als Akademiker satisfaktionsfähig
ist, so bricht in ihm die alte, leicht reizbare Aggressivität durch. Sie ist nicht Ausdruck eines normalen, seiner
Jugend entsprechenden Haudegentums, vielmehr handelt es sich
dabei um die Reaktion eines von Minderwertigkeitsgefühlen
geplagten neurasthenischen Wirrkopfes: "So eine Frechheit!
Das wagt so ein Mensch einem Offizier ins Gesicht zu sagen!"
fährt es Gustl während des Konzerts beim Gedanken durch den
Kopf, dass der "Doktor" es wagte, Zweifel an Offizieren und
Armee zu äussern: "Herr Leutnant, Sie werden mir doch zuge-
ben, dass nicht alle Ihre Kameraden zum Militär gegangen
sind, ausschliesslich um das Vaterland zu verteidigen!"[1]
Die Novelle schliesst mit: "... na wart', mein Lieber, wart',

---

1) E I S. 341.

mein Lieber! Ich bin grad' gut aufgelegt. ... Dich hau ich
zu Krenfleisch!"[1]

Die Figur Gustls, die zeitweilig in ihrer Aufgeblasenheit,
Verlogenheit und Aggressivität vielleicht um eine Spur übertrieben wirkt, erfährt sechsundzwanzig Jahre später eine
zwar etwas gemilderte, keinesfalls aber weniger typische
Erweiterung in Leutnant Wilhelm Kasda im "Spiel im Morgengrauen". Diese späte Erzählung[2] lässt Schnitzler aus der
zeitlichen Distanz manches unbefangener, aber auch ohne
Sentimentalität beurteilen. Kasda ist derselbe k. u. k. Of-
fizierstyp wie Gustl, überheblich und wehleidig, wirkt aber
durch seine konsequente Haltung glaubwürdiger, ja es umgibt
ihn am Ende der Novelle gar ein Hauch von sittlicher Grös-
se, die sich grundlegend von Gustls grosssprecherischer
Dümmlichkeit abhebt. Während Gustl nämlich, dessen lichte
Augenblicke in der Nacht im Prater die Leere und Sinnlosigkeit seines Lebens enthüllt haben, munter weiterlebt und
damit seine Unbelehrbarkeit und Verlogenheit gegen sich
selbst unter Beweis stellt, erschiesst sich Kasda, von ech-
tem, wenn auch falsch verstandenem Ehrgefühl getrieben,
ohne das Ablaufen der Frist für die Beschaffung der 11'000
Gulden Spielschulden abzuwarten. Selbst Schnitzlers Skepsis kann dem konsequenten Handeln einen gewissen Respekt
nicht versagen, wenn er die Szene beschreibt, in welcher
der Regimentsarzt den Toten findet: "So gefasst sie alle
gewesen waren, es erschütterte sie sehr."[3] Es trifft zweifellos zu, wenn W. H. Rey Kasdas Freitod als eine "sittli-

---

1) E I S. 366.
2) "Leutnant Gustl" entstand 1900, "Spiel im Morgengrauen"
   1926.
3) E II S. 579.

che Entscheidung" deutet.[1] Nichtsdestoweniger beweisen Kasdas demütigende Bittgänge, die schliesslich im Versuch
gipfeln, das Geld dadurch zu beschaffen, dass er sich, einer Dirne gleich, verkauft, die Verlogenheit der Offi-
ziersehre im k. u. k. Heer vor dem ersten Weltkrieg. Diese,
auf reine Aeusserlichkeiten, auf "Contenance" gründende
Auffassung von Ehre und Moral tritt ausserdem in Kasdas
Ueberheblichkeit gegenüber seinem ehemaligen Kameraden Bog-
ner zutage, der den Dienst unehrenhaft quittieren musste.
Nichts hindert ihn allerdings daran, den jämmerlichen
Schurken Leutnant Griesing vor den sarkastischen Bemerkungen
des Konsuls in Schutz zu nehmen. Einzig die Gestalt des
alten Regimentsarztes Tugut hebt sich wohltuend von den
andern Offizieren im "Spiel im Morgengrauen" und in
Schnitzlers Werk überhaupt ab; er "verkörpert beste Tradition der alten Armee".[2] Ganz anders Oberstleutnant Hubert
Fabiani ("Therese"). Schnitzler hat mit ihm den alten,
pensionierten k. u. k. Offizier gezeichnet, der mit der
veränderten Lebenssituation nicht fertig wird, schliesslich
an der eigenen innern Verödung zerbricht und im Irrenhaus
endet.

Gustl und Kasda, Fabiani und Griesing, auch Karinski und
Vogel ("Freiwild") sind, trotz gewisser Unterschiede von
der Typologie her identisch. Als Offiziere einer Armee, die,

---

1) "Letzten Endes muss Willis Selbstmord als eine sittliche
   Entscheidung angesehen werden. Auf die Selbsterkenntnis
   folgt das Selbstgericht. Nur so kann der Leutnant die
   soldatische Würde wieder erlangen, die er bei seinen
   verzweifelten Rettungsversuchen verloren hat. Die Einsicht in seine Erbärmlichkeit hat also eine verwandelnde
   Kraft. (...) Erst mit seinem Tode ist der Leutnant Kasda
   wirklich Offizier geworden." W. H. Rey: Arthur Schnitzler. op. cit. S. 148.
2) ebda. S. 134.

vom Virus des kränkelnden Staatswesens infiziert, nurmehr
als Schatten ihrer selbst dahinserbelt, begegnen sie der
schwindenden Motivation ihrer Daseinsberechtigung mit hoch-
fahrender Arroganz und überreizter Aggressivität. Sie sind
Durchschnittsexistenzen, schwächliche Nachfahren eines
einst ruhmreichen Standes - man denke an den sinnigerweise
als "Enkel" bezeichneten Carl Joseph aus Joseph Roths Roman "Radetzkymarsch" - die hinter anmassendem Gehaben
künstlich aufgebauschter Konventionen und dem in "Leutnant
Gustl" unverwechselbar authentisch wiedergegebenen Ton ihrer Sprache, dem 'Armeedeutsch',[1] den Zerfall einer Idee
verbergen, die sich selbst überlebt hat. Indes, die Offiziere der k. u. k. Armee passen ins Bild jener Zeit der
glänzenden Fassaden und beredten Beschwichtigung; sie sind
Repräsentanten jener Gesellschaft des Fin de siècle, welche die verfeinerte Dekadenz der Wiener Jahrhundertwende
verkörpern.

Der Adelige
_____

Fürsten und Komtessen haben ihren festen Platz in Schnitzlers Oeuvre, angefangen bei den frühen Kurzgeschichten, etwa "Reichtum" (1889) bis hin zum Gesellschaftsroman "Der
Weg ins Freie" (1905 - 1907) oder zur Gesellschaftssatire
"Komödie der Verführung" (1923). Kein Wunder, denn in kaum

---

1) H. Politzer deutet den Wortzerfall des sog. Armeedeutschs
   am Beispiel des monologisierenden Gustl als "ein Anzeichen des Wirklichkeitsverlusts", ein Phänomen, das auch
   bei andern dekadenten Figuren beobachtet werden kann. H.
   Politzer: Diagnose und Dichtung. op. cit. S. 125.

einem andern Staat Europas als im Oesterreich der Jahrhundertwende spielte der Adel noch eine derart entscheidende
Rolle im politischen wie vor allem im gesellschaftlichen Leben. Selbst als die Monarchie schon der Vergangenheit ange-
hörte, vermochte der Adel sich zu behaupten, ja es gelang
ihm sogar, wie nirgendwo sonst, in der breiten Bevölkerung
Ansehen und einen nicht zu unterschätzenden Einfluss zu bewahren. Schnitzlers Beziehungen zum Adel ergaben sich vorerst
zwangsläufig, wie bereits erwähnt, aus der besondern gesellschaftlichen Stellung seines Vaters als bekannter Kehlkopfspezialist,[1] ausserdem durch die eigene Tätigkeit als Arzt
und das sehr frühe Ansehen als Schriftsteller.

Es liegt nahe, zwischen Adel und Militär Verbindungen und
Gemeinsamkeiten zu vermuten, schon allein deshalb, weil
viele Adelige bei Schnitzler auch als k. u. k. Offiziere
auftreten. In der Tat ist eine Wesensverwandtschaft zwischen Adelsstand und Offiziersstand kaum zu übersehen. Sie
bildeten zusammen die soziale Oberschicht des Staates, und
aus dieser Situation heraus entwickelten sich Berührungs-
punkte und Konnexionen, die auf stark elitärem Denken und
einem Selbstverständnis, Träger des Staates zu sein, grün-
deten. Dennoch ist, trotz mancher Bezüge, eine klare Trennung anzustreben, dies umsomehr, als gerade bei einer Ge-
genüberstellung von Offizieren bürgerlicher Herkunft einerseits und adeliger Offiziere anderseits erhebliche Unterschiede sichtbar werden. Schnitzlers Offiziere adeliger Ab-
stammung verraten nichts von jener parvenühaften Ueberheblichkeit und Borniertheit eines Gustl oder Kasda, von jener
geistigen Eingeschränktheit verkrachter Existenzen, die nur
in der Armee ein 'ehrenvolles' Auskommen finden können. Es
handelt sich meist um Menschen, denen die Armee mehr als

---

1) A. Schnitzler: Jugend in Wien. op. cit. S. 201.

bloss eine Versorgungsanstalt bedeutet. Der Schwerpunkt dieses Abschnitts wird daher vornehmlich auf der Betrachtung
des Adels als solchen und seiner Repräsentanten in Schnitzlers Werk liegen, ohne auf ihre Eigenschaft als k. u. k.
Offizier des nähern einzutreten.

Der "Reigen" schliesst mit den beiden Szenen "Die Schauspielerin und der Graf" und "Der Graf und die Dirne".[1] Der
Graf, namenlos und damit lediglich einen typisch österreichischen Adeligen verkörpernd, denn es geht ja nicht um die
individuellen Charaktere an sich, vielmehr um den Typus,
betritt in der Uniform eines Dragonerrittmeisters das "sehr
üppig eingerichtete" Schlafzimmer einer Schauspielerin. Es
entspannt sich ein seichter, von Melancholie und Skepsis
überschatteter Dialog, der unaufhaltsam auf dessen Ziel, den
Geschlechtsakt hintreibt. Dabei wird durch die Nonchalance
der Schauspielerin Wesen und Charakter des Grafen zumindest
oberflächlich blossgelegt, um in der folgenden Szene mit der
etwas einfältigen Dirne skizzenhaft transparent zu werden.
Er ist ein Grübler und Stimmungsmensch, schüchtern, kompli-
ziert und leicht irritierbar, der sich vor der Werbung der
draufgängerischen Schauspielerin windet und vor der "Lie-
bes"-Vereinigung ziert, weil er die anregende Atmosphäre
vermisst:

> "Ich find nur, zu allem g'hört Stimmung. Ich
> komm immer erst beim Souper in Stimmung. Das
> ist dann das Schönste, wenn man so vom Sou-
> per zusamm nach Haus fährt, dann ... "[2]

---

1) D I S. 378 bzw. S. 385.
2) D I S. 383.

Der Graf erweist sich der lebensgierigen, nymphomanen Schauspielerin als in keiner Weise gewachsen. Sie überspielt ihn
mit frivoler Leichtigkeit wie folgender kurze Ausschnitt
zeigt. Die flüchtige Liebesekstase hat der Ernüchterung
Platz gemacht.

Schauspielerin	Nun - du wolltest mich ja nach dem Theater erwarten?
Graf	Ja, also gut, zum Beispiel über- morgen.
Schauspielerin	Was heisst das,übermorgen? Es war doch von heute die Rede.
Graf	Das hätte keinen rechten Sinn.
Schauspielerin	Du Greis!
Graf	Du verstehst mich nicht recht. Ich mein das mehr, was, wie soll ich mich ausdrücken, was die Seele anbelangt.
Schauspielerin	Was geht mich deine Seele an?
Graf	Glaub mir, sie gehört mit dazu. Ich halte das für eine falsche Ansicht, dass man das so voneinander trennen kann.
Schauspielerin	Lass mich mit deiner Philosophie in Frieden. Wenn ich das haben will, lese ich Bücher.[1]

Der Hang zur Grübelei in des Grafen verzärteltem Wesen kon-
trastiert mit der Burschikosität der Schauspielerin. Sie
glaubt nicht an Gefühle und schon gar nicht an Liebe. Daher
nennt sie den "philosophierenden" Grafen mehrfach "Poseur",
nach der Szene mit der Dirne zu schliessen, irrt sie sich

---

1) D I S. 384.

indessen. Seine Timidität und Unbeholfenheit sind Ausdruck
einer allgemeinen Asthenie. Er flieht in sein Inneres; es ist
ein Sich-Fortstehlen-Wollen aus der Wirklichkeit, Welt-
fremdheit aus Schwäche. Nicht umsonst hält ihm die Schauspielerin entgegen: "Was kennen Sie jugendlicher Greis eigentlich noch für ein Vergnügen?"[1] Sie hat den quälenden 'ennui'
des Grafen erkannt, dessen Dasein trotz "Rekruten ausbil-
den" und "Remonten reiten" verödet ist, gleichsam wie die
ungarische Tiefebene, wohin es ihn als Offizier verschlagen
hat, deren Sonnenuntergänge er immerhin zu schätzen weiss.[2]
Ihr ironisches "Herr Graf" zu Beginn und am Schluss der
Szene sprechen für die richtige Einschätzung der Person des
Grafen Dragonerrittmeisters. Sie erblickt in ihm einen Repräsentanten jenes verblühenden österreichischen Adels, der
wohl merkt, dass seine Zeit abgelaufen ist, es sich aber
nicht einzugestehen gewillt ist und die Zeichen des Zerfalls vertuscht. Er ist nicht eigentlich heruntergekommen,
vielmehr durch Ueberempfindlichkeit entkräftet.

Ein äusserlich gänzlich verschiedenes Bild von dem eben
beschriebenen vermitteln die Personen der einaktigen Komödie "Komtesse Mizzi oder Der Familientag". In diesem
Stück, das noch am ehesten die Atmosphäre adeliger Kreise
Wiens um 1900 spiegelt, diese aus beinahe frivoler Sorglo-
sigkeit, leichtfertigem In-den-Tag-Hineinleben und zarter
Melancholie gemischte Stimmung, wird auf dem gräflichen
Sitz der Pazmandy, einem von hohen Gittern umgebenen Rokoko-
Jagdschlösschen, in leichtem Konversationston längst Vergangenes zweier Familien erneut beschworen. Es werden zwischen der Komtesse Mizzi und dem Fürsten Ravenstein "psy-
chologische Zusammenhänge" aufgedeckt und deren gemeinsamer

---

1) D I S.379.
2) D I S. 380.

Sohn Philipp, dessen Existenz bisher totgeschwiegen worden
ist, in die "Gesellschaft" eingeführt. Die Dialoge verraten
nicht nur den etwas gespreizten Tonfall der Sprache in adeligen Kreisen, den "ungarisch-deutschen Offiziersjargon"
des Grafen Pazmandy oder den "leichten Diplomatenakzent eines Herrn, der ebensoviel Französisch spricht als Deutsch"[1]
des Fürsten Ravenstein, darüber hinaus wird durch den sieb-
zehnjährigen Philipp ausgesprochen, was die andern, die
alle nicht mehr ganz jung sind, aber "noch sehr gut ausse-
hend", aus einer unerklärlichen Scheu heraus verschweigen:

> "Also wissen Sie, Gräfin, ich hab' nämlich immer
> das Gefühl gehabt, dass ich kein gebürtiger
> Philipp Radeiner bin. (...) Es war mir natürlich
> sehr angenehm, wie meine Ahnung bestätigt wor-
> den ist; - aber gewusst hab ich's immer. Man
> ist doch nicht auf den Kopf gefallen. Auch in
> der Schule haben's einige geahnt ... dass ich
> (...) Und für die Schlauern war es ziemlich klar,
> dass fürstliches Blut in meinen Adern braust.
> Und da ich einer von den Schlauesten war ...
> Im Oktober mach' ich mein Freiwilligenjahr bei
> den Sechserdragonern, wo wir Ravensteins
> immer dienen."[2]

In dem, was hier unverblümt und mit der einem jungen Menschen
eigenen unbefangenen Spontaneität dahergeredet erscheint,
offenbart sich die Welt des Adels in all ihrer Ueberheblichkeit und Dünkelhaftigkeit: Die genetische Superiorität des
Adels gegenüber andern Ständen gilt für Philipp als evident
und erwiesen. Wenn zuvor von militärischer Kontenance die

---

1) D I S. 1030 f.
2) D I S. 1048.

Rede gewesen ist, so hier von aristokratischer Kontenance.
Ihr muss alles geopfert werden. Die Komtesse Mizzi erkennt
die verlogene, doppelbödige Moral von Ihresgleichen und
flüchtet in die Kunst, malt "Rosen und Veigerln", lässt
sich in zweifelhafte Affären ein, äusserlich aber verletzt
sie die Gebote ihres Standes nicht. Ihr Vater nennt sie zwar
"überspannt", es handelt sich aber um Resignation. Letztlich aber kann auch sie nicht über ihren eigenen Schatten
springen. Sie weist den jungen Musikprofessor endgültig ab
und zerstört damit jede Illusion, über eine mögliche morga-
natische Ehe so etwas wie eine innere Freiheit zu erlangen,
und schliesst sich der Reise mit Fürst Ravenstein, Philipp
und dem Vater an. Man fährt gemeinsam, gewissermassen 'en
famille', an die See. Die Konvention bleibt gewahrt.[1] Aehnliches lässt sich von Baron Georg von Wergenthin ("Der Weg
ins Freie") sagen. Auch er sucht sein Glück in der künstlerischen Betätigung, auch er bringt den Mut nicht auf, eine
unstandesgemässe Ehe mit der aus bescheidenen Verhältnissen
stammenden Anna Rosner einzugehen. Seine von Standesvorur-
teilen geprägte Denkweise und seine Unentschlossenheit ver-

---

1) In der Studie von H.-P. Bayerdörfer: Vom Konversationsstück zur Wurstelkomödie. In: Jahrbuch der deutschen
   Schillergesellschaft 16, 1972, heisst es in diesem Zusammenhang: "Schnitzler zeichnet das Bild der stagnie-
   renden Gesellschaft und der leeren Formalität ihres Ver-
   haltens im Rahmen einer statischen Reduktionsform des
   Konversationsstückes. Zufall und gesellschaftliches
   Rollenspiel ersetzen die Handlung, ein apologetisches
   Bewusstsein verhindert jeden dynamischen Erkenntnispro-
   zess, die Einfrierung des status quo tritt an die Stelle
   eines herkömmlichen happy end. Der verhinderte 'Familientag' ist nichts anderes als zitathafter Ausschnitt aus
   dem gesellschaftlichen Doppelleben, allerdings ein Ausschnitt von ironischer Sinnfälligkeit, da sich die por-
   trätierte Gesellschaft gerade auf ihr Familienethos als
   Inbegriff ihrer Wertvorstellungen beruft und sich darin
   gerechtfertigt sieht." (S. 538).

sperren ihm den Weg zur freien Entscheidung. Die Unmöglichkeit ihrer Verbindung scheint gleichsam durch höhere Gewalt
Bestätigung zu finden: Das Kind ihrer Liebe ist eine Totge-
burt. Wergenthin tritt darauf den vermeintlichen Weg in die
Freiheit und Ungebundenheit an. In Tat und Wahrheit ist es
ein Weg in die Leere, ein Weg, der hinab ins Dunkel führt,
wie er auf den ersten Seiten des breitangelegten Romans
vorgezeichnet wird. Einer Familienchronik ähnlich, erscheinen die Ahnen Georgs; es ist die Geschichte des unaufhaltsamen Niedergangs eines Geschlechts.

Der Feudal-Adel trägt wie keine andere soziale Gesellschaftsschicht in Schnitzlers Werk die Stigmata der Spätzeitlichkeit
und damit der Dekadenz. Die immer tiefer ins Bewusstsein
seiner Glieder dringende Erkenntnis des Schwundes ihrer
politischen und geistigen Führungsrolle, der Einbruch des
Grossbürgertums in die streng gehüteten Domänen des Adels,
Politik, Armee, Wissenschaft und Kunst, - es sei hier daran
erinnert, dass, symbolhaft für die politisch-sozialen Vorgänge, in "Komödie der Verführung" Arduin Prinz von Perosa
und in "Fink und Fliederbusch" Fürstin Priska Wendolin-
Ratzeburg ihre Parks für die Bevölkerung freigeben[1] - be-
schwören eine schwere Krise herauf. Auf die sukzessive
Preisgabe der Privilegstellung folgt schwermütige Resignation und schliesslich die Flucht auf den scheinbar tragfä-
higeren Grund der Kunst. Ihr Kunstschaffen bleibt indessen,
kaum von einer tieferen Idee beflügelt, dem Dilettantismus
verhaftet (Georg von Wergenthin, Gräfin Mizzi), zeigt aber
eine verblüffende Affinität zur sensiblen Nervenkunst, zu
Sinnenreiz und Stimmungsmalerei. Die Bereitschaft zur feinen Ergründung des Seelenlebens, das heisst die Wendung nach
Innen, ist umso begreiflicher, als gerade der Adel vom allgemeinen Niedergang in der k. u. k. Monarchie weitaus am

---

1) Vgl. D II S. 848 bzw. D II S. 606.

härtesten getroffen worden ist. Die freigewordenen Kräfte
fielen auf das eigene Ich zurück, wurden in die Zerfaserung
des eigenen Seelenlebens getrieben.

Der Grossbürger

Wenn die Komödie "Komtesse Mizzi oder Der Familientag" das
aristokratische Milieu Wiens wiedergibt, so finden wir im
ersten grossen Gesellschaftsstück Schnitzlers, in "Der einsame Weg", die Atmosphäre des kunstbeflissenen grossbürgerlichen Hauses. Beide Stücke basieren auf demselben Motiv,
und die frappante inhaltliche Aehnlichkeit - Fürst Ravenstein und Julian Fichtner geben sich spät, zu spät als Väter ihren Söhnen zu erkennen - ist ein untrügliches Zeichen dafür, wie sehr sich Gesinnung und Mentalität von
Adel und Grossbürgertum immer mehr gegenseitig nähern. Hier
wie dort sind befürchteter Gesellschaftsskandal, Gefühls-
kälte und berechnende Bequemlichkeit die Beweggründe ihres
Handelns. Sie passen somit ins Bild jener Fin de siècle-
Gesellschaft, deren Wirklichkeitssinn gestört, daher im
geflissentlichen Uebersehen die Wahrheiten verhüllt, ja
diese gar aus der Welt zu schaffen sucht. Vor der Kulisse
grossbürgerlichen Wohlstands vollzieht sich in "Der einsame Weg" ein stetig fortschreitender Prozess der Vereinsamung und Entfremdung aller Personen. Gabriele und Johanna
sterben und hinterlassen schmerzliche Lücken, am weitaus
schwersten wird indessen Julian Fichtner durch die schroffe
Ablehnung seines Sohnes Felix getroffen. Dieser fühlt sich
und seinen "Vater" Wegrat nicht nur betrogen, vielmehr
fühlt er sich selbst als Lüge:"(...)und die Lüge bin ich
selbst, solange ich für einen gelte, der ich nicht bin."[1]

---

1) D I S. 832.

Fichtner hat diese Lüge in die Welt gesetzt. In Dr. Reumann
findet er einen Sekundanten seiner skeptischen Auffassung
von Wahrheit und Lüge; dieser urteilt freilich aufgrund der
entstandenen Lage, die wohl Enthüllungen dieser Tragweite,
auch wenn es sich um Wahrheiten handelt, kaum rechtfertigen
dürfte:

> "Aber ich für meinen Teil finde: Eine Lüge, die
> sich so stark erwiesen hat, dass sie den Frie-
> den eines Hauses tragen kann, ist mindestens so
> verehrungswürdig als eine Wahrheit, die nichts
> anderes vermöchte, als das Bild der Vergangenheit
> zu zerstören, das Gefühl der Gegenwart zu trüben
> und die Betrachtung der Zukunft zu verwirren."[1]

Der Arzt hat zweifellos recht; aus der Sicht Felix' muss
die Angelegenheit allerdings wie jämmerlicher Betrug erscheinen. Er sieht diese lebenslange Lüge durch den Tod der
Mutter sozusagen "ins Ewige getrieben". Darüber gerät er in
ein furchtbares Dilemma, denn einerseits ist die Vater-
schaft Fichtners für ihn "eine Wahrheit ohne Kraft ... Ein
lebhafter Traum wäre zwingender als diese Geschichte aus
verflossenen Tagen, die Sie mir erzählt haben. Es hat sich
nichts verändert ... nichts",[2] andererseits ist es eben
doch die Wahrheit, die er, aus Mitleid zu Wegrat und aus
Verachtung gegen Fichtner nicht wahr haben will. Wieder
fliessen, ähnlich wie in "Casanovas Heimfahrt", Wahrheit
und Lüge, Lauterkeit und Betrug ineinander. Zwei stehen
sich dabei scheinbar diametral gegenüber: Julian Fichtner
und Felix Wegrat. Während des Stücks wechseln ihre Positio-
nen. Fichtner wird, aus Furcht vor der Einsamkeit des Alters, zum Vertreter der Wahrheit, Felix, aus Einsicht in

---

1) D I S. 775.
2) D I S. 813.

die Notwendigkeit, zum Vertreter der Lüge. Die Aufdeckung
des wahren Sachverhaltes entfremdet Felix gänzlich von Fichtner. Dies gerade versetzt ihn in Verzweiflung, denn seine
"letzte Hoffnung" ruht auf Felix. Ein Rückblick auf sein vergangenes Leben lässt ihn erkennen, dass sein Höhenflug
längst beendet und sein Dasein nurmehr einem "langen Weg
hinab" gleicht. Noch behält er grossbürgerliche Kontenance,
sie ist aber nur noch eine "erbärmliche Lüge", die er "er-
schleichen, erbetteln (und) erkaufen" muss. [1] In Felix glaubt
der sich als "Heruntergekommener" fühlende Fichtner nun,
seine Jugend wieder gewinnen zu können:

> "(...) Ich würde meine Existenz sozusagen wieder
> auf eine feste Basis gestellt haben, nicht so in
> der Luft schweben wie jetzt. Und ich könnte wie-
> der arbeiten, - wie früher einmal - wie als junger
> Mensch." [2]

Die Kluft aber, die sich zwischen den beiden aufgetan hat,
erweist sich als unüberbrückbar. Die beiden trennen Welten.
Felix gehört einer neuen Generation an, die weiss, "dass
man auch in Uniform ein ganz vernünftiges Leben führen
kann - ohne Schulden, ohne Duelle", [3] die die Verlogenheit
der Moral ihrer Väter nicht billigt und sich nicht aus
Feigheit der Verantwortung zu entziehen sucht. Weil er
sich "um andre kümmert", weil er einsieht, dass "Lieben
heisst, für jemand andern auf der Welt sein", führt sein
Weg nicht in die Einsamkeit. Felix findet zu Wegrat.

---

1) D I S. 780.
2) D I S. 781.
3) D I S. 793.

Eine Figur in diesem Stück ist noch der kurzen Erörterung
wert: der Dichter Stephan von Sala. Mit ihm hat Schnitzler
eine Gestalt ins Stück eingeführt, die wie ein Katalysator
wirkt, der zwischen den Hauptpersonen Brücken zu schlagen
versucht. Sein Wissen um den nahen Tod lässt ihn zum unvor-
eingenommenen, distanzierten Beobachter und Diagnostiker
des Geschehens werden. Er ist ein Grossbürger wie Fichtner
und Wegrat, als Todkranker aber fällt alles Posenhafte von
ihm ab, und in den langen Gesprächen mit Johanna wird seine Persönlichkeit transparent. Sala wie Fichtner sind
asthenisch veranlagte Typen; in einem Brief an Hofmannsthal meint Schnitzler in bezug auf die Genese des Stücks:

> "Zumeist beschäftigt mich das sonderbare, oft
> begonnene, einige Mal beendete, jedes Mal hin-
> geworfene Junggesellen-, Egoistenstück; Sie
> wissen, dass es zuletzt als Missgeburt zur
> Welt kam, siamesisch gezwillingt. Nun scheint
> der operative Eingriff, der mit Vorsicht un-
> ternommen werden musste, gelungen - d.h. beide
> Geschöpfe leben, das eine schwächlich, das an-
> dere mit höherer Vitalkraft begnadet, aber ob
> sie endgültig gedeihen werden, ist noch nicht
> zu sagen. Das eine Kind wird eben aufgepäppelt."[1]

Während sich die Figuren des Dramas "Der einsame Weg" als
Spätlinge entpuppen, als Menschen, die am Ende ihrer fallen-
den Lebenslinie angelangt sind - dies gilt auch für die junge
Johanna -, erhält man von den Protagonisten der fünfaktigen
Tragikomödie "Das weite Land" den Eindruck, es handle sich
um Vertreter eines kraftvoll-robusten Menschenschlages, frivol, grosszügig, sportlich, eitel und erfolgreich. Doch

---

1) Briefwechsel. op. cit., Brief vom 26. Juni 1903, S. 171.

über all dem liegt drückende Melancholie, wohl weniger schwer
lastend als in "Der einsame Weg", aber nicht minder allge-
genwärtig. Sie erweist sich als Grundstimmung überhaupt auch
dieser Menschen, nur überspielt und verdeckt von Schein und
Konvention. Es ist ein Spiel voll unterschwelliger Grausamkeit, in dessen Verlauf Friedrich Hofreiter, ein hochfahren-
der Grosskapitalist, der sich "sein(en) Klavierspieler,
sein(en) Bankier, sein(e) Tennispartnerin und sein(en) Sekundanten" hält, im absichtlich provozierten Duell den jungen Geliebten seiner Frau niederschiesst, nicht aus ge-
kränkter Ehre, vielmehr aus aufgestauter Aggression gegen
die Jugend. Wie Casanova in "Casanovas Heimfahrt" zerstört
Hofreiter sein verjüngtes Ebenbild und damit seine Zukunft.
"Das weite Land" gibt durch den weitgefächerten Personen-
kreis (Fabrikant, Bankier, Offizier, Schriftsteller, Arzt
usw., ja sogar Ausländer im Kurhotel in Baden bei Wien) ein
nahezu komplettes Bild des Wiener Grossbürgermilieus, ähnlich wie im Roman "Der Weg ins Freie" die Darstellung des
jüdischen Grossbürgertums von Wien in Vollendung gelungen
ist. Gewiss stehen hier in erster Linie Fragen des Judentums, des Zionismus und des Antisemitismus zur Debatte, und
die zahllosen, zum Teil giftigen Gespräche lassen erkennen,
wie kontrovers die Ansichten selbst unter Juden waren und
wie empfindlich, ja mit geradezu hysterischem Fanatismus
zeitweilig diese auf harmlose Neckereien zu reagieren
pflegten. Schnitzler kannte diese Kreise gut, und seines
differenzierten Urteils in dieser heiklen Frage wurde bereits andernorts Erwähnung getan. Immerhin lässt sich sagen,
dass zumindest Figuren wie Willy Eissler, Heinrich Bermann,
Dr. Stauber und Edmund Nürnberger dem Typus des intellektuellen jüdischen Grossbürgers weitgehend entsprechen, ohne die
Verzerrung ins beinahe Groteske zu erreichen, wie es etwa

in der Kaffeehausszene am Schluss des zweiten Kapitels anklingt.[1] Bermann und Nürnberger sind besonders markant gezeichnet in ihrer "jüdisch-überklugen, schonungslos-men-
schenkennerischen" Art, in ihrem "vergifteten Skeptizismus"[2]
und abgrundtiefen Pessimismus, der sich bis in die Nähe
des Nihilismus steigert.[3] Gerade Bermanns Auffassung von
Aesthetik und Kunst muss als dekadent angesprochen werden.
Georg von Wergenthin wird in einer Tristan-Aufführung, "rein
beglückt wie immer, wenn er schöne Musik hörte, ohne daran
zu denken, dass er selbst oft als Schöpfer wirken und gelten wollte", klar, dass sein Kunstverständnis sich mit dem
Bermanns weitgehend deckt, dass er aber nichtsdestoweniger
meilenweit von der 'frénésie artistique' Bermanns entfernt
ist:

> "Und er fühlte, dass Heinrich die Wahrheit gespro-
> chen hatte, als sie zusammen durch einen von Mor-
> gentau feuchten Wald gefahren waren: nicht
> schöpferische Arbeit, - die Atmosphäre seiner
> Kunst allein war es, die ihm zum Dasein nötig
> war; kein Verdammter war er wie Heinrich, den es
> immer trieb zu fassen, zu formen, zu bewahren,
> und dem die Welt in Stücke zerfiel, wenn sie sei-
> ner gestaltenden Hand entgleiten wollte."[4]

Zum Schluss dieses Abschnittes sei noch auf eine der späten
Novellen Schnitzlers eingegangen: "Fräulein Else" (1924).
Wieder erlaubt es der innere Monolog, wie in "Leutnant
Gustl",[5] in die Seele der monologisierenden Hauptperson

---

1) E I S. 709.
2) Vgl. E I S. 844, bzw. S. 806.
3) Vgl. Gespräch. E I S. 889 f.
4) E I S. 921.
5) Man beachte die analoge Konzeption der beiden Titel.

einzudringen und ihre feinsten Gemütsregungen mitzuerleben.
Gleich dem "Spiel im Morgengrauen" sind es Geldschulden, die
die Handlung in Gang bringen. Else gerät, von der Mutter in
hinterhältiger Weise gebeten, das Geld bei dem ältlichen
Kunsthändler Dorsday zu beschaffen, in einen qualvollen Konflikt zwischen ihrer Unbescholtenheit als junges Mädchen
und einem moralischen Zwang, den Vater vor dem Desaster eines Bankrotts, ja sogar einer Inhaftierung zu bewahren. Dieser Konflikt steigert sich in Else bis zur schliesslich buchstäblich alles enthüllenden Grenzsituation, an welcher Else
zerbricht. Mit einer Ueberdosis Veronal setzt sie ihrem Leben ein Ende. Die kurze Skizze des auf weniger als einen Tag
zusammengedrängten Geschehens lässt vermuten, in welch fieb-
riger Atmosphäre die Handlung dem Höhepunkt der völligen Ent-
blössung Elses in der Hotelhalle zustrebt, um dann, einer
Katharsis gleich, in ein sanftes Hinübergleiten in den Tod
zu münden.

Elses grossbürgerliche Abkunft ist kaum zu übersehen. Als
verwöhntes Mädchen einer angesehenen Familie, deren untadeliger Ruf allerdings auf morschem Grund steht und nur durch
geschickte Manöver und zwielichtige Machenschaften aufrecht-
erhalten wird, ist sie auf eine grossbürgerliche Ehe in
Wohlstand vorbereitet worden:

> "O, ich habe was gelernt! Wer darf sagen, dass
> ich nichts gelernt habe? Ich spiele Klavier,
> ich kann französisch, englisch, auch ein bissl
> italienisch, ich habe kunstgeschichtliche
> Vorlesungen besucht - Haha! Und wenn ich schon
> was Gescheiteres gelernt hätte, was hülfe es mir?"[1]

---

1) E II S. 332.

Ihre Sommerfrische verbringt sie in einem stattlichen Hotel
in den Dolomiten,[1] sie liest Maupassants "Notre Coeur",
kokettiert mit einem ausschweifenden Lebenswandel und er-
geht sich, narzisstischen Anwandlungen nachgebend, in beinahe ritueller autoerotischer Lust an ihrem eigenen nackten
Körper, gewissermassen als Präludium zur öffentlichen Zurschaustellung in der Hotelhalle. Die Deutung Reys in bezug
auf den erotisch-sexuellen Hintergrund der Novelle dürfte
richtig sein, wenn er eine starke Vater-Tochter-Bindung
(Elektrakomplex) vermutet. Die Identität des Vaters mit dem
"Matador" und der Traum Elses (die Schlange als phallisches
Symbol, ihr Biss als Sexualakt) sind hiefür untrügliche Anzeichen.[2] Ueberhaupt liefert diese vorzügliche Studie von
Schnitzlers Spätwerk überzeugende Erkenntnisse, etwa zum
Umstand, dass sich Else nicht vor Dorsday allein, sondern
vor allen Anwesenden enthüllt:

> "Aber durch die Modifizierung von Dorsdays Be-
> dingung bewahrt sich Else nicht nur ihre Frei-
> heit - sie geht auch zur Offensive gegen die
> Gesellschaft über. Ihre Selbstenthüllung in
> der Oeffentlichkeit ist gleichzeitig eine Ent-
> hüllung des Marktgesetzes. Indem sie ihre Nackt-
> heit öffentlich verkauft, prangert sie die to-
> tale Käuflichkeit als das Prinzip dieser Ge-
> sellschaft an."[3]

In der Tat handelt es sich bei Dorsday um einen typischen
Vertreter jener grossbürgerlichen Geldgesellschaft, deren
Denkschemata in der Vorstellung erstarrt sind, "dass alles
auf der Welt seinen Preis hat und dass einer, der sein Geld
verschenkt, wenn er in der Lage ist, einen Gegenwert dafür

---

1) Anfangs September 1908 hielt sich Schnitzler mit seiner
   Frau in San Martino di Castrozza auf. "Fräulein Else"
   spielt an einem 3. September. Vgl. E II S. 327.
2) W. H. Rey: Arthur Schnitzler. op. cit. S. 59 f.
3) ebda. S. 65.

zu bekommen, ein ausgemachter Narr ist".[1] Er postuliert
damit ein Prinzip der "totalen Käuflichkeit" (W. H. Rey),
der Messbarkeit aller Werte mit Geld, und lässt ihn die
ausweglose Lage Elses tückisch ausnützen:

> "Und - was ich mir diesmal kaufen will, Else,
> so viel es auch ist, Sie werden nicht ärmer
> dadurch, dass Sie es verkaufen."[2]

So analog die Ausgangslage von "Fräulein Else" der des "Spiel
im Morgengrauen" ist, so analog ist das Ende der Protagonisten: beide werden die Opfer einer korrupten, dekadenten
Geldgesellschaft. Während Kasdas Tod vom Leser als 'fait
accompli' hingenommen werden muss, gleicht Elses Sterben einem von wilden Phantasmagorien begleiteten Traum. Einzig
die Wirkung des Veronals setzt dem Schwebezustand zwischen
Wachsein und Ohnmacht ein Ende. Es handelt sich hier um eine
dieser 'Grenzsituationen' des Daseins, jenen rauschhaften
Zustand der Bewusstseinserweiterung in der Agonie.[3] Elses
Sinne sind aufs äusserste geschärft. Bei geschlossenen Augen
nimmt sie die leiseste Bewegung um sich wahr. In fieberhaf-
ter Eile durchmisst sie im Geist ihre Jugendjahre, wird von
einer namenlosen Angst vor dem Sterben befallen, die sich
ebenso unvermittelt, einer Apotheose ähnlich, in schwerelo-
ser Glückseligkeit löst:

---

1) E II S. 346.
2) E II S. 346. W. H. Rey glaubt an einen "nihilistischen
Hintergrund" in der Lebensphilosophie Dorsdays. Er sieht
in ihm einen "diabolischen Apostel des Mammons, der Else
zur Prostituierung zwingen will. (...) Wenn er die Macht des
Geldes vertritt, so ist es ihr aufgetragen, die Not, die
Würde und die Freiheit des Menschen zu repräsentieren.
(...) Unter diesem Gesichtspunkt darf "Fräulein Else" als
ein spätbürgerliches Trauerspiel in Prosa angesehen werden." S. 63.
3) Vgl. "Professor Bernhardi" (D II S. 337 ff.). In diesem
Stück wird die euphorische Agonie eines jungen Mädchens
zum Anlass einer heftigen Auseinandersetzung zwischen
Juden und Christen.

"Was ist denn das? Ein ganzer Chor? Und Orgel
auch? Ich singe mit. Was ist es denn für ein
Lied? Alle singen mit. Die Wälder auch und die
Berge und die Sterne. Nie habe ich etwas so
Schönes gehört. Noch nie habe ich eine so
helle Nacht gesehen. Gib mir die Hand,Papa.
Wir fliegen zusammen. So schön ist die Welt,
wenn man fliegen kann."[1]

Der Schluss der Novelle erweist sich in seiner Verdichtung
zum überhöhten Augenblick, der feinste psychische Regungen
aufzuspüren imstande ist, vermöge des einzig hiezu taugli-
chen Stilmittels des innern Monologs, als eine typisch dekadente Situation. Die hochgespannte Irritabilität der Nerven
und die Hypertrophie des Gefühls und der Sinne als auffäl-
ligste Charakterzüge in Elses Wesen bilden dafür die Voraussetzung. Else ist ein Glied jener zur verfeinerten Dekadenz zählenden Gesellschaft. Ihr Wunsch nach Haschisch dürfte allerdings bis zu einem gewissen Grade einer etwas kind-
lich-naiven Neugierde entspringen - "Versuchen sollte man
alles,- auch Haschisch. (...) Man soll prachtvolle Visionen
haben."[2] -,immerhin erscheint er im Hinblick auf ihre
überreizte Phantasie durchaus verständlich.

Von Else lässt sich sehr leicht eine Querverbindung zu Gabriele aus "Weihnachtseinkäufe" des "Anatol"-Zyklus herstel-
len, sind doch in diesem jungen Mädchen mit dem Hang zu morbider Grübelei bedeutende Züge der "Mondäne" Gabriele angelegt. Sie gleicht ihr namentlich in ihrer posenhaften Koketterie, ausserdem scheint sie die Natürlichkeit und die
Spontaneität des Handelns, wie es den "süssen Mädels" eigen

---

1) E II S. 381.
2) E II S. 327.

ist, eingebüsst zu haben. Bezeichnenderweise sagt Anatol zu
Gabriele:

> "Ein 'Nein' zur rechten Zeit, selbst von den ge-
> liebtesten Lippen - ich konnte es verwinden. -
> Aber ein 'Nein', wenn die Augen hundertmal 'Viel-
> leicht' gesagt - wenn die Lippen hundertmal
> 'Mag sein!' gelächelt, - wenn der Ton der Stimme
> hundertmal nach 'Gewiss' geklungen - so ein
> 'Nein' macht einen - "[1]

Else begehrt den "Filou mit dem Römerkopf"; zum 'Ja' zu dieser Liebe reicht indessen ihr Mut nicht aus. Eine Ehe wird
sie wohl eingehen, aber "Ich werde nicht treu sein. Ich bin
hochgemut, aber ich werde nicht treu sein."[2] Es ist die
"weiche Anmut", die ungekünstelte, arglose Lauterkeit, die
das "süsse Mädel" aus der Vorstadt von der affektierten Verlogenheit der grossbürgerlichen "Mondaine" abhebt. Gabrie-
les ironische Bemerkungen über die Liebe eines solchen
"süssen Mädels" zu Anatol am Anfang des Einakters machen unversehens einer ernüchterten Melancholie Platz, als sie ein-
sehen muss, dass die wahre, vorurteilslose Liebe, wie sie
die "süssen Mädels" aus der Vorstadt zu erleben und zu geben
gewillt sind, an ihr vorübergegangen ist:

> Gabriele   Sagen Sie ihr: 'Diese Blumen, mein ...
>   süsses Mädl, schickt dir eine Frau,
>   die vielleicht ebenso lieben kann wie du
>   und die den Mut dazu nicht hatte ...' [3]

---

1) D I   S. 46.
2) E II S. 335.
3) D I   S. 49.

V. MOTIVE DER DEKADENZ

Ist im Zusammenhang mit Schnitzlers Werk von Motiven die Rede, so verfällt man fast zwangsläufig auf Phänomene wie
Eros und Thanatos, Skeptizismus und Ironie, Illusion und
Wirklichkeit und Stimmung der Spätzeit. Gewiss, es handelt
sich dabei um die immer wieder in Novellen und Dramen be-
schworenen Themen, und Schnitzler war sich bewusst, dass er
in diesem Punkt die Angriffe der damals so bissigen Literaturkritik zu gewärtigen hatte. Sie blieben auch nicht aus;
und wie stark diese Schnitzler zugesetzt haben, lässt sich
am Kapitel "Kritik und Fälschung" ("Aphorismen und Betrachtungen aus dem Nachlass") sehr leicht ablesen. Aus diesem
Zusammenhang heraus ist daher der erste Abschnitt der
"Sprüche in Versen", "In eigener Sache", zu verstehen:

"Und klagt Ihr wieder Eure krit'sche Not,
Ich wüsste nur von Lieb' und Spiel und Tod
Das wohlvertraute Lied Euch vorzusingen -
So seid getrost: in diesen ew'gen drei'n
Ist alle Wahrheit und ihr Spiegelschein
Und Sinn und Seel von allen Erdendingen."[1]

Dass es Schnitzler mit diesem Bekenntnis ernst ist, geht aus
den Versen deutlich hervor; dass es ihm aber auch nicht an
Selbstironie fehlt, eine Satire über die "ew'gen drei" Motive zu schreiben, indem er eigene Werke wie "Der Schleier
der Beatrice" etwa oder "Der Ruf des Lebens" parodiert, beweist die einaktige Burleske "Zum grossen Wurstel".[2]

---

1) A. u. B. S. 17. Dieses kleine Gedicht hat eine Entsprechung in den "Aphorismen und Betrachtungen aus dem Nachlass" im Kapitel "Methoden", "Wiederholung der Motive":
   "Der Dichter aber, der nicht etwa ein scharf umrissenes
   Gesellschaftsbild, nicht etwa eine Gestalt, nein, der ein
   ewiges, unerschöpfliches Motiv, Liebe oder Tod, wieder-
   bringt, wird mit scheelen Augen angesehen;" ebda. S. 455 f.
2) Entstanden in den Jahren 1902 bis 1904; im Zyklus "Marionetten".

Indes, es handelt sich bei den "drei Erdendingen" in der Tat
um "ewige" Motive der Weltliteratur. Die Art und Weise aber,
wie Schnitzler die Themen variiert, darf in des Wortes
wahrstem Sinn als originell bezeichnet werden: Nur wenige
Theaterstücke und Novellen spielen nicht vor dem Hintergrund des untergehenden franzjosephinischen Oesterreich,
nur wenige handelnde Figuren gehören nicht dem Wiener Grossbürgertum, dem österreichischen Adel oder der Armee der
k. u. k. Doppelmonarchie an. Es ist der Erlebnisraum und
die Erlebniszeit Schnitzlers selbst, die, wie das Kapitel
"Arthur Schnitzler im Wien des Fin de siècle" gezeigt hat,
als dekadent zu bezeichnen sind.

Es ist Aufgabe der folgenden Abschnitte, Motive der Dekadenz im Werk Arthur Schnitzlers zu untersuchen. Von den
eingangs aufgezählten fallen Motive wie Eros und Ironie
für unsern Zusammenhang ausser Betracht[1], währenddem
Skeptizismus sehr stark in jenes der Illusion und Wirklichkeit hineinspielt. Der vorliegende Teil gründet somit auf
den Motiven Stimmung der Spätzeit, Illusion und Wirklichkeit und Verfallenheit an den Tod. Dabei wird, wie es schon
im Kapitel "Dekadente Figuren" der Fall gewesen ist, eine
gewisse gegenseitige Abhängigkeit und Verflechtung der
einzelnen Motive untereinander zutage treten. So ist beispielsweise die Grundstimmung, die das Theater wie die Novellen beherrscht, durch die Thematik der Verfallenheit an
den Tod entscheidend beeinflusst, ja die bedrückende
Atmosphäre bildet gewissermassen das Kraftfeld, in welchem
sich die Handlung vollzieht. Gerade in der Dekadenzliteratur des Wiener Fin de siècle sind Stimmungen keine Impon-
derabilien. Stärker als in den meisten andern Phasen der

---

1) Vgl. G. Just: Ironie und Sentimentalität in den erzählenden Schriften Schnitzlers. Berlin 1968.

deutschen Literatur wird Stimmung, oft eine geradezu ar-
rangierte Stimmung, hervorstechendes Motiv von Novellen und
Dramen. Aus diesem Grunde ist der Spätzeitstimmung ein
eigener Abschnitt gewidmet. Nicht anders, was das Motiv
Illusion und Wirklichkeit angeht: Hier verfliessen in
dämmeriger Herbststimmung die Konturen zwischen Traum und
Wachen, Schein und Sein, Ernst und Spiel. Wie nahe ander-
seits dieses Motiv des Verlusts der Sicherheit und des
Ueberhandnehmens von Täuschung und Illusion demjenigen der
Verfallenheit an den Tod kommt, zeigen Novellen, etwa
"Der tote Gabriel" oder "Traumnovelle", nicht weniger als
Stücke wie "Der grüne Kakadu" oder "Paracelsus".

STIMMUNG DER SPAETZEIT

Die Beschäftigung mit Schnitzlers dekadenten Figuren hat
immer wieder eine Problematik sichtbar gemacht, die als
ein determinierendes Motiv der Dekadenzliteratur des Fin
de siècle zu gelten hat: das resignative Lebensgefühl
des Schnitzlerschen Menschen. Verzagende Melancholie und
Weltschmerz dürfte bei einer Vielzahl von Schnitzlers
Figuren als hervorstechendster Wesenszug ihres Charakters
leicht nachzuweisen sein; freilich, es fehlt nicht an
Beispielen, die beweisen, dass es sich dabei oft um
nichts anderes als um eine bewusst zur Schau getragene
Attitüde handelt. Indes, ein "leichtsinniger Melancholiker" wie Anatol, ein moribundus wie Felix oder Sala, ein
gealterter Abenteurer wie der Casanova der Novelle, ein
etwas überspannter Dilettant wie Georg von Wergenthin,
eine vereinsamte Frau wie Therese Fabiani, ein Neurasthe-
niker wie Robert ("Flucht in die Finsternis"); bei ihnen
allen begegnen wir jener unverkennbar Schnitzlerschen
Atmosphäre, welche Schwermut und Apathie, anämische
Schwächlichkeit und kultivierten Ennui verbreitet. Es sind
Menschen, die in eine melancholisch-morbide Atmosphäre
der Dämmerung und Herbstlichkeit eingepasst sind, eine
Atmosphäre, mit welcher sie sich bewusst umgeben, die ihren überfeinerten Sinnen schmeichelt und in ihrem emp-
findsamen Innern reiche Resonanz findet. 'Aeussere' Stimmung,[1] die Stimmung der unmittelbaren Umgebung, und 'innere' Stimmung, die im Wesen jener Figuren angelegte Affi-

---

1) R. Lantin geht im Kapitel "Die Umwelt in der psycholo-
gischen Er-Erzählung" des nähern auf das Verhältnis
zwischen "Aussen" und "Innen" ein. R. Lantin: Traum und
Wirklichkeit in der Prosadichtung Arthur Schnitzlers.
Diss. Köln 1958, S. 121 ff. Vgl. zudem R. Plaut:
Arthur Schnitzler als Erzähler. Diss. Basel 1935, S. 64.

nität für diffizile Seelenverfassungen, durchdringen sich
gegenseitig, Ausstattung und Impression verdichten sich
vermittels Konvergenz zur eigentlich dekadenten Grundstimmung, zur Stimmung der Spätzeit.

Das Phänomen der Spätzeitlichkeit soll uns hier nur im
oben gegebenen Sinne der Dekadenz beschäftigen. W. Kohlschmidt verfolgt in seinem Aufsatz "Die Problematik der
Spätzeitlichkeit" diese Linie; er sieht die Symptome der
Spätzeitlichkeit im Gefolge der Romantik "in immer massi-
veren und immer differenzierteren Formen" auftreten:
"Vergänglichkeitsschwermut und Erinnerungswehmut, die
Langeweile der leeren Zeit, Todes- und Untergangsgenuss,
das Fühlen des Fühlens, der Ersatz des Metaphysischen
durch das Aesthetische, das Leiden an der Tradition, die
der Subjektivität ihre Arglosigkeit entzieht."[1] Für den
vorliegenden Zusammenhang kommen die Voraussetzungen für
die Spätzeitlichkeit in Schnitzlers Werk in den Kapiteln
"Begriffsgeschichte" und "Arthur Schnitzler im Wien des
Fin de siècle" zur Sprache. Sie sind in der Fülle von
politischen, sozialen und kulturellen Ereignissen und Gegebenheiten im Wien der Jahrhundertwende zu suchen, die
im wechselwirksamen Zusammenspiel jener Epoche den Stempel
der Spätzeitlichkeit aufgedrückt haben. Schnitzler lässt
dieses Wien der Spätzeit in seinem Oeuvre erstehen; kaum
eine Novelle, kaum ein Theaterstück spielt nicht im Wien
um 1900. "Der grüne Kakadu", "Der Schleier der Beatrice",
"Der blinde Geronimo und sein Bruder" und "Casanovas
Heimfahrt" nehmen sich in bezug auf Handlungsort und Hand-
lungszeit beinahe als Fremdkörper innerhalb des Gesamt-
werkes aus. Und dennoch, Stoff und Figuren fügen sich ohne

---

1) W. Kohlschmidt: Die Problematik der Spätzeitlichkeit.
   In: Spätzeiten und Spätzeitlichkeit. Bern und München
   1962, S. 17.

Schwierigkeit in die bevorzugten Themenkreise Schnitzlers
ein, und im Grunde handelt es sich gewissermassen um eine
Art Transponierung, welche die Herstellung einer Verbindung zu den 'Wiener-Stücken' und 'Wiener-Novellen der Jahrhundertwende' ohne weiteres zulässt, wenn sie sich nicht
geradezu aufdrängt.

A. Langen bemerkt in seiner "Deutschen Sprachgeschichte" im
Kapitel VII, "Vom Naturalismus bis zur Gegenwart", in bezug
auf Schnitzler und Hofmannsthal:

> "Die eigentliche Entdeckung oder Wiederentdeckung
> des Impressionismus, die Stimmung, wurde der
> Schwerpunkt der neueren österreichischen Dich-
> tung, vom Genius loci getragen, und gipfelt in
> dem Werk Arthur Schnitzlers und Hugo von Hof-
> mannsthals."[1]

Hier wird bestätigt, was Hermann Broch in seinem Essay "Hofmannsthal und seine Zeit" anmerkt: "Es (sc. Wien) war nämlich weit weniger eine Stadt der Kunst als der Dekoration
par excellence. Entsprechend seiner Dekorativität war Wien
heiter, oft schwachsinnig heiter, aber von eigentlichem Hu-
mor oder gar von Bissigkeit und Selbstironie war da wenig zu
spüren."[2] Der Sinn der Dekoration liegt im Stimmung evo-
zierenden Moment. Man erinnere sich an Anatols Worte aus
"Weihnachtseinkäufe":

> "Da dürfen Sie sich freilich nicht einen glänzenden
> Salon vorstellen, wo die schweren Portieren nie-
> derfallen - mit Makartbuketts in den Ecken, Bi-

---

1) Deutsche Philologie im Aufriss. Hrsg. von W. Stammler.
   Berlin 1966, Bd. I, Artikel von August Langen, Deutsche
   Sprachgeschichte, vom Barock bis zur Gegenwart. S. 1362.
2) H. Broch: Gesammelte Werke. Essays I. Zürich 1953-1961,
   S. 77.

belots, Leuchttürmen, mattem Samt ... und dem
affektierten Halbdunkel eines sterbenden Nachmittags."[1]

Es ist in den vorangehenden Kapiteln bereits mehrfach auf
die entscheidende Bedeutung von der über der Szenerie von
Novelle und Theater lastenden Atmosphäre hingewiesen worden.
Sie hängt wesentlich von zwei Komponenten ab, der weiteren
Umwelt - sie ist gegeben, nämlich durch die Kulisse des
Wien der sterbenden Donaumonarchie - und komplementär dazu,
die Aura Wiens gewissermassen verdichtend, von der Ausstattung und den Requisiten der näheren Umgebung. Letztgenanntes
soll im folgenden vornehmlich untersucht werden, wobei für
ersteres die Erkenntnisse des Kapitels "Arthur Schnitzler
im Wien des Fin de siècle" als wegleitend gelten.

Das Theater bietet naturgemäss einige Schwierigkeit, das
der Stimmung beigemessene Gewicht auszumachen und deren
besonderes Gepräge, wie es im Werk Schnitzlers zutage
tritt, zu studieren. Allenfalls können die teils detaillier-
ten Szenenanweisungen, welche ausdrücklich darauf angelegt
sind, einen entsprechenden Stimmungseffekt zu erzeugen,
herangezogen werden. Es gibt freilich vereinzelte Szenen,
in welchen 'Stimmung' Gesprächsgegenstand der Figuren ist.
Neben der bereits erwähnten aus dem "Anatol"-Zyklus sei auf
eine aus "Episode" näher eingegangen. Sie führt ins Zentrum
der Thematik 'Stimmung der Spätzeit'.

Max	Und worin löst sich für dich das Rätsel der Frau?
Anatol	In der Stimmung.
Max	Ah - du brauchst das Halbdunkel, deine grün-rote Ampel ... dein Klavierspiel.

---

1) D I S. 47.

Anatol   Ja, das ist's. Und das macht mir das Leben
so vielfältig und wandlungsreich, dass mir
eine Farbe die ganze Welt verändert. Was
wäre für dich, für tausend andere dieses
Mädchen gewesen mit den funkelnden Haaren;
was für euch diese Ampel, über die du
spottest! Eine Zirkusreiterin und ein rot-
grünes Glas mit einem Licht dahinter! Dann
ist freilich der Zauber weg; dann kann man
wohl leben, aber man wird nimmer was erleben. Ihr tappt hinein in irgend ein
Abenteuer, brutal, mit offenen Augen, aber
mit verschlossenem Sinn, und es bleibt
farblos für euch! Aus meiner Seele aber,
ja, aus mir heraus blitzen tausend Lichter
und Farben drüber hin, und ich kann empfinden, wo ihr nur - geniesst!

Max   Ein wahrer Zauberborn, deine 'Stimmung'.
Alle, die du liebst, tauchen darin unter
und bringen dir nun einen sonderbaren
Duft von Abenteuern und Seltsamkeit mit,
an dem du dich berauschest.

Anatol   Nimm es so, wenn du willst.

Max   Was nun aber deine Zirkusreiterin anbelangt, so wirst du mir schwerlich erklären können, dass sie unter der grün-roten
Ampel dasselbe empfinden musste wie
du.

Anatol   Aber ich musste empfinden, was sie in
meinen Armen fühlte![1]

---

1) D I S. 57.

Max spricht es aus: "Ein wahrer Zauberborn, deine 'Stimmung'";
sie erst macht Anatols Leben "vielfältig und wandlungsreich".
Anatols Hingabe an die Stimmung ist total, denn sie gründet
auf der Unfähigkeit des dekadenten Dandy, das Leben auch ausserhalb des gegenwärtig gelebten Augenblicks, in seiner Zeitlichkeit zu begreifen.[1] So wird Anatol zum Regisseur jener
eigens geschaffenen Stimmungswelt, welche, fein abgewogen,
wie eine Komposition aus einer Fülle von Sinnesreizen auf
sein Empfinden einwirkt. Die hervorgerufenen Eindrücke verlieren sich indessen nicht echolos, vielmehr "blitzen (aus
ihm heraus) tausend Lichter und Farben". Die wechselseitige
Abhängigkeit von äusserer und innerer Stimmung führt zur
"unvergesslichen Stunde", lässt ihn, getreu der Maxime An-
dreas aus Hofmannsthals "Gestern", völlig in der Stimmung
aufgehen:

> "Lass Dich von jedem Augenblicke treiben,
>   Das ist der Weg, Dir selber treu zu bleiben;
>   Der Stimmung folg, die Deiner niemals harrt,
>   Gib Dich ihr hin, so wirst Du Dich bewahren,
>   Von Ausgelebtem drohen Dir Gefahren:
>   Und Lüge wird die Wahrheit, die erstarrt!"[2]

---

1) G. Scholz meint in ihrer Dissertation,"Bewusstsein und
   Wirklichkeit" Freiburg i.B. 1971, dazu: "Als Ziel des
   Lebens gilt 'das Auskosten von Emotionen'. In dieser
   ästhetischen Weltanschauung enthüllt sich die innere
   Widersprüchlichkeit dessen, 'dem die Sehnsucht nach dem
   Leben (im Sinne des Erlebens) zur Lebensmöglichkeit wird,
   da er das Leben nicht mehr ergreifen kann'. Dieser Widerspruch kennzeichnet den dekadenten Menschen. In der be-
   wussten Hingabe Anatols an seine Stimmungen findet er
   seinen Ausdruck." S. 49. Vgl. auch R. Müller-Freienfels,
   "Das Lebensgefühl in Arthur Schnitzlers Dramen" Diss.
   Frankfurt a.M. 1957, S. 83 und S. 87.
2) H. von Hofmannsthal: Gesammelte Werke in Einzelausgaben.
   Gedichte und lyrische Dramen. Stockholm und Frankfurt a.M.
   1949-1959, S. 217.

Die Stimmung, mit welcher sich Anatol bewusst umgibt, ist
im Zitat aus "Weihnachtseinkäufe" skizziert worden. Es ist
die typische Wiener Fin de siècle-Stimmung, wie sie unverwechselbar während des ganzen Zyklus immer wieder von Anatol arrangiert wird. So braucht Max in "Episode" nur einige Requisiten aus Anatols 'Umgebung' aufzuzählen, um
Biancas Gedächtnis nachzuhelfen.

> Bianca   Anatol- ? ... Anatol ...?
> Max   Anatol - Klavier - Ampel ... so eine
>   rotgrüne ... hier in der Stadt - vor
>   drei Jahren ...
> Bianca   (sich an die Stirn greifend) Wo hatte
>   ich denn meine Augen? Anatol! (...)[1]

Die Grundstimmung des "Anatol"-Zyklus ist Melancholie, däm-
merig-verschwommene Herbstlichkeit "halben heimlichen Emp-
findens", nicht festgelegt, Improvisiertes. Kein Wunder, dass
sich in den Einaktern des Zyklus Szenenanweisungen finden
wie "Weihnachtsabend 6 Uhr. Leichter Schneefall. In den
Strassen Wiens." ("Weihnachtseinkäufe"), "Maxens Zimmer, im
ganzen dunkel gehalten, dunkelrote Tapeten, dunkelrote Portieren. (...) Im Winkel rechts ein Kamin, in welchem ein
Feuer lodert. Davor zwei niedere Lehnsessel. Zwanglos daneben gerückt ein dunkelroter Ofenschirm." ("Episode"),
"Emiliens Zimmer, mit massvoller Eleganz ausgestattet. Abenddämmerung. Das Fenster ist offen, Aussicht auf einen Park;
der Gipfel eines Baumes, kaum noch belaubt, ragt in die Fen-
steröffnung." ("Denksteine"), "Anatols Zimmer. Beginn der
Abenddämmerung. Das Zimmer ist eine Weile leer (...)"
("Agonie"). Mit Recht bemerkt E.L. Offermanns, dass "das
'schöne' Arrangement des ausgewählten Akzidentiellen offen-

---

1) D I S. 60 f.

sichtlich den (...) Zweck" hat, "den Abgrund, der durch das
Schwinden substantieller Totalität entsteht, zu verdecken."[1]
Anatol wäre nicht ein typischer Repräsentant jener Wiener
Gesellschaft der Jahrhundertwende, würde er nicht versuchen,
die Zeichen der Zeit zu vertuschen. So kann denn auch der
frivole, leichtfertige, bisweilen gar sorglos-übermütige Ton
neben dem grüblerischen, schwermütig-morbiden bestehen. Eine
Parallele zu "Der Schleier der Beatrice" scheint sich aufzu-
drängen. Hier allerdings weitet sich die Spätzeitstimmung
zum düsteren Porträt einer dem Untergang geweihten Stadt
(Beginn zweiter Akt), "als wäre morgen der jüngste Tag". Aus
der Hoffnungslosigkeit dieser die Bevölkerung erfassenden
Weltuntergangsstimmung heraus ist der dionysische Totentanz
(vierter Akt) zu verstehen. Es ist gleichsam ein letztes
Aufbäumen des Lebens vor dem Tod.

Ein weit trostloseres Bild bietet indessen die erste Szene
des vierten Aktes des Dramas "Der einsame Weg". Die Wahl
erfolgt nicht willkürlich, denn die Atmosphäre, die über dem
letzten Gespräch zwischen Stephan von Sala und Johanna
Wegrat vor deren beider Tod lastet, übertrifft an Eindring-
lichkeit und Beispielhaftigkeit für die Stimmung der Spätzeit manche andere Szene aus Schnitzlers dramatischem Werk,
ja steht Beispielen aus der Novellistik in nichts nach. Sie
enthält alles, was an Dekoration und Requisit für die Spätzeitstimmung erforderlich ist; die beiden Gesprächspartner
tragen ausserdem durch ihr Abschiednehmen voneinander und
gleichzeitig von dem Leben das ihre dazu bei.

(Garten im Hause des Herrn von Sala. (...) Eine
steinerne Bank mit Lehne halbkreisförmig, rechts
vom Teich, unter Bäumen. Rückwärts schimmert das
Gitter durch das dünn gewordene Gesträuch. Hin-

---

1) E. L. Offermanns: Anatol. Berlin 1964, S. 172.

ter dem Gitter Wald, rötlich belaubt, mässig an-
steigend. Blassblauer Herbsthimmel. Stille. - Die
Szene einige Augenblicke leer.

Von der Terrasse aus treten auf Sala und Johanna.
Johanna schwarz gekleidet, Sala in grauem Anzug,
dunklen Ueberzieher um die Schulter geworden. -
Sie gehen langsam die Treppe hinab.)

Sala   Es wird dir ein wenig kühl sein. (...)
Johanna   Weisst du, was ich mir einbilde? ...
           Dass dieser Tag heute unser Tag ist -
           uns gehört, uns ganz allein. Wir haben
           ihn gerufen, und wenn wir wollten,
           könnten wir ihn halten ... Die andern
           Menschen wohnen heute nur wie zu Gast
           in der Welt. Nicht wahr? ... Es kommt
           wohl daher, dass du einmal von diesem
           Tag gesprochen hast.
Sala   Von diesem - ?
Johanna   Ja ... als die Mutter noch lebte ...
           Und nun ist er wirklich da. Die Blätter
           sind rot, der goldene Dunst liegt über
           den Wäldern, der Himmel ist blass und
           fern, - und der Tag ist noch viel
           schöner und trauriger, als ich ihn je
           hätte ahnen können. Und ich erlebe ihn
           in deinem Garten und spiegle mich in
           deinem Teich. (Sie steht dort und blickt
           hinab.) Und doch werden wir ihn so wenig
           halten können, diesen goldenen Tag, als
           das Wasser hier mein Bild behalten wird,
           wenn ich gehe.

Sala   Sonderbar, in dieser klaren, lauen Luft
weht doch schon eine Ahnung von Winter und
Schnee.

Johanna   Was kümmert's dich? Wenn diese Ahnung
hier Wahrheit wird, bist zu längst in
einem andern Frühling.[1]

Abgeschlossen von der Gesellschaft - symbolisiert durch ein
den Park einfriedendes Gitter - erkennen zwei auf sich selbst
zurückgeworfene Menschen, dass der Tag angebrochen ist, der
das Ende ankündigt. Alles um sie herum, "das dünn gewordene
Gesträuch", der "rötlich belaubte" Wald, der "blassblaue
Herbsthimmel", die "Stille", deutet auf Spätzeit, auf Ueberreife hin. Sie atmen den Duft des Zerfalls; was sie umgibt,
sind die Farben und Gerüche der Dekadenz. Und Johanna und
Sala lassen sich mühelos in die melancholische Herbstland-
schaft einpassen: Johanna neigt zu Schwermut und Hypochondrie, und auch Sala, vom Tode gezeichnet, verfügt kaum über
"höhere Vitalkraft".[2] Augenfällig konvergieren hier äussere
und innere Stimmung. Johanna weiss um den hoffnungslosen Ge-
sundheitszustand Salas und ist aus Liebe zu ihm entschlossen, freiwillig aus dem Leben zu scheiden. Von ihr gehen die
Stimmungsimpulse aus, sie beschwört das trostlose Stimmungsbild: "Die Blätter sind rot, der goldene Dunst liegt über
den Wäldern, der Himmel ist blass und fern - ". Sie trägt
schwarze Kleider, während Sala, dem erst gegen Schluss der
Szene die Augen über die Natur seiner Krankheit aufgehen, in
grauem Anzug erscheint. Seinen Tod sieht Johanna in unmittelbarer Nähe; Sala dagegen ist ahnungslos und trägt sich mit
dem Gedanken, eine Reise in den Orient zu unternehmen. Aus

---

1) D I S. 814.
2) Vgl. Briefwechsel Schnitzlers mit Hofmannsthal, Frankfurt
   a.M. 1964, S. 171.

dieser Situation heraus muss Johannas Bemerkung verstanden
werden: "Was kümmert's dich? Wenn diese Ahnung hier Wahrheit
wird, bist du längst in einem andern Frühling". Zukunftslos
und damit hoffnungslos trennen sich hier die Wege der beiden; sie führen in die Einsamkeit des Todes. Darauf gründet
die Spätzeitstimmung des ersten mehraktigen Gesellschafts-
dramas Schnitzlers "Der einsame Weg", und von hier aus lässt
sich ein Bogen zu "Sterben", zu "Die Toten schweigen", zu
"Casanovas Heimfahrt", zu "Traumnovelle" und damit zur Novellistik schlagen.

Ausgehend von der zitierten Szene aus "Der einsame Weg" ergibt sich eine Fülle von Anknüpfungspunkten zur Prosaepik,
namentlich zu einer der ersten bedeutenden Novellen Schnitzlers, zu "Sterben". Hinsichtlich Stoff kommen sich "Der
einsame Weg" und "Sterben" ziemlich nahe; die Ausgangslage
ist im wesentlichen dieselbe, allerdings entwickelt sich
die Novelle am Schluss in entgegengesetzter Richtung.[1]

Der Anfang der Novelle fällt bezeichnenderweise in den Frühling: "(...) und das abendliche Strassenleben schwirrte heiter um sie. Es schien über der Stadt etwas von dem allgemeinen unbewussten Glücke zu liegen, das der Frühling über sie
zu breiten pflegt."[2] Allein, das vorerst beinahe idyllisch
anmutende Stimmungsbild ist nicht ungetrübt. Das Gespräch
der beiden Liebenden ist von einer dunklen Ahnung überschat-
tet, welche sich alsbald bestätigen soll. Die Szenerie
nimmt den Verlauf der Novelle gleichsam vorweg:

---

1) Die Novelle "Sterben" ist im Kapitel "Verfallenheit an
   den Tod" Gegenstand einer eingehenden Untersuchung, in
   welcher auch die 'Stimmung' zur Sprache kommt.
2) E I S. 98.

"Sie waren im Prater. Dort die erste Allee, die
vom Hauptwege abbog und beinahe ganz im Dunkeln
verschwand, führte zu ihrem Ziele. Dort stand
das einfache Wirtshaus; der grosse Garten war
kaum erleuchtet, die Tische standen ungedeckt da,
die Sessel lehnten an ihnen. Daneben in den
kugeligen Laternen auf den schlanken, grünen
Pfählen flackerten trübrote Lichter. (...) Sie
setzten sich in eine Ecke, in der es recht
dämmerig und traulich war, und rückten ihre
Sessel ganz nahe zusammen. Sie bestellten etwas zu essen und zu trinken, ohne lange zu
wählen, und waren nun allein. Nur vom Eingange
her blinkten die trübroten Laternenlichter.
Auch die Ecken des Saales verschwammen im
Halbdunkel."[1)]

Die hier beschriebene Stimmung unterscheidet sich kaum von der
oben zitierten aus "Der einsame Weg". Es ist gleichermassen
die Stimmung der Spätzeit, wehmütig, düster, nicht ohne einen
Hauch von Feierlichkeit, der Feierlichkeit nämlich, welche
einer entscheidenden Wende unmittelbar vorangeht: Es ist das
Geständnis von Felix, nur noch kurze Zeit zu leben zu haben.
Von hier weg setzt ein weithin sichtbarer Zerfallsprozess ein,
wie er eindrücklicher wohl nur im späten Roman "Therese. Chro-
nik eines Frauenlebens" (1928) in Erscheinung tritt. Beglei-
tet wird dieses Dahinserben Felix' von immer trostloseren
Stimmungsbildern, die zwar bisweilen, insbesondere während des
Sommeraufenthaltes in einer abgeschiedenen Berggegend, von
Bildern "wunderbaren Friede(ns)" unterbrochen werden. Mit dem
Nahen des Herbstes indessen löst eine Krise die andere ab.
Auf der Fahrt nach Meran wird ein vorläufiger Höhepunkt er-

_____

1) E I S. 100.

reicht, dessen Prolog sich in einer geradezu gespenstischen
Atmosphäre abspielt:

"Marie schrak plötzlich aus dem Schlaf auf, in den
sie versunken war. Sie sah um sich, es war fast
ganz dunkel. Der Schleier war über die Lampe gezogen, die oben glimmte, und so ergoss sich nur ein
mattgrünlicher Schimmer ins Kupee. Und draussen
vor den Fenstern Nacht, Nacht! Es war, als führen
sie durch einen langen Tunnel. (...) Allmählich
gewöhnte sie sich an das matte Licht, und nun
konnte sie wieder die Gesichtszüge des Kranken
ausnehmen. Er schien ganz ruhig zu schlafen, lag
unbeweglich dort. Plötzlich seufzte er tief, un-
heimlich, klagend. Ihr klopfte das Herz. (...) Er
schlief ja nicht. Mit weit, weit offenen Augen
lag er da, ganz deutlich konnte sie's nun sehen.
Sie hatte Angst vor diesen Augen, welche ins
Leere, ins Weite, ins Dunkle starrten."[1]

Das Ende steht unmittelbar bevor. Beim Einsetzen der Agonie
wechselt die Erzählperspektive mit einem Male zu Felix. Sein
Todeskampf gleicht teilweise bis ins Detail demjenigen Elses
("Fräulein Else"), mit dem Unterschied allerdings, dass er
nicht in innerem Monolog gehalten ist. Es dominieren nicht
mehr die Farben der Dämmerung und des Halbdunkels, die sanften Formen der Landschaft mit leicht ansteigenden Hügeln,
die ruhende Natur eines warmen Sommerabends, sondern kaltes
Blau, fiebrige Schwüle, verzerrte Dimensionen und ein dro-
hender Abgrund:

---

1) E I S. 161 f.

"Da lag der Garten und drüber der bläuliche Glanz
der schwülen Nacht. Wie sie flimmerte und
schwirrte! Wie die Gräser und Bäume tanzten! Oh,
das war ein Frühling, der ihn gesund machen
sollte. Diese Luft, diese Luft! Wenn immer solche
Luft um ihn wehte, musste es wohl eine Genesung
geben. Ah! dort! was war dort? Und er sah vom
Gitter her, das tief in einem Abgrund zu liegen
schien, eine weibliche Gestalt kommen, über den
weissen, schimmernden Kiesweg, vom bläulichen
Glanze des Mondes umhaucht. Wie sie schwebte,
wie sie flog, und kam doch nicht näher! Marie!
Marie! Und gleich hinter ihr ein Mann. Ein Mann
mit Marie - ungeheuer gross -. Nun begann das
Gitter zu tanzen und tanzte ihnen nach, und der
schwarze Himmel dahinter auch, und alles, alles
tanzte ihnen nach. Und ein Tönen und Klingen
und Singen kam von ferne, so schön, so schön.
Und es wurde dunkel. -"[1]

Aehnliches lässt sich von der wenig später entstandenen Novelle "Die Toten schweigen" (1897) sagen.

Die Szenerie des tragischen Unglücksfalles an der Donau[2] wird
von eben jener Kälte des Todes beherrscht, die beinahe dreissig Jahre später in der "Traumnovelle" (1926) beim grauen-
vollen Wiedersehen mit der rätselhaften Unbekannten in der
Leichenkammer des Pathologisch-anatomischen Instituts, um eine Spur gesteigert, Fridolin "jählings zur Besinnung" kommen
lässt. Diese Stimmung des Todes, vor dessen Schrecklichkeit

---

1) E I S. 174.
2) E I S. 299.

die Umstehenden entsetzt davonstürzen, steht am Ende der Spätzeit, ist deren Finale. Zur eigentlichen Ablösung und zum
Uebergang kommt es allerdings meist nur andeutungsweise, denn
hier enden Schnitzlers Stücke und Novellen abrupt ("Sterben", "Fräulein Else"), oder sie wenden sich den vor dem Tode
Fliehenden zu ("Die Toten schweigen", "Traumnovelle").[1] Doch
sind wir hier in der Darstellung der Stimmung der Spätzeit
vorausgeeilt. Die erwähnte "Traumnovelle" bietet sich an, in
bezug auf das hier untersuchte Phänomen 'Stimmung der Spätzeit' einige Ueberlegungen anzustellen; denn vom Stoff her
führt die Erzählung in Grenzbereiche menschlicher Existenz,
die zwangsläufig die vorliegende Problematik betreffen. Ausserdem wird ein Aspekt des Schnitzlerschen Oeuvres einbezogen, der nicht ausser acht gelassen werden darf: das Erotische. Dieser charakteristischen Seite von Schnitzlers Schaffen kommt in der Beurteilung der besondern Atmosphäre, die
auf dem Geschehen der "Traumnovelle" lastet, einiges Gewicht
zu. Allein die Szene, welche die Ankunft Fridolins in der
geheimnisvollen Villa des Geheimbundes schildert, vermag einen ungefähren Eindruck über das vollendet verdichtete
Stimmungsbild der Spätzeit zu vermitteln:

> "Die Wagen, die dem seinen gefolgt waren, kamen an-
> gefahren. Aus dem ersten sah Fridolin eine ver-
> hüllte Frauengestalt steigen; dann trat er in den
> Garten, nahm die Larve vor, ein schmaler, vom Hau-
> se her beleuchteter Pfad führte bis zum Tor, zwei
> Flügel sprangen auf, und Fridolin befand sich in
> einer schmalen weissen Vorhalle. Harmoniumklänge
> tönten ihm entgegen, zwei Diener in dunkler
> Livree, die Gesichter grau verlarvt, standen rechts
> und links.

---

[1] Im Kapitel "Verfallenheit an den Tod" wird auf den hier
angedeuteten Zwiespalt von 'Sterben' und 'Tod' im Werk
Schnitzlers des nähern eingegangen.

'Parole?' umflüsterte es ihn zweistimmig. Und er
erwiderte: 'Dänemark'. (...) Fridolin trat in
einen dämmerigen, fast dunklen hohen Saal, der
ringsum von schwarzer Seide umhangen war. Masken,
durchaus in geistlicher Tracht, schritten auf
und ab, sechzehn bis zwanzig Personen, Mönche
und Nonnen. (...) Ein Mönch streifte seinen Arm
und nickte einen Gruss; doch hinter der Maske
bohrte sich ein Blick, eine Sekunde lang, tief
in Fridolins Augen. Ein fremdartiger, schwüler
Wohlgeruch, wie von südländischen Gärten, umfing
ihn. Wieder streifte ihn ein Arm. Diesmal war
es der einer Nonne. Wie die andern hatte auch
sie um Stirn, Haupt und Nacken einen schwarzen
Schleier geschlungen, unter den schwarzen Sei-
denspitzen der Larve leuchtete ein blutroter
Mund. Wo bin ich? dachte Fridolin. Unter Irr-
sinnigen? Unter Verschwörern?"[1]

Die Szene bildet den Auftakt zu einem sonderbaren Treiben mit
totentanzähnlichen Zügen: aufreizende Musik, die nackten
Leiber der Nonnen mit verhülltem Gesicht, ein dämmeriger Saal
und unvermittelt auftretende festlich gekleidete Kavaliere,
kurz, eine Atmosphäre, die Fridolin "fast die Sinne umne-
belt":

"Fridolin war wie trunken, nicht nur von ihr, ihrem duftenden Leib, ihrem rotglühenden Mund,
nicht nur von der Atmosphäre dieses Raumes, den
wollüstigen Geheimnissen, die ihn hier umgaben;
- er war berauscht und durstig zugleich von all
den Erlebnissen dieser Nacht, deren keines ei-

---

1) E II S. 463.

nen Abschluss gehabt hatte; von sich selbst, von
seiner Kühnheit, von der Wandlung, die er in sich
spürte."[1]

Was das Besondere am Gepräge dieser Atmosphäre in der abgele-
genen Villa ausmacht, ist die unmittelbare Nachbarschaft von
Eros und Thanatos, der Kontrast zwischen sexueller Ausschwei-
fung und keuscher Mönchskleidung, zwischen Sinnenrausch und
Harmoniumsmusik und das Eintauchen des Ganzen in völlige Ano-
nymität. Mit dieser an schwarze Messen erinnernden Mischung
von Laster und rituell-religiösen Handlungen wird eine Steigerung der Reizwirkung erreicht. Es entsteht eine Stimmungswelt, die alles vereinigt, was mit Spätzeitstimmung zusammenhängt und die durch die Anleihen aus Bereichen des Uebersinnlichen, durch das Durcheinanderwirbeln von Grauen und
Ekstase die Szene des vierten Aktes von "Der Schleier der
Beatrice" an Eindrücklichkeit übertrifft. Noch ist aber der
Höhepunkt nicht erreicht. Kontrapunktisch zu Fridolins Erlebnis steht Albertines Traum. Durch keine Grenzen mehr ein-
geengt, welche sich der Glaubwürdigkeit der Darstellung von
realiter Erlebbarem zwangsläufig in den Weg stellen würden,
gelingt Schnitzler die Wiedergabe eines Traumgeschehens mit
phantastischen, ja wahrhaft apokalyptischen Zügen. Dieselben
Motive kehren wieder, allerdings um vieles verzerrter, ins
schier Unerträgliche übersteigert, wie etwa die Karikatur
der Passion Christi (die Geisselung, die Zurschaustellung vor
dem Volke oder der Kreuzweg Fridolins). Auch der Traum Albertines "steht im Zeichen von Lust und Tod",[2] vermischt
Sakrales mit sexueller Perversion. Es ist die Stimmung der
Spätzeit, die im Traum durch die ungezügelte Einbildungskraft
Albertines zur monströsen blasphemischen Phantasmagorie, zur
erschreckenden Weltuntergangsvision entstellt wird.

---

1) E II S. 466 f.
2) W. H. Rey: Arthur Schnitzler. Die späte Prosa als Gipfel
   seines Schaffens. Berlin 1968, S. 110 f.

"Plötzlich aber, immer noch mit gefesselten Händen,
doch in einen schwarzen Mantel gehüllt, standest
du ihr gegenüber, nicht etwa in einem Gemach, sondern irgendwie in freier Luft, schwebend gleichsam. Sie hielt ein Pergamentblatt in der Hand,
dein Todesurteil, (...) Du schütteltest vernei-
nend den Kopf. (...) Da zuckte die Fürstin die
Achseln, winkte ins Leere, und da befandest du
dich plötzlich in einem unterirdischen Kellerraum,
und Peitschen sausten auf dich nieder, ohne dass
ich die Leute sah, die die Peitsche schwangen.
Das Blut floss wie in Bächen an dir herab, (...)
Nun trat die Fürstin auf dich zu. Ihre Haare waren aufgelöst, flossen um ihren nackten Leib, das
Diadem hielt sie in beiden Händen dir entgegen -
(...) Und da du wieder ablehntest, war sie plötzlich verschwunden, ich aber sah zugleich, wie man
ein Kreuz für dich aufrichtete; -"[1]

Zweifellos werden hier die Grenzen dessen erreicht, was noch
mit 'Stimmung der Spätzeit' umschrieben werden kann, ja
Schnitzler geht in der "Traumnovelle" stellenweise über das
bis anhin mit 'verfeinerter Dekadenz' bezeichnete hinaus und
unterscheidet sich kaum noch von den "poètes maudits". Wenn
auch die eigentliche Apotheose, die Kreuzigung Fridolins,
ausgespart bleibt, sind Anklänge an Baudelaire, an die décadents des endenden 19. Jahrhunderts überhaupt, nicht zu
übersehen.[2]

Abschliessend sei noch einmal auf eine Szene eingegangen, die
bereits im Kapitel "Der gealterte Abenteurer" Gegenstand ei-

---

1) E II S. 479 f.
2) Natürlich bietet Albertines Traum einen schier unerschöpf-
   lichen Materialreichtum für Untersuchungen, die an der
   Psychoanalyse orientiert sind.

niger Erörterungen zur vorliegenden Thematik gewesen ist,
nämlich die Klosterszene aus "Casanovas Heimfahrt". Wiederum
spielt das erotische Moment eine entscheidende Rolle. Kaum
eine andere Stelle in Schnitzlers prosaepischem Werk kann
im selben Masse als typisch für die dekadent-impressioni-
stische Stimmung der Spätzeit bezeichnet werden. Die Kulisse des alten Frauenklosters mit dem "ganz verwachsenen,
dunkelgrünen Garten", die tiefverschleierten Nonnen, die im
gealterten Liebesabenteurer Erinnerungen "unvergesslich(er)
Stunden" aufsteigen lassen und die Anwesenheit der schönen
Marcolina geben die Szenerie her für den "grossen Abschied"
Casanovas. Zuvor aber glaubt er für Augenblicke noch einmal
jene Atmosphäre der Exuberanz, der frischen Spannkraft, die
Glut und den Zauber des Eros zu atmen; indes, es ist der
Duft der Ueberreife, der Spätzeit, der sich schwer auf sein
Gemüt legt.

"Im Gegensatz zu jenem äusseren verwilderten schien
er mit besonderer Sorgfalt gepflegt, und die vielen
reichen sonnbeglänzten Beete spielten in wundersamen
aufgeglühten und verklingenden Farben. Den heissen,
fast betäubenden Düften aber,die den Blütenkelchen
entströmten, schien ein ganz besonders geheimnisvoller beigemischt, für den Casanova in seiner Erinnerung keinen Vergleich zu finden wusste. Doch
wie er eben zu Marcolina hiervon ein Wort sagen
wollte, merkte er, dass dieser geheimnisvolle, herz-
und sinnerregende Duft von ihr selber ausging, die
den Schal, den sie bisher über den Schultern getragen, über den Arm gelegt hatte, so dass aus dem
Ausschnitt ihrer nun loser gewordenen Gewandung
aufsteigend der Duft ihres Leibes sich dem der hun-
derttausend Blumen wie ein von Natur verwandter
und doch eigentümlicher beigesellte."[1]

---

1) E II S. 281.

In diesem Augenblick dringt das Rufen seines Namens, wie er
glaubt "zum erstenmal mit dem vollen Klang der Liebe an sein
Herz", doch dieser Schrei bedeutet für Casanova nicht Neube-
ginn, sondern "Abschied".

Die Synästhesie der Sinnesempfindungen erreicht in dieser
Szene einen hohen Verdichtungsgrad. Optische und akustische
Eindrücke sowie solche des Geruchsinns finden sich zu einem
berauschenden, aber gleichzeitig auch beklemmenden Zusammenspiel. Casanova fühlt sich anfangs von den Impressionen be-
tört und erregt, umso brutaler folgt die Ernüchterung beim
Innewerden des wahren Charakters dieser Reize. Für Minuten
befällt ihn eine abgrundtiefe Schwermut, die ihn erst auf der
Fahrt nach dem Gut Olivos allmählich verlässt. Der Eindruck
eines kraftvollen Aufflackerns der Lebensgeister in Casanova
erweist sich als Chimäre; denn, was die Stimmung im Kloster-
garten verbreitet, ist die betäubende Schwüle der Ueberreife,
des nahenden Endes, der Spätzeit. Casanova ist gealtert, er
befindet sich auf der demütigenden Heimfahrt nach Venedig:
"Casanova aber folgte als letzter, mit geneigtem Haupt, wie
von einem grossen Abschied. -"

Melancholie, Schwermut, Synästhesie der Impressionen, Ueberreife, Weltschmerz und Todesverfallenheit, hierin gründet im
wesentlichen die Stimmung der Spätzeit. Es kommt indessen ein
Element hinzu, von dem hier mehrfach die Rede gewesen ist und
dessen Problematik im vorliegenden Zusammenhang zum Schluss
noch einmal kurz aufgegriffen werden soll: die Konvergenz
äusserer und innerer Stimmung. Es handelt sich dabei ganz offensichtlich um das Prinzip impressionistischer Stimmungs-
arrangements schlechthin,und hier muss sich die grundsätzliche
Frage nach der Grenzlinie, die zwischen 'Impressionismus' und
'Dekadenz' verläuft, notgedrungen erneut stellen. Es liegt
auf der Hand, dass schon die Bereitschaft, Sinnenreize auf

sich wirken zu lassen, den Keim der Dekadenz in sich bergen kann,
denn es ist ja gerade die Verfeinerung der Sensibilität,
welche gewissermassen die Voraussetzung für die Zuordnung
zur Dekadenz des Fin de siècle bildet. Was aber entscheidend
ist, liegt in dem, was hier mit 'wechselwirksam' und 'Requisit' bezeichnet wird. Der décadent ist bestrebt, der Intensität und dem Raffinement der äusseren Stimmung nachzuhelfen; es geht ihm eben nicht allein um Rezeption der
Stimmung, sondern ebenso sehr um das Stimmung fördernde Arrangement, welches seiner Seelenverfassung entspricht. Da
nun das Lebensgefühl dieser dekadenten Figuren, wie das vor-
angegangene Kapitel gezeigt hat, von Resignation und Melancholie beherrscht wird, ergibt sich jene hier dargelegte
Welt der zarten Trauer, der Herbstlichkeit, des Abschieds,
die Atmosphäre, welche wir mit Stimmung der Spätzeit bezeichnen. Ein Gedicht Schnitzlers aus dem Jahre 1889 mag
diese Stimmung der Spätzeit nochmals veranschaulichen; es
soll den Abschnitt beschliessen:

"Nun wollen wir uns endlich sagen,
Dass uns der schönste Tag verrinnt,
Dass wir die schlimmsten Qualen tragen,
Und dass wir todesmüde sind.

Hat uns die Sonne müd gemacht
Mit ihrem gleissend hellen Scheinen?
O komm, du wunderstille Nacht,
Da wollen wir im Dunkeln weinen!"[1]

---

1) A. Schnitzler: Frühe Gedichte. Herausgegeben und eingeleitet von H. Lederer, Berlin 1969, S. 56.

ILLUSION UND WIRKLICHKEIT

Kaum ein Stück Schnitzlers scheint auf den ersten Blick so
sehr aus dem Rahmen des Gesamtoeuvres zu fallen wie die
Groteske "Der grüne Kakadu". Zeit und Ort passen ebensowenig
ins traditionelle Schnitzler-Bild wie der äussere Handlungsablauf. Aehnliches lässt sich von dem ein Jahr zuvor entstandenen Versspiel in einem Akt "Paracelsus" sagen. Und
doch, beide Stücke sind von der Thematik her unverwechselbar
'schnitzlerisch': zerfliessende Konturen zwischen Sein und
Schein, Wahrheit und Lüge, Ernst und Spiel; Auflösung der
Wirklichkeit ins Unbestimmte, Unsichere. Schnitzler selbst
bekennt in seiner Autobiographie "Jugend in Wien", "sich an
eine Vorstellung der Gounodschen 'Margarethe' im alten
Kärntnertortheater" erinnernd:

> "Ja, dieses kleine Erlebnis mag in all seiner Ge-
> ringfügigkeit das Seine zu der Entwicklung jenes
> Grundmotivs vom Ineinanderfliessen von Ernst und
> Spiel, Leben und Komödie, Wahrheit und Lüge bei-
> getragen haben, das mich immer wieder, auch jen-
> seits alles Theaters und aller Theaterei, ja
> über alle Kunst hinaus, bewegt und beschäftigt
> hat."[1]

In der Tat ist dieses "Grundmotiv" Gegenstand zahlreicher
Studien, und man findet wohl kaum eine Schnitzler-Untersu-
chung, in welcher nicht auf diese Tatsache zumindest hingewiesen wird.[2] Das grosse Thema von Sein und Schein, wel-

---

1) A. Schnitzler: Jugend in Wien. Wien 1968, S. 28.
2) Eine der besten Untersuchungen über dieses Thema dürfte
   die Dissertation Christa Melchingers sein: Illusion und
   Wirklichkeit im dramatischen Werk Arthur Schnitzlers.
   Heidelberg 1968.

ches nahezu in sämtliche Stücke und Novellen hineinspielt,
muss als typisch wienerisch bezeichnet werden, stellt man es
in den im Kapitel "Arthur Schnitzler im Wien des Fin de
siècle" dargelegten Zusammenhang, dessen Variierung in "Der
grüne Kakadu" und "Paracelsus" ist ausgesprochen modellhaft.
Insbesondere die Revolutionsgroteske "Der grüne Kakadu", die
vom Abend des 14. Juli 1789 handelt, an einem Wendepunkt der
Geschichte von grosser Tragweite also, wo im Ringen um Tradition und Revolution noch keine Entscheidung gefallen ist,
wo alles in Fluss gerät, muss eine ideale Kulisse für jene
von Schnitzler bevorzugte Thematik abgeben, ja als kritische
Vorwegnahme dienen von Ereignissen, die sich in der k. u. k.
Monarchie um 1900 anbahnen.[1] Vieles ist verzerrt, übersteigert, eben grotesk,[2] dadurch aber umso unzweideutiger und
exemplarischer. Was sich in der Spelunke Prospères am Tag
des Sturmes auf die Bastille abspielt, ist nicht in erster
Linie das auf ein verkleinertes Format reduzierte Revolu-
tionsgeschehen, gewissermassen, um das Ereignis 'Französische
Revolution' für die Bühne einzufangen und in den Griff zu bekommen. Schnitzler geht es nicht eigentlich um die Darstellung eines Umsturzes und schon gar nicht um eine Verherrli-
chung der Revolution oder deren Promotoren. "Der grüne Kakadu" ist kein Revolutionsstück wie Büchners "Dantons Tod";

---

1) Es sei darauf verwiesen, dass "Der grüne Kakadu" im August
   1898 von der Berliner Zensur verboten worden war. Vgl.
   A. Schnitzler - O. Brahm. Der Briefwechsel. Berlin 1963,
   S. 84. Am Burgtheater fand die Uraufführung am 1. März
   1899 statt, der Einakter wurde aber bereits nach der dritten Aufführung durch ein Eingreifen des Hofes vom Spielplan abgesetzt. Näheres dazu in: O. P. Schinnerer: The
   suppression of Schnitzler's 'Der grüne Kakadu' by the Burgtheater. In: Germanic Review 6, 1931, S. 183-192.
2) Wolfgang Kayser bezweifelt zwar, dass der Gattungsbegriff
   'Groteske' für Schnitzlers "Der grüne Kakadu" zutreffend
   sei. Vgl. dazu: W. Kayser: Das Groteske. Seine Gestaltung
   in Malerei und Dichtung. Oldenburg 1957, S. 144 und
   S. 193 f.

dafür sind Schnitzlers Figuren viel zu schwächlich, heruntergekommen und verderbt.[1] Die Wahl dieser Kulisse hat nur den
einen Grund: Zeiten fundamentaler Veränderungen und Umwälzungen bringen es unausbleiblich mit sich, dass, durch das
Sich-Ueberstürzen der Ereignisse und durch den Uebergang von
einem Endzustand zu einer noch nicht geborenen Neuzeit, jener tückische Grund sich bildet, wo die Grenzen zwischen
Wahrheit und Trugbild, Wirklichkeit und Illusion verfliess-
sen. Eine Welt entsteht, aus welcher jede Sicherheit schwin-
det, eine Welt der Unbestimmtheit und Unbestimmbarkeit. Der
feste Boden der Wirklichkeit befindet sich in Auflösung und
macht einer unheilvollen Ungewissheit Platz. Nichts scheint
mehr verlässlich, selbst dem mit den Sinnen Wahrgenommenen,
ja sogar den eigenen Gefühlen misstraut man. Es ist der Zerfall der realitätsbezogenen Lebensäusserungen und das Abgleiten ins Vage, ins Zwischenreich von Wahrheit und Lüge,
Wirklichkeit und Illusion, und damit ebenso symptomatisch für
die Dekadenz wie die allgemeine Lebensschwachheit und Ueber-
steigerung der Gefühle der décadents.

Eine kurze Skizzierung des Handlungsablaufes von "Der grüne
Kakadu", erweitert mit ein paar eigens angeführten, besonders typischen Zitaten, soll Aufschluss darüber geben, auf
welche Weise die geschilderte Thematik in diesem Stück zur
Darstellung gelangt.

In Prosperes Kneipe findet sich allabendlich eine Gruppe Adeliger ein, um absonderlichen kabarettistischen Darbietungen
zu folgen: Verkommene Schauspieler, Gauner und Dirnen mi-
schen sich unter die Gäste, halten aufrührerische Reden, be-

---

1) Im übrigen sprechen auch die Rufe "Es lebe die Freiheit",
   "Es lebe Henri" dagegen, da sie auf einem Irrtum beruhen.
   Henri ersticht den Herzog keineswegs als Patriot oder Re-
   volutionär, sondern aus Eifersucht.

schimpfen Grafen und Herzöge, berichten über angeblich began-
gene Verbrechen. Die Schauspieler von Prospères bunt zusam-
mengewürfelter Truppe lassen, begünstigt durch die politischen
Ereignisse jener Tage, mit flammenden Tiraden ihrem Hass gegen die herrschende Klasse, die Aristokraten, freien Lauf.
Diese halten das Ganze für ein harmloses Spiel und ergötzen
sich an Zoten und Beschimpfungen und "haben den angenehmen
Kitzel, unter dem gefährlichsten Gesindel von Paris zu sit-
zen - unter Gaunern, Einbrechern, Mördern - und - ".[1] In
Tat und Wahrheit ist es den Schauspielern und Prospère bitter
ernst; was sie den Gästen der Schenke ins Gesicht schreien,
ist Ausdruck innerster Ueberzeugung:

> Wirt   (...) Es macht mir Vergnügen genug, den
>   Kerlen meine Meinung ins Gesicht sagen zu
>   können und sie zu beschimpfen nach Her-
>   zenslust - während sie es für Scherz hal-
>   ten. Es ist auch eine Art, seine Wut los
>   zu werden. [2]

Aber auch Verstellung in entgegengesetzter Richtung wird er-
probt, um den Eindruck zu bestätigen, es handle sich im Grunde
nur um ein Spiel. Georgette tritt auf, "wie eine Dirne nied-
rigsten Rangs gekleidet"[3], dabei ist sie die einzige Frau
unter den Anwesenden, auf welche diese Bezeichnung nicht zu-
trifft. Dasselbe gilt für Maurice und Etienne, die als junge
Adelige auftreten, während man merkt, "dass sie nur in ver-
schlissenen Theaterkostümen stecken".[4] Sehr richtig meint
C. Melchinger in diesem Zusammenhang:

---

1) D I S. 518 f.
2) D I S. 519.
3) D I S. 541.
4) D I S. 543.

"Das Schauspiel ist dadurch definiert, dass der Realität des Spiels die Irrealität der Handlung gegen-
übersteht. Der gleiche Tatbestand gilt für das
Spiel im Spiel, (...) Er gilt jedoch nicht für die
Komödie im "Grünen Kakadu". Sie leugnet die wich-
tigste Voraussetzung des Spiels, dass nämlich die
Handlung 'nicht so gemeint', das heisst Fiktion,
Erfindung sei. Die Schauspieler der Truppe Prospères 'meinen' vielmehr jedes Wort, das sie an ihr
Publikum richten, wörtlich. Ihr Spiel ist eine Tar-
nung, ihre Masken sind Masken, ihre Rollen Rollen,
die Täuschung ist Täuschung. Realitäts- und Spiel-
ebenen werden vertauscht. Das Dargestellte ist
wirklich, das Spiel Fiktion."[1]

Bezeichnenderweise ist es ein junger Edelmann aus der Provinz,
Albin Chevalier de la Tremouille, der in seiner naiven Unbe-
fangenheit instinktiv fühlt, dass die von den übrigen Gästen
als blosse Parodie auf die Revolution aufgefassten Reden für
Wahrheiten gehalten werden müssten und dass die Grenzen zwischen Spiel und Ernst immer mehr verwischt werden: "Ist das
eine von denen, die spielt oder ... ich kenn mich gar nicht
aus."[2] Der Dichter Rollin dagegen, der in Begleitung des
Marquis von Lansac und dessen Frau Séverine in den 'Grünen Kakadu' gekommen ist, vermeint das Spiel zu durchschauen:

Albin (zu Rollin) Sagen Sie mir, Herr Rollin,
        spielt die Marquise oder ist sie wirklich
        so - ich kenne mich absolut nicht aus.
Rollin Sein ... spielen ... kennen Sie den Unter-
        schied so genau, Chevalier?
Albin Immerhin.
Rollin Ich nicht. Und was ich hier so eigentüm-
        lich finde, ist, dass alle scheinbaren
        Unterschiede sozusagen aufgehoben sind.

---

1) op. cit. S. 118.
2) D I S. 539.

Wirklichkeit geht in Spiel über - Spiel
in Wirklichkeit. Sehen Sie doch einmal die
Marquise an. Wie sie mit diesen Geschöpfen
plaudert, als wären sie ihresgleichen. Dabei ist sie ....[1]

Was sich im folgenden abspielt, gleicht einem immer undurch-
dringlicher werdenden Dickicht von Lüge und Wahrheit, einem
chaotischen Durcheinanderwirbeln von Spiel und Ernst. Die
Handlung in der Kneipe konvergiert dabei genau mit den politischen Ereignissen im Paris des 14. Juli 1789: Das Gefühl
der Unsicherheit dominiert.

Schon ganz zu Anfang des Stücks ist Prospère erstaunt darüber,
dass Grain tatsächlich ein zerlumpter Strolch ist:

>Wirt   Also keinen Scherz, nimm die Perücke ab,
>   ich möchte doch wissen, wer du bist. (Er
>   reisst ihn an den Haaren.)
>Grain   O weh!
>Wirt   Das ist ja echt - Donnerwetter ... wer
>   sind Sie? ... Sie scheinen ja ein wirk-
>   licher Strolch zu sein?
>Grain   Jawohl.[2]

Belege dieser Skepsis der Wirklichkeit gegenüber finden sich
in zahlreichen Szenen der Groteske. Mit dem Fortschreiten
der Handlung beginnen nämlich auch die habitués des 'Grünen
Kakadu' unsicher zu werden. Aus dem anfänglichen "ich kenne
mich absolut nicht aus" Albins entwickelt sich zusehends
allgemeines Missbehagen, eine um sich greifende tiefe Skepsis

---

1) D I S. 541.
2) D I S. 522.

und Ungewissheit. Selbst der Wirt sieht sich beim Auftritt
Henris irritiert; die Szenenanweisung lautet: "Der Wirt
sieht ihn an, hat in diesem Augenblick offenbar die Empfindung, es könnte wahr sein."[1] Henris Erscheinen, von allen
sehnlichst erwartet - er ist der unbestrittene Star in
Prospères Truppe -, bildet den Höhepunkt des Stücks. Er mimt
den wütenden Hahnrei, und zwar so, dass kein Zweifel über
den Spielcharakter seines Auftritts bestehen sollte: Er de-
klamiert mit grosser Gebärde. Die Wirklichkeit, Henri unbekannt, stimmt indes derart frappant mit dem Inhalt des
theatralischen Monologs überein (tatsächlich wird Henri in
eben diesem Moment, und alle Anwesenden wissen es, von Léo-
cadie, seiner jüngst ihm angetrauten Frau, mit dem Herzog
von Cadignan betrogen), dass nun der Punkt erreicht ist, wo
das Publikum in der Kaschemme wie im Theatersaal nicht mehr
zu unterscheiden vermag, ob Henri die Wahrheit spricht. Damit hat Schnitzler den Theaterzuschauer mit in sein Spiel
einbezogen, wenn auch nur passiv. Es folgt eine Szene grösster
ter Verwirrung, die hier auszugsweise wiedergegeben sei:

Henri	(...) (er brüllt wie ein wildes Tier) - es war der Herzog von Cadignan und ich hab' ihn ermordet. -
Wirt	(der es endlich für wahr hält) Wahn-sinniger! (Henri schaut auf, sieht den Wirt starr an.)
Séverine	Bravo! bravo!
Rollin	Was tun Sie, Marquise? Im Augenblick, wo Sie Bravo! rufen, machen Sie das alles wieder zum Theater - und das an-genehme Gruseln ist vorbei.

---

1) D I S. 545.

Marquis	Ich finde das Gruseln nicht so angenehm. Applaudieren wir, meine Freunde, nur so können wir uns von diesem Banne befreien.
Wirt	(zu Henri, während des Lärms) Rette dich, flieh, Henri!
Henri	Was? Was?
(...)	
François	Was für ein Zusammenspiel ... Herrlich!
Henri	Prospère, wer von uns ist wahnsinnig, du oder ich? -
(...)	
Rollin	Es ist wunderbar, wir alle wissen, dass er spielt, und doch, wenn der Herzog von Cadignan jetzt einträte, er würde uns erscheinen wie ein Gespenst.[1]

Schlag auf Schlag wird nun mit dem Eintreffen des Herzogs von Cadignan im 'Grünen Kakadu' die heillose Verstrickung entwirrt. Henri ersticht in rasender Eifersucht den Herzog; währenddessen hat sich 'draussen' die Revolution durchgesetzt.

Schon eine flüchtige Inhaltsanalyse verrät, worin der dekadente Charakter der vorliegenden Thematik zu suchen ist. Es geht dabei primär nicht einmal um die Vertreter des Adels, d.h. um dekadente Figuren wie François, den Vicomte von Nogeant oder den Marquis von Lansac, die ihrer Wesensart nach den im vorhergehenden Kapitel beschriebenen österreichischen Adeligen, wenn auch mit gewissen Einschränkungen, entsprechen. Sie repräsentieren zwar eher jenen korrupten und ausschweifenden eleganten Adel des Ancien régime, der seine politische Macht schamlos usurpiert, die Zeichen der

---

1) D I S. 547 f.

Zeit aber nicht versteht. Die zentrale Problematik der Groteske "Der grüne Kakadu" gründet vielmehr im folgenschweren
Verlust eines verlässlichen Haltepunktes und in der daraus
folgenden Orientierungslosigkeit. Mehrfach entgleitet Ak-
teuren wie Gästen des 'Grünen Kakadu' das klare Unterschei-
dungsvermögen zwischen Spiel und Ernst. Die Infragestellung
der eindeutigen Erfassbarkeit und Scheidung von Illusion und
Wirklichkeit durch Rollin findet sich bereits kurz zuvor,
wenn der Herzog von Cadignan zu Albin sagt: "Denken Sie
nicht nach über das, was ich sage: Es ist alles nur im selben Augenblick wahr -".[1] Der allgemeine Skeptizismus gipfelt
endlich im Ausspruch der Marquise von Lansac: "Nun, wo ist
jetzt die Wahrheit?"[2] Damit ist die Brücke zum nur kurze
Zeit zuvor entstandenen Versspiel in einem Akt "Paracelsus" geschlagen. Schon allein die Tatsache, dass "Der grüne
Kakadu" zusammen mit "Paracelsus" (und "Die Gefährtin") am
1. März 1899 im Wiener Burgtheater uraufgeführt wurde, weist
auf die gemeinsame Thematik hin. Alle drei hier angegebenen
Einakter sind überdies in einem verhältnismässig kurzen
Zeitraum, zwischen 1897 und 1898, vollendet worden.[3] Wenn
auch "Paracelsus" gelegentlich, und dies zu recht, zu den
eher schwächern Stücken Schnitzlers gezählt wird, sei hier
dennoch, im Interesse einer möglichst erschöpfenden Behandlung der Problematik 'Illusion und Wirklichkeit' und deren
dekadenten Charakters, darauf eingegangen. Im übrigen dürfte ausserdem der noch einigermassen ausgefallene Stoff, zu-

---

1) D I S. 536.
2) D I S. 550.
3) Aller Wahrscheinlichkeit nach, sind die drei Stücke in
   der Reihenfolge "Paracelsus", "Die Gefährtin", "Der
   grüne Kakadu" entstanden. Dafür spricht insbesondere ein
   Brief Schnitzlers an Otto Brahm vom 5. Juli 1898.

mindest für den Bühnengeschmack der Jahrhundertwende, dafür
sprechen.[1)]

Der Einakter "Paracelsus" endet mit den vielleicht am häu-
figsten zitierten Schnitzler-Versen. Ihnen kommt in diesem
Zusammenhang einige Bedeutung zu:

> Paracelsus   Es war ein Spiel! Was sollt'es an-
> ders sein?
> Was ist nicht Spiel, das wir auf Er-
> den treiben,
> Und schien es noch so gross und tief
> zu sein!
> (...)   Ein Sinn
> Wird nur von dem gefunden, der ihn
> sucht.
> Es fliessen ineinander Traum und Wa-
> chen,
> Wahrheit und Lüge. Sicherheit ist
> nirgends.
> Wir wissen nichts von andern, nichts
> von uns;
> Wir spielen immer, wer es weiss, ist
> klug.[2)]

Blume spricht diesbezüglich von einer "Aeusserung", in welcher
"sich der radikale Verzicht auf eine Sinngebung des Lebens"
überhaupt "manifestiert": "Hinter den fast pathetischen Worten des grossen Spielers Paracelsus lauert der horror vacui,
die Verzweiflung über die Sinnlosigkeit des Daseins, die

---

1) Vgl. dazu die Briefe, welche im Spätherbst 1904 zwischen
   Schnitzler und Reinhardt, bzw. Kahane gewechselt wurden.
   Der Briefwechsel. Salzburg 1971, S. 43 ff.
2) D I S. 498.

nichts mehr ernst nehmen kann."[1] Auch Frodl deutet die
Schlussverse Paracelsus' als ein "Bekenntnis der dekadenten
Weltanschauung".[2]

Mit dem Zitat aus der Schlussszene des "Paracelsus", das
die Erkenntnisse aus "Der grüne Kakadu" über die Auflösung
der Wirklichkeit und das Abgleiten ins Unbestimmte, Vage
bestätigt, wird eine Komponente in die Thematik dieses
Kapitels gebracht, die es zu beachten gilt: das Spiel.[3]
Schnitzler selbst erachtet das Spiel als eines der "ew'gen"
Motive, wie aus dem schon zitierten Gedicht "Sprüche in
Versen", "In eigener Sache", hervorgeht.[4]

---

1) Bernhard Blume: Das nihilistische Weltbild Arthur Schnitzlers. Diss. Stuttgart 1936, S. 51 f.
2) Hermann Frodl: Die deutsche Dekadenzdichtung um die Jahrhundertwende. Diss. Wien 1963, S. 113. Falsch wäre es
   indessen, würde man dieses "Bekenntnis" als ein Bekenntnis Schnitzlers auffassen, wie viele Interpreten es be-
   dauerlicherweise tun. Mit Recht bemerkt R. Urbach:
   "Schnitzler hatte Grund sich zu beklagen: 'Man greift
   irgendeinen Satz, den eine Figur spricht, heraus und
   stellt sich an, als wäre darin die Meinung des Autors
   oder gar seine Weltanschauung ausgedrückt. Zum Beispiel:
   'Wir spielen immer, wer es weiss ist klug', sagt Paracelsus, aber nicht ich.'" R. Urbach: Arthur Schnitzler.
   Velber bei Hannover 1968, S. 59.
3) Das Spiel, der Spiel-Charakter einzelner Figuren, das
   Spiel im Spiel usf. sind Gegenstand mehrerer Arbeiten
   innerhalb der 'Schnitzler-Literatur'; um nur die wichtigsten zu nennen: C. Melchinger: Illusion und Wirklichkeit im dramatischen Werk Arthur Schnitzlers. op. cit.,
   B. Blume: Das nihilistische Weltbild Arthur Schnitzlers.
   Diss. Stuttgart 1936, G. Scholz: Bewusstsein und Wirklichkeit. Diss. Freiburg i.B. 1971. Angesichts der Tatsache, dass diese Dissertationen das Thema 'Spiel' er-
   schöpfend behandeln, wird im folgenden nur referierend
   darauf eingegangen und lediglich dessen Bezüge zum Dekadenzproblem aufgezeigt.
4) A. u. B. S. 17.

Ausgehend von der oben zitierten Stelle aus "Paracelsus"
lässt sich leicht feststellen, dass das Spiel untrennbar mit
der Thematik 'Illusion und Wirklichkeit' zusammenhängt: Im
Spiel wird die einzige Möglichkeit gesehen, dem Dilemma
"Traum und Wachen, Wahrheit und Lüge" zu entrinnen. Blume
interpretiert denn auch im fünften Kapitel seiner überzeu-
genden Arbeit das Spiel als den "letzten Fluchtversuch" aus
der Sinnlosigkeit des Daseins. Die Belege, die er dazu liefert, ergeben ein buntes Bild der Schnitzlerschen Spieler-
figuren. Es reicht vom harmlosen Gesellschaftsspieler über
den Glücksspieler und Hasardeur bis zum Duellanten. Den
Akzent legt er aber eindeutig auf den "Schau-Spieler": "Was
spielen nun alle diese Menschen? Sie spielen, um es mit einem Wort zu sagen, den Ueberlegenen. Sie demonstrieren, wie
sehr sie, was sie in Wahrheit gar nicht sind, wie sehr sie
dem Leben gewachsen sind. Sie spiegeln vor, Menschen zu
sein, die das Leben bemeistern. (...) Ihre Rettung heisst
Haltung; sie spielen vor sich und mehr noch vor den andern
die Komödie des Gefassten, des Gleichgültigen, ja des
Heitern."[1] Die Erkenntnis der Wahrheit, der Augenblick des
Fallens der 'letzten Masken', 'Die Stunde des Erkennens',[2]
nimmt daher zwangsläufig den Charakter einer Katastrophe
an. Eine Ausnahme findet sich indessen in "Der blinde Geronimo und sein Bruder", wo die Entlarvung der Lüge die beiden entzweiten Brüder versöhnt. Einen ähnlichen Weg wie
Blume beschreitet G. Scholz in ihrer Dissertation. An den
Beispielen "Reigen", "Der grüne Kakadu" und "Zum grossen
Wurstel" wird das Thema 'Spiel' von der Prämisse her abgehandelt, dass der Spielende bei Schnitzler sich von der
Wirklichkeit immer mehr entferne, graduell fortschreitend,
vom Spiel als "der Suggestion des Möglichen" ("Reigen") zur

---

1) B. Blume, op. cit. S. 57.
2) Es handelt sich hier um Titel von zwei Stücken Schnitzlers.

"provozierten Wirklichkeit" ("Der grüne Kakadu") und völligen "Entsicherung" ("Zum grossen Wurstel").[1] Die Wirklichkeit erscheint endlich in ihrem Spielcharakter "als eine
Welt ohne jeden erkennbaren teleologischen Hintergrund".[2]
Sie lehnt sich an die Ergebnisse von Blumes Untersuchung,
wenn sie zum Schluss des Kapitels schreibt: "In der Wirk-
lichkeitsstruktur, wie sie Schnitzler in der Burleske "Zum
grossen Wurstel" sichtbar macht, erscheint noch einmal
(...) jene psychologische Diskrepanz zwischen dem Suchen
nach Sinn und der Erfahrung tatsächlicher Sinnlosigkeit
als Spannung von Möglichkeit und Wirklichkeit, von der das
spätzeitliche Bewusstsein der Jahrhundertwende auf spezifische Weise noch geprägt war."[3]

C. Melchingers Dissertation beschränkt sich im wesentlichen
auf Schnitzlers Theater; auch sie hat bei ihrer Analyse in
erster Linie den "Schau-Spieler" im Auge. Ausgangspunkt ihrer vorzüglichen Arbeit bildet die Feststellung, dass der
"Glaube, Wahrheit realisieren zu können, (...) sich bei
Schnitzler (...) in das Wissen, dass der Wert Wahrheit
nicht mehr fixierbar ist" umkehrt: "In der Absicht, den Glauben an die Wahrheit als Illusion zu entlarven, liegt die
Wurzel des Schnitzlerschen Werkes."[4] Ueber das Theaterspiel
als einer Sonderform des Spiels reflektierend, gelangt sie,
in bezug auf Schnitzlers Dramatik, zu folgender Ueberzeugung: Schnitzler "versetzt den Zuschauer in eine der im
Stück dargestellten Illusion analoge Situation, um ihn dann
- ebenfalls analog zum Bühnengeschehen - als Getäuschten zu
entlarven. Damit ist der Zuschauer in eine Lage gebracht, in
der er die Parallelität von Leben und Bühne, von Wirklichkeit und Spiel, anerkennen muss. So wird das Spielbewusst-

---

1) Kapitel II, Suggestion und Irritation. op. cit. S. 57-107.
2) ebda. S. 106.
3) ebda. S. 107.
4) op. cit. S. 17.

sein als die von Schnitzler geforderte Haltung des Menschen
zum Leben verständlich."[1] Wie problematisch die letzte Feststellung ist, geht aus der oben belegten Aeusserung Schnitzlers deutlich hervor. Bei entsprechender Einschränkung auf
Schnitzlers Theaterfiguren indessen, d.h., wenn der Behauptung die Schärfe des allgemeingültigen Postulats genommen
wird, so trifft sie bestimmt weitgehend zu. Es wurde bereits
darauf hingewiesen, dass eine solche Haltung in den Bereich
der Dekadenz gehört, denn die Flucht in eine Spielwelt kann
nur eine Flucht in eine Ersatzwelt, in die Fiktion bedeuten, und damit bleibt die Unsicherheit als beherrschendes
Lebensgefühl bestehen. Spiel muss, in der Konfrontation mit
Nicht-Spiel, letztlich zur Ernüchterung führen, weil die
spielerische Lebensform der alltäglichen Wirklichkeit nicht
gewachsen ist, nicht gewachsen sein kann. Spätestens der
Tod führt den Zusammenbruch der Spielwelt herauf. Besonders
beispielhaft wird dies in der Ermordung Herzog Cadignans
in "Der grüne Kakadu" veranschaulicht. Der Widerstreit von
Spiel und Wirklichkeit als Teil eines Ganzen, des ständi-
gen Konflikts von Illusion und Wirklichkeit nämlich, mündet
ebenso zwangsläufig in einer nihilistisch zu nennenden Lebenshaltung.

Auf einen besondern Aspekt des Spiels sei noch kurz hingewiesen: seine enge Bindung an das Rokoko bzw. an das Neu-
rokoko. Die bei Schnitzler häufige Verlagerung der Thematik
ins rein Spielerische verweist ins Rokoko, und H. O. Burger
sieht darin eine dem Fin de siècle verwandte Haltung.[2] Das
Rokoko-Motiv kommt denn auch nirgendwo sonst ähnlich unverhüllt zum Ausdruck wie in Loris' programmatischem Prolog
zum "Anatol"-Zyklus. Hier ein Ausschnitt aus dem Anfang:

---

1) op. cit. S. 23.
2) H. O. Burger: Annalen der deutschen Literatur. Stuttgart
   1971, S. 740.

"Hohe Gitter, Taxushecken,
Wappen, nimmermehr vergoldet,
Sphinxe, durch das Dickicht schimmernd ...
... Knarrend öffnen sich die Tore. -
Mit verschlafenen Kaskaden
Und verschlafenen Tritonen,
Rokoko, verstaubt und lieblich
Sehr ... das Wien des Canaletto,
Wien von Siebzehnhundertsechzig ...
... Grüne, braune, stille Teiche,
Glatt und marmorweiss umrandet,
In dem Spiegelbild der Nixen
Spielen Gold- und Silberfische ...
Auf dem glattgeschornen Rasen
Liegen zierlich gleiche Schatten
Schlanker Oleanderstämme;
Zweige wölben sich zur Kuppel,
Zweige neigen sich zur Nische
Für die steifen Liebespaare
Heroinen und Heroen ..."[1]

Aus diesen Versen spricht die im letzten Jahrzehnt vor der
Wende zum 20. Jahrhundert einsetzende Rokoko-Begeisterung
mit ihrer Vorliebe für verzärtelte Tändelei und leichtfer-
tiges Spiel.

Mehrfach schon - vor allem im Zusammenhang mit dem Aestheten Loschi und dem gealterten Abenteurer Casanova - wurde
auf den Traum als bedeutendes Agens im Handlungsablauf
von Dramatik und Novellistik bei Schnitzler hingewiesen.[2]

---

1) D I S. 28.
2) Die Dissertation R. Lantins: Traum und Wirklichkeit in der
   Prosadichtung Arthur Schnitzlers. op. cit., liefert zu
   diesem Thema sehr detaillierte Erkenntnisse mit vielen
   interessanten Bezügen zur Psychoanalyse. Er stützt sich,
   was den Dekadenzcharakter des Motivs angeht - er berührt
   es nur summarisch im Kapitel A, S. 14 ff. - im wesentlichen auf die Arbeit Blumes.

Diese Tatsache mag kaum zu verwundern, bedenkt man, dass
Schnitzler der Psychoanalyse und damit der Traumdeutung Freuds
(sie erschien 1900) äusserst nahe stand. Was das vorliegende
Kapitel angeht, so braucht nur auf das Zitat aus der Schlussszene des "Paracelsus" zurückgegriffen werden, um die Bedeutung des Traums für die Thematik 'Illusion und Wirklichkeit'
zu ersehen: "Es fliessen ineinander Traum und Wachen, Wahrheit und Lüge." In einer der späten Novellen Schnitzlers
wird dieses geradezu klassische Dekadenzmotiv des Ineinanderfliessens von Traum und Wirklichkeit zum zentralen Thema: in
der 1926 entstandenen "Traumnovelle".

Die Handlung, auf weniger als zwei Tage zusammengedrängt,
vermittelt vorerst den Eindruck des 'Schon-Gehabten'. Die
motivische Nähe zu "Hirtenflöte", "Doktor Gräsler, Bade-
arzt", "Die Toten schweigen", "Das weite Land", "Zwischen-
spiel" usf. ist unverkennbar. Die Ehekrise und der Widerstreit von Eros und Thanatos bilden indessen kaum mehr als
einen Ausgangspunkt, ein Fundament, auf welchem das eigentliche Thema, die Verschlingung von wirklichkeitsnahem Traum
und traumhafter Wirklichkeit abgehandelt wird. Kontrapunktisch zueinander erscheinen Albertines Traum von einer or-
giastischen Liebesvereinigung mit einem Fremden vor der
Kulisse der Kreuzigung ihres Mannes und Fridolins rätsel-
volles Erlebnis in einem Geheimbund, wo in einer Art Totentanz nackte Nonnen und Mönche sich in wilder Ekstase umar-
men. Diese Szene, zweifellos ein Höhepunkt in Schnitzlers
prosaepischem Schaffen, erinnert nicht wenig an E.T.A. Hoff-
mann, Gogol, Mérimée oder Maupassant; sie atmet die makabre
Atmosphäre gespenstisch-okkulten Treibens in einer entlegenen Villa, mit vermummten Gestalten und sonderbaren rituel-
len Handlungen, die schliesslich in einer wüsten Orgie
gipfeln. Fridolin wird als Eindringling entdeckt und von einer Nonne, die sich für ihn opfert, vor dem Urteil des Fem-

richters bewahrt. Der Abend, den Fridolin erlebt - die Erzählperspektive ist gänzlich auf ihn angelegt -, ist durchwoben von einer Reihe geheimnisvoller Erlebnisse, die
scheinbar zueinander in kausalem Zusammenhang stehen: am
Totenbett des Hofrats, das Gespräch mit dem süssen Mädel
Mizzi, die Begegnung mit dem heruntergekommenen Nachtigall,
der Besuch beim Kostümverleiher und dessen Tochter Pierrette, die Parole 'Dänemark' und schliesslich die Fahrt mit
der Kutsche. Die folgende Szene vermag annähernd zu zeigen,
in welcher Atmosphäre sich das Geschehen in der Villa abspielt:

> "Plötzlich flüsterte eine weibliche Stimme hinter
> ihm:
> 'Wenden Sie sich nicht nach mir um. Noch ist es
> Zeit, dass Sie sich entfernen. Sie gehören nicht
> hierher. Wenn man es entdeckte, erginge es Ih-
> nen schlimm.'
> Fridolin schrak zusammen. Eine Sekunde lang
> dachte er der Warnung zu folgen. Aber die Neu-
> gier, die Lockung und vor allem sein Stolz wa-
> ren stärker als jedes Bedenken. Nun bin ich
> einmal so weit, dachte er, mag es enden, wie es
> wolle. Und er schüttelte verneinend den Kopf,
> ohne sich umzuwenden.
> Da flüsterte die Stimme hinter ihm: 'Es täte
> mir leid um Sie.'
> Jetzt wandte er sich um. Er sah den blutroten
> Mund durch die Spitzen schimmern, dunkle Augen
> sanken in die seinen. (...) Der Gesang schwoll
> wundersam an, das Harmonium tönte in einer
> neuen, durchaus nicht mehr kirchlichen Weise,
> sondern weltlich, üppig, wie eine Orgel brau-

send; und um sich schauend, merkte Fridolin, dass
die Nonnen alle verschwunden waren und sich nur
mehr Mönche im Saale befanden. (...) Türen rechts
und links hatten sich aufgetan, (...) der gegen-
überliegende Raum aber strahlte in blendender
Helle, und Frauen standen unbeweglich da, alle
mit dunklen Schleiern um Haupt, Stirn und Nacken,
schwarze Spitzenlarven über dem Antlitz, aber
sonst völlig nackt."[1]

Heimgekehrt vom geheimnisvollen nächtlichen Reigen, wo Tod
und Lust, Zerstörung und Sinnenrausch in seltsame gegenseitige Verstrickung geraten sind, erfährt Fridolin Albertines
Traum. Die Entsprechung von Geträumtem und Erlebtem wird
offenbar, und zwar, greift man auf die 'Erlebnisse' in Dänemark zurück, für Albertine wie für Fridolin. Das fünfzehn-
jährige Mädchen, dem Fridolin damals am Strand begegnet ist,
erscheint im Traum Albertines als richtende Fürstin über
Fridolin. Albertines Leidenschaft für einen Fremden im See-
bad, dem sie sich bedingungslos hingegeben hätte, wäre er
nicht durch ein Telegramm weggerufen worden, findet in ihrem
Traum die ersehnte Erfüllung. Die sie dabei umgebende "Flut
von Nacktheit" korrespondiert mit den nur mit einem Gesichts-
schleier bekleideten Nonnen, unter welchen Fridolin beim ge-
heimbündlerischen Treffen in realer Gegenwart weilt. Ausserdem sei auf das Passwort 'Dänemark' hingewiesen, dessen Nen-
nung durch Nachtigall Fridolin aufs äusserste verwirrt. Endlich hat der geträumte Kreuzestod Fridolins seine Entsprechung in der Selbstopferung der Nonne. Der Schluss der
Traumschilderung ist denn auch nicht allein symptomatisch für
die auf den Höhepunkt zutreibende Entfremdung der Ehegatten,
sondern ebensosehr, durch die Bezüge der Träume zur Wirklich-

---

1) E II S. 463 f.

keit und der Wirklichkeit zu den Träumen, für die Aufhebung
einer klaren Trennung von tatsächlich Erlebtem und Geträumtem:

"Ich lief dir entgegen, auch du schlugst einen
immer rascheren Gang ein - ich begann zu schwe-
ben, auch du schwebtest in den Lüften; doch
plötzlich entschwanden wir einander, und ich
wusste: wir waren aneinander vorbeigeflogen. Da
wünschte ich, du solltest doch wenigstens mein
Lachen hören, gerade während man dich ans
Kreuz schlüge. - Und so lachte ich auf, so
schrill, so laut ich konnte. Das war das Lachen, Fridolin, - mit dem ich erwacht bin."[1]

Während Albertines Traum ihr zur "Wirklichkeit geworden" ist,
nimmt Fridolins Erlebnis in der entlegenen Villa am Ga-
litzinberg in seiner Erinnerung den Charakter eines halb der
fiebrigen Atmosphäre der Nacht entsprungenen Hirngespinstes,
halb eines tatsächlichen Abenteuers an. Die Rätselhaftigkeit
des Geschehens einerseits und die doch handfesten Beweise
des realen 'Durchlebt-Habens' anderseits, lassen Fridolins
Einschätzung des Geschehenen unentschlossen zwischen Illusion und Wirklichkeit hin- und herpendeln.

---

1) E II S. 480.
   H. J. Schrimpf bemerkt hierzu: "Zu sich gekommen, berichtet sie (sc. Albertine) dem heimgekehrten Gatten von dem
   Traum, der ihr Wirklichkeit geworden, und der seinem realen Abenteuer korrespondiert, das den Charakter einer
   imaginären, alptraumartig ausschweifenden Erfahrung angenommen hatte. Im schwebenden Punkt zwischen Traum und
   Wirklichkeit treffen die beiden wieder aufeinander, als
   hätten sie die abgebrochenen Möglichkeiten ihrer Seelen-
   tiefen in unterschwelliger Korrespondenz gespenstisch ma-
   terialisiert." H. J. Schrimpf: Arthur Schnitzlers Traumnovelle. In: Zeitschrift für deutsche Philologie 82,
   1963, S. 182.

Erst das sechste Kapitel bringt eine sukzessive, immer feste-
re und klarere Konturen annehmende Trennung von realiter Ge-
lebtem und Geträumtem. Mit der Rückkehr zur Stätte des Geschehens jener letzten Nacht beginnt ein stetig fortschreitender Entzauberungs- und Ernüchterungsprozess. Fridolin be-
sucht Marianne, erfährt, dass das süsse Mädel Mizzi im Spi-
tal liegt, forscht nach der Baronin D., hinter der er die
Warnerin im Geheimbund vermutet, fühlt sich verfolgt und beobachtet. Schliesslich glaubt er im Leichenschauhaus die
Nonne gefunden zu haben, die er so heftig begehrt hat und
die wohl seinetwegen ermordet worden ist. Jede dieser Begegnungen ist komplementär zu der entsprechenden der vergangenen Nacht zu verstehen, und jede bringt Fridolin der Wirklichkeit um einen Schritt näher. Es ist die Rückkehr aus einem eigentümlich dunkeln, alptraumartigen Rausch der Eindrücke in die nüchterne Realität. Sie findet ihren Abschluss
im "Pathologisch-anatomischen Institut":

> "(...) er wusste: auch wenn das Weib noch am Leben
> war, das er gesucht, das er verlangt, das er eine
> Stunde lang vielleicht geliebt hatte, und, wie
> immer sie dieses Leben weiter lebte; - was da
> hinter ihm lag in der gewölbten Halle, im Scheine
> von flackernden Gasflammen, ein Schatten unter
> andern Schatten, dunkel, sinn- und geheimnislos
> wie sie -, ihm bedeutete es, ihm konnte es nichts
> anderes mehr bedeuten als, zu unwiderruflicher
> Verwesung bestimmt, den bleichen Leichnam der
> vergangenen Nacht."[1]

Die Ernüchterung Fridolins scheint total. Doch, kaum zu Hause
angekommen, keimen neue Zweifel:

---

1) E II S. 502.

"Und er nahm sich vor, ihr bald, vielleicht morgen
schon, die Geschichte der vergangenen Nacht zu
erzählen, doch so, als wäre alles, was er erlebt,
ein Traum gewesen - und dann, erst wenn sie die
ganze Nichtigkeit seiner Abenteuer gefühlt und
erkannt hatte, wollte er ihr gestehen, dass sie
Wirklichkeit gewesen waren. Wirklichkeit? fragte
er sich -,"[1]

Erst wie er der Maske, die er in jener Nacht getragen hat,
ansichtig wird, bricht der Bann. Er offenbart sich Albertine; die beiden finden sich wieder. Die Skepsis aber bleibt.
Auf die Frage Fridolins, "Was sollen wir tun, Albertine?"
entspannt sich das folgende Gespräch:

"Sie lächelte, und nach kurzem Zögern erwiderte
sie:
'Dem Schicksal dankbar sein, glaube ich, dass
wir aus allen Abenteuern heil davongekommen
sind - aus den wirklichen und aus den geträumten.'
'Weisst du das auch ganz gewiss?' fragte er.
'So gewiss, als ich ahne, dass die Wirklichkeit
einer Nacht, ja dass nicht einmal die eines
ganzen Menschenlebens zugleich auch seine inner-
ste Wahrheit bedeutet.'
'Und kein Traum,' seufzte er leise, 'ist völlig
Traum.'"[2]

Was in diesem kurzen Dialog der versöhnten Ehegatten anklingt,
ist die vage Erkenntnis von der Unbestimmbarkeit der Wirklichkeit und der damit verbundenen, letztlich unmöglichen

---

1) E II S. 502.
2) E II S. 503.

sichern Scheidung von Traum und Realität. Sie verformen sich
in überreizten Seelen wie der Albertines oder Fridolins,
laufen aufeinander zu und verfliessen ineinander. Es entsteht jene trügerische Atmosphäre, wo der Traum für die
Wirklichkeit und die Wirklichkeit für einen Traum gehalten
wird. Ruft nicht auch Loschi aus: "Doch Träume sind Begier-
den ohne Mut,"? Hier wie dort verdichtet sich ein Traum zur
Realität. Die Erfahrung der Wirklichkeit indessen bleibt
immer torsohaft. Fridolins Erlebnisse zerfallen jeweilen
vor dem Erreichen des Höhepunktes. So schlägt er jede War-
nung im Geheimbund in den Wind, um das ersehnte Ziel zu
erlangen. Das Abenteuer bricht aber im entscheidenden Augenblick ab, das Mögliche zerrinnt in seinen Händen. Albertine dagegen sieht sich im Traum am Ziel ihrer Wünsche, mit
andern Worten, das Mögliche verdichtet sich im Traum zur
Wirklichkeit. Erst der Schlussabschnitt bringt eine gewisse
Harmonie des Nebeneinanders von Illusion und Wirklichkeit
zurück.[1] "Traumlos", hier heisst es soviel wie illusions-
los, liegen sie nebeneinander, bis der neue Tag anbricht.
In der Komplexität dieser sich überlagernder Realitäts- und

---

1) R. Lantin begründet die Verwischung der Grenzen zwischen
   Wirklichkeit und Traum, insbesondere in der "Traumnovelle", folgendermassen: "Erstens in seiner (sc. Schnitzlers) Persönlichkeits- und Traumauffassung. Der Traum
   als Wunsch und Möglichkeit zeigt, was sein könnte, (...)
   jedoch nicht ist. Dann ist der Traum Wahrheit, die Wirklichkeit Lüge. Zweitens im Charakter der Traum- und Wirk-
   lichkeitserfahrung. Traum und Wirklichkeit können ineinander übergehen wegen der Beschaffenheit des menschlichen Bewusstseins, das Traum- und Wirklichkeitserinne-
   rungen verwandelt und entstellt. Drittens in der Bestim-
   mung der Wirklichkeit, als Chaos und Ordnung, und des
   Traumes. Traum und Wirklichkeit unterscheiden sich, was
   das Zustandekommen ihrer Inhalte betrifft. Der Inhalt der
   Wachwirklichkeit beruht im wesentlichen auf Wahrnehmung
   im philosophischen Sinne, d.h. auf der unmittelbaren,
   sinnlichen Einwirkung von Dingen, die sich ausserhalb
   des Bewusstseins befinden. Die Inhalte des Traumes dagegen sind allenfalls entstellende und verwandelnde Re-
   produktionen solcher Sinneseindrücke (...)." R. Lantin,
   op. cit. S. 46.

Illusionsebenen von Traum und Wirklichkeit gründet jener Si-
cherheitsverlust, den schon Nietzsche in "Der Wille zur
Macht" beklagt hat,[1] und hier liegt der dekadente Charakter
des vorliegenden Motivs. Damit ordnet es sich in den grösseren Zusammenhang des Kapitels 'Illusion und Wirklichkeit'
ein.

Auf eine der vielen Kurzgeschichten Schnitzlers sei hier
noch kurz eingegangen: "Das Tagebuch der Redegonda". Diese
1909 entstandene Novellette, flüchtig betrachtet nichts als
eine banale Dreiecksgeschichte, führt die Thematik des Ineinanderfliessens von Illusion und Wirklichkeit durch das
Rahmengeschehen bis hart an den Rand des Absurden. Erst die
augenzwinkernde Ironie des Autors, die am Schluss durchschimmert, rückt die ins Reich des Uebersinnlichen abglei-
tende Handlung ins rechte Licht. Allein, dies will keineswegs heissen, Schnitzler hätte "Das Tagebuch der Redegonda"
als oberflächlichen, kaum ernstzunehmenden Spass verstanden. Dafür war ihm die darin behandelte Problematik viel zu
wichtig. Es ist weit eher so, dass Schnitzler hier alle
Möglichkeiten auszuschöpfen versucht hat, die einem Novel-
listen zu Gebote stehen, um einer Thematik wie 'Illusion
und Wirklichkeit' ein Höchstmass an Beispielhaftigkeit zu
verleihen. Hierzu musste er zwangsläufig zu parapsycholo-
gischen Phänomenen Zuflucht nehmen.

Die eigentliche Geschichte ist eingebettet in eine Rahmenhandlung, die ihrerseits schliesslich eine sonderbare Wende
nimmt. Die Unterhaltung Schnitzlers mit Dr. Wehwald im
Stadtpark - die Rahmenhandlung ist in Ich-Form gehalten und

---

1) "Es gibt keinen Tatbestand, alles ist flüssig, unfass-
   bar, zurückweichend; das Dauerhafteste sind noch unsere
   Meinungen." F. Nietzsche: Aus dem Nachlass der Achziger-
   jahre. Werke. Bd. 3, München 1954-1965, S. 503.

so dargeboten, als wäre die Episode dem Autor tatsächlich
begegnet - erweist sich nämlich ebensosehr als zwischen
Illusion und Wirklichkeit schwankend wie die Geschichte Dr.
Wehwalds. Dieser ist in hoffnungsloser Liebe zur Rittmei-
stersgattin Redegonda T. entbrannt. Ohne sie je gesprochen
zu haben, "mit einem unmerklichen Lächeln ging sie an mir
vorüber", geschieht an ihm "etwas Sonderbares: Ich fühlte
mich nämlich plötzlich gezwungen, mir vorzustellen, was
daraus geworden wäre, wenn ich den Mut gefunden hätte, ihr
in den Weg zu treten und sie anzureden. Und meine Phantasie spiegelte mir vor, dass Redegonda (...) ihrer Freude
Ausdruck gab, in mir eine verständnisvolle Seele gefunden
zu haben."[1] Von diesem Moment an verwischen sich in Dr.
Wehwald die Grenzen zwischen Wirklichkeit und Phantasievorstellung: "Nun liess ich meinen beglückenden Wahn immer
weiterspielen, und so dauerte es nicht mehr lange, bis Redegonda mich in meiner kleinen, am Ende der Stadt gelege-
nen Wohnung besuchte und mir Seligkeiten beschieden waren,
wie sie mir die armselige Wirklichkeit nie so berauschend
zu bieten vermocht hätte."[2] Die Illusionen verdichten
sich schliesslich in der überreizten Phantasie Dr. Wehwalds
zur Wirklichkeit, wenn er seine Wohnung für das letzte
Treffen mit Redegonda herrichtet, den "Revolver schussbe-
reit", die "Abschiedsbriefe geschrieben". "Dies alles, mein
werter Freund, ist die Wahrheit", bekennt er dem Ich-Erzähler, für die er den Beweis des Tagebuches der Redegonda
mit der Geschichte ihrer Liebe vorweisen kann.

"Alles stand in diesen Blättern aufgezeichnet, alles - was
ich niemals in Wirklichkeit, - und doch alles genau so,
wie ich es in meiner Einbildung erlebt hatte."[3] Der eigent-

---

1) E I S. 987.
2) E I S. 987.
3) E I S. 989.

liche Höhepunkt der Novellette steht indes noch bevor. Dr. Wehwald wird vom Gatten Redegondas zum Duell gefordert und dabei erschossen:

"(...) Meine Kugel fuhr hart an seiner Schläfe vorbei. Er aber traf mich mitten ins Herz. Ich war
auf der Stelle tot, wie man zu sagen pflegt."[1]

Damit bricht auch der Wirklichkeitsbezug der Rahmenhandlung,
nämlich die Begegnung und das Gespräch des Ich-Erzählers mit
Dr. Wehwald, in sich zusammen, wird zur Phantasievorstellung.
Freilich fusst diese wiederum auf einer wahren Begebenheit,
die im Caféhaus herumgeboten worden ist, sich aber mit der
Erzählung Dr. Wehwalds nicht völlig deckt. Wie in der "Traumnovelle" oder in "Der grüne Kakadu", vielleicht sogar noch um
eine Nuance auffallender durch den knapp bemessenen Umfang
der Kurzgeschichte, verschlingen sich wechselseitig Phanta-
stisches mit Wirklichem, Mögliches mit Uebersinnlichem. Dadurch, dass es sich bei "Das Tagebuch der Redegonda" um eine
Rahmennovellette handelt, bietet sich ausserdem eine Gelegen-
heit, die Thematik des Ineinanderfliessens von Illusion und
Wirklichkeit weiterzutragen: Zunächst wird der Ich-Erzähler
durch die Begegnung mit Dr. Wehwald und dessen Geschichte in
den Prozess des allgemeinen Schwundes der 'Sicherheit' einbezogen, alsdann, mit den Bemerkungen zur "Erscheinung des
Dr. Wehwald auf der Stadtparkbank", der Leser durch den Autor. Die zwei Erzählebenen von "Das Tagebuch der Redegonda"
entsprechen denn auch ziemlich genau dem Spiel im Spiel des
"Der grüne Kakadu" oder "Zum grossen Wurstel". Sie erfüllen
beide im Erzähl- bzw. Dramengefüge die gleiche Aufgabe und
entspringen derselben Absicht des Autors, nämlich den Effekt
der schwierigen Durchschaubarkeit der Handlung zu steigern,
ja die letztliche Unmöglichkeit einer sichern Scheidung von

---

1) E I S. 990.

Illusion und Wirklichkeit zu erreichen.[1] Daher wirkt der schon
zitierte Ausspruch der Marquise Séverine von Lansac, "Nun, wo
ist jetzt die Wahrheit?", derart axiomatisch.

Die gewonnenen Erkenntnisse aus den vier Werken zur Thematik
des Ineinanderfliessens von Illusion und Wirklichkeit, Schein
und Sein, Träumen und tatsächlichem Erleben seien schliesslich noch mit zwei Aeusserungen eher privaten Charakters aus
den nachgelassenen Schriften Schnitzlers ergänzt. Diese besonders eindrücklichen "Bemerkungen" finden sich in den Kapiteln "Philosophie, Ethik" und "Zu 'Sprüchen etc.' vorbereitet gewesen, doch zurück gelegt.":[2]

> "Positive Gewissheiten gibt es nur wenige in der
> Welt und verschwindend gering ist die Menge der
> erweisbaren und erwiesenen Tatsachen gegenüber
> denjenigen, die wir mit geringerem oder höherem
> Recht anzweifeln dürfen. Aber es gibt negative
> Gewissheiten, mit deren Hilfe sich immerhin ein
> Weltbild aufrichten und umreissen lässt. Eine
> Voraussetzung ist hierbei natürlich unerläss-
> lich: das Vertrauen in unsere Sinne und das Ver-
> trauen in unseren Verstand."[3]

> "Wir wissen ja, dass alles Positive, alles Be-
> greifbare, alles Konkrete relativ ist. Aber
> wer die wenigen gesicherten Positionen aufgibt,
> weil sie nicht gegen jeden Angriff standhalten

---

1) Vgl. auch die Bilder vier, fünf und acht aus "Zug der
   Schatten".
2) Vermutlich sollte dieser Teil ursprünglich dem 1927 erschienenen "Buch der Sprüche und Bedenken" beigesellt
   werden. Er wurde aber erst 1962 unter dem Titel "Kriti-
   sches - Bemerkungen" in der "Neuen Rundschau" 73, 1962,
   Heft 2/3 teilweise publiziert und 1967 in den fünften
   Band der Gesammelten Werke, Aphorismen und Betrachtungen,
   aufgenommen.
3) A. u. B. S. 241.

können, der handelt viel öfter aus Trägheit
oder Feigheit als aus Bescheidenheit und Einsicht."[1]

In diesen bedenkenswerten "Bemerkungen" werden kaum neue Akzente zur vorliegenden Thematik gesetzt, wenn die Apodiktik
der Aussprüche gewisser Figuren, etwa des Paracelsus, mit der
nötigen Vorsicht und Zurückhaltung gedeutet worden sind. Aus
den beiden Zitaten spricht jene Ueberlegenheit und Distanz,
wie man sie in den Schriften des Nachlasses Schnitzlers immer
wieder antrifft. Und damit zeigt sich einmal mehr, wie unzu-
lässig bei Schnitzler eine Identifizierung von Figuren mit
dem Autor sein muss und wie gefährlich es ist, Aeusserungen
in Theaterstücken für Bekenntnisse Schnitzlers zu nehmen.

Das Kapitel 'Illusion und Wirklichkeit' hat sich in mehrere
Unterfragen zerlegt, die indessen alle in engem Bezug zur
Hauptthematik stehen: sowohl Spiel und Ernst als auch Traum
und Wirklichkeit sowie Uebersinnliches und konkret Erlebba-
res. Es liegt nahe, dieses Motiv, das zu den dominierenden
im Oeuvre Schnitzlers zählt, im Zusammenhang mit dem um die
Jahrhundertwende verbreiteten Immanenzpositivismus zu sehen.
Davon war bereits im Kapitel "Arthur Schnitzler im Wien des
Fin de siècle" die Rede, und hier soll lediglich noch auf
die erkenntnistheoretische Grundlage hingewiesen werden. Der
Immanenzpositivismus Ernst Machs, wie er in "Die Analyse der
Empfindungen" vertreten wird, leugnet jede objektive Wirklichkeit ausserhalb von Eindruck und Empfindung; es gibt
sie so wenig wie absolute Wahrheiten. Es ist gewiss kein Zu-
fall, dass sich gerade Max Reinhardt von dieser Thematik angezogen fühlte. Dies beweist sein Interesse an "Der grüne
Kakadu". Allerdings, der grosse Wurf mit dem sogenannt 'anti-

---

1) A. u. B. S. 338.

illusionistischen' Theater gelang Reinhardt mit den Komödien
Luigi Pirandellos. Allein "Sei personaggi in cerca d'autore"
erlebte an der Berliner Komödie 131 Wiederholungen (die erste Aufführung fand am 30. Dezember 1924 statt), und es kann
ohne Uebertreibung behauptet werden, dass dieses Stück zu
einem der bedeutenden Theaterereignisse zwischen den Welt-
kriegen wurde. Was bei Schnitzlers "Der grüne Kakadu" noch
tastend und verhalten erscheint, wird in "Sei personaggi in
cerca d'autore" zum unüberschaubaren permanenten Konflikt
von Illusion und Wirklichkeit, von Leben und Theater. Das
Stück, das auf Kulisse und Dekoration verzichtet, ersteht
vor den Augen des Publikums, entblösst von jeglichem Theater-
Requisit. Die Ueberschichtungen des Geschehens, die Anleihen
bei Spielformen der Commedia dell'arte und die damit verbundene Entzauberung der Szenerie, reichen an die Grenzen dessen, was auf der Bühne überhaupt noch zu realisieren ist. Daher auch der immer wieder gemachte Hinweis auf die Revolu-
tionierung des Theaters durch Pirandello. So verwegen ein
Vergleich von Schnitzler mit Pirandello erscheinen mag - es
kann kein Zweifel bestehen, dass Pirandellos Theater dem
Schnitzlers weit überlegen ist -, die frappante Aehnlichkeit
der Thematik und der zur Anwendung gelangenden dramaturgi-
schen Mittel sind nicht zu übersehen. "Sei personaggi in
cerca d'autore" oder "Enrico IV" und "Der grüne Kakadu" oder
"Zum grossen Wurstel" strahlen denselben Skeptizismus, denselben Relativismus aus; die Figuren sind Rollenträger, die
Handlung Maskenspiel. Es ist genau das, was heute in der modernen Literaturwissenschaft unter dem Begriff "il piran-
dellismo" verstanden wird, nämlich das Ineinanderübergehen
von Wirklichkeit und Wahn, die Maskierung des Menschen. Die
Gesamtausgabe von Pirandellos dramatischen Werkes erschien
denn auch unter dem Titel "Maschere nude".[1] Schnitzlers "Der

---

1) Das dreiaktige Drama "Enrico IV" erfuhr die deutsche
   Erstaufführung 1925 am Thalia-Theater in Hamburg unter
   dem Titel "Die lebende Maske". Um 1900 entstand Schnitzlers Einakter "Die letzten Masken".

grüne Kakadu" steht somit in einer langen Reihe von Werken,
die über Pirandellos "Sei personaggi in cerca d'autore"
hinaus zu Jean Anouilhs "La répétition ou l'amour puni"
(1949) und Jean Genets "Le balcon" (1956) führt. Die Romantik war Ausgangspunkt dieser Thematik des Ineinanderfliessens
von Illusion und Wirklichkeit; um die Jahrhundertwende, unter dem Eindruck einer allumfassenden Weltuntergangsstimmung und dem Durchbruch von Psychoanalyse und Immanenzpositivismus, glitt die Thematik in die Bereiche des Nihilismus
und der Dekadenz ab: Verlust jeglicher Sicherheit des Emp-
findens und der Wahrnehmung. Oskar Seidlin schreibt in seinem Vorwort zum Briefwechsel Schnitzlers mit Otto Brahm:

> "Solcher Art ist das folgerichtige Panorama einer
> Welt, aus der alle Sicherheit geschwunden ist.
> Auf nichts kann man sich verlassen, selbst auf die
> eigenen Gefühle nicht, die sich aus geringfügig-
> stem Anlass wandeln können. Alles und jeder ist
> unzugänglich geworden, hoffnungslos verschlossen
> in sich selbst wie eine Insel, da alle Verbindung
> und Kommunikation versperrt scheint. Niemand
> weiss etwas von seinem Nachbar, und was man zu
> wissen glaubt, ist nichts als Täuschung."[1]

---

1) op. cit. S. 26.

VERFALLENHEIT AN DEN TOD

Hermann Broch spricht in seinem Essay "Hofmannsthal und seine Zeit" von einer unter den Wiener 'Modernen' verbreiteten,
seltsam gebrochenen Beziehung zum Tode und leitet davon als
Folge die jener Literatur eigene "sittlichkeitsferne Sprache" ab: "Denn wo es keine echte Beziehung zum Tode gibt und
seine Absolutheitsgeltung im Diesseitigen nicht ständig erkannt wird, da gibt es kein wahres Ethos, und Wien, Haupt-
stadt einer sterbenden Monarchie, hatte zwar allerlei Beziehungen zum Sterben, aber nicht die geringste zum Tode; die
berühmte Wiener Sentimentalität war Wissen um Abschied, war
Abschiedstimmung war Frucht eines perpetuierten Sterbezustandes, dessen Ende man nicht absah und nicht abzusehen
wünschte: der Tod definierte sich an allem, wovon man Abschied zu nehmen hat."[1] Als einzige unter den Jung-Wienern
nimmt Broch Hofmannsthal, Beer-Hofmann und Schnitzler aus,
eine Einschränkung, die zweifellos ihre Richtigkeit hat;
zumindest für Hofmannsthal drängt sie sich geradezu auf, wo-
gegen Schnitzlers Interesse unbestreitbar weit mehr dem
Sterben als dem Tode gilt. Man kann dabei durchaus von einem
der dominierenden Motive in Schnitzlers Oeuvre sprechen.[2]
Während Hofmannsthals Claudio in "Der Tor und der Tod" mit
dem Tod konfrontiert wird, ihn akzeptiert, um alsdann von
diesem aus dem Leben gerissen zu werden[3], durchleben zahlreiche Schnitzler Figuren, am eindrucksvollsten Felix in

---

1) op. cit. S. 123.
2) Vgl. dazu die Antwort Schnitzlers auf Josef Körners dies-
bezüglichen Vorwurf: "Was mich anbelangt, so bin ich fest
entschlossen, mich erst dann mit dem Jenseits zu beschäftigen, wenn es so weit ist." Brief vom 11.7.1927, in
der Nachlass-Mappe "Zu eigenen Werken". (zit. nach M. Imboden: Die surreale Komponente im erzählenden Werk Arthur
Schnitzlers. Bern 1971, S. 103.)
3) Gleiches Motiv in "Jedermann. Das Spiel vom Sterben des
reichen Mannes."

"Sterben", ein peinigendes Zutreiben auf den Tod. Die Faktizität des Todes ist indessen nicht die Faktizität des Ereignisses 'Tod' als vielmehr die Faktizität der passiven,
drohenden Allgegenwart 'Tod' durch das Sterben. Daraus folgt,
dass in Schnitzlers Werk der Tod durch den Sterbezustand
vieler Figuren zwar immer wieder beschworene Problematik
ist, wenn auch dessen Aktiv-Werden inhaltlich nahezu bedeu-
tungslos ist. Die Handlung vollzieht sich im Zeichen des Todes, das Handlungsgefüge bezieht ihn höchstens als Poten-
tialität mit ein. Aus dieser Sicht gewinnt der Tod eine ei-
gentümliche, jedenfalls völlig anders als bei Hofmannsthal
geartete Funktion innerhalb von Novellen und Theaterstücken;
im Vordergrund steht das Sterben als status finalis: der
Endzustand ohne dessen eigentliches Ende, den Tod.

Ende 1903 schreibt Schnitzler an Hofmannsthal, über die Lektüre eigener Novellen reflektierend, deren Entstehung bereits beträchtlich zurückliegt: "Daher weiss ich auch seit
etwa acht Jahren nichts mehr von "Sterben". Es stammt aus
der Zeit, wo mich der 'Fall' mehr interessiert hat als die
Menschen, und ich denke das meiste aus dieser Epoche muss
wie luftlos wirken."[1] In der Tat befremdet die 1892 entstandene Novelle "Sterben", von der im Brief die Rede ist
und mit der sich dieses Kapitel zur Hauptsache beschäftigen wird, durch ihren beinahe kalt wirkenden, dem Naturalismus verpflichteten Report-Ton, durch die Sachlichkeit, ähnlich einer wissenschaftlich-klinischen Studie. Es ist eine
nüchterne psychologische Verhaltensanalyse[2] des im letzten Stadium von Lungentuberkulose sich befindenden Felix,

---

1) Briefwechsel, op. cit. S. 179, Brief vom 10. Dezember
   1903. Die acht Jahre beziehen sich auf das Erscheinen
   der Novelle 1895 im S. Fischer Verlag, Berlin.
2) Auf E I S. 113 findet sich gar eine genaue Datierung des
   "Falles".

dessen hoffnungsloser Zustand ihm durch die grausame Offenheit
eines Arztes zur Kenntnis gebracht wird. Das Wissen vom unausweichlich nahenden Ende innerhalb einer Frist lässt Felix zum
idealen Experimentierobjekt, zum "Fall" für Schnitzler werden: der Mensch in höchster existenzieller Bedrohung, in einer durch die Fristsetzung gewissermassen vorverlegten Agonie. Bereits in den Kapiteln "Der Aesthet", "Der gealterte
Abenteurer" und "Der k. u. k. Offizier" ist auf die Vorliebe
Schnitzlers für solche, verborgenste Winkel der menschlichen
Psyche blosslegende Grenzsituationen hingewiesen worden, die
hier überdies durch die oben zitierte Briefstelle unterstrichen wird. Die Gewissheit des imminenten Endes dringt
denn auch wie ein greller Blitz in Felix' Bewusstsein und
lässt ihn seine Lage klar begreifen: "Weisst du, wie so mit
einem Male die Grenze gezogen war, sah ich so scharf, so
gut."[1] Noch keimt im Unterbewusstsein aber die Hoffnung,
nicht verloren zu sein und vielleicht doch noch gerettet zu
werden. Ueberwältigt von den Eindrücken eines einsamen Spa-
ziergangs schlägt die grüblerisch-stumme Verzweiflung in
einen beinahe ausgelassen-euphorischen Taumel um. Die vorher distanziert analysierende Erzählperspektive verdichtet
sich zu erlebter Rede - die ersten Ansätze eines innern Monologs finden sich bei Schnitzler erst ein paar Jahre später -, um formal dem gesteigerten Augenblick gerecht zu werden. Man glaubt zunächst einen völlig gewandelten, lebensbe-
jahenden, dem Tod kühl entgegentretenden Felix vor sich zu
haben:

"Aber er war ja krank, er war ja verloren. Und plötzlich kam es wie eine Erleuchtung über ihn. Er glaubte nicht daran. Das war es, und darum war ihm so
frei und wohl, und darum schien ihm heute die rechte Stunde gekommen. Nicht die Lust am Leben hatte er

1) E I S. 103.

überwunden, nur die Angst des Todes hatte ihn verlassen, weil er an den Tod nicht mehr glaubte. Er
wusste, dass er zu jenen gehörte, die wieder gesund werden. Es war ihm, als wachte in einem ver-
borgenen Winkel seiner Seele irgend etwas Ent-
schlafenes wieder auf. Er hatte das Bedürfnis, die
Augen weit zu öffnen, mit grösseren Schritten
vorwärts zu gehen, mit tieferen Zügen zu atmen.
Der Tag wurde heller und das Leben lebendiger. Das
also war es, das war es!? Und warum? Warum musste
er mit einem Male wieder so trunken vor Hoffnung
werden? Ach, Hoffnung! Es war mehr als das. Es war
Gewissheit. Und heute morgens noch hatte es ihn ge-
quält, hatte es ihm die Kehle zugeschnürt, und
jetzt, jetzt war er gesund, er war gesund. Er
rief es laut aus: "Gesund!" "[1])

Felix' Verhalten und Lebensgefühl sind in diesem Augenblick
der Dekadenz scheinbar diametral entgegengesetzt. Er wirkt
vital, lebensbejahend, ja geradezu lebensgierig. Eben hier
muss denn auch die genauere Betrachtung jenes Ausbruchs in
all seiner Zwiespältigkeit einsetzen. Die Angst vor dem Tod
fühlt er von sich genommen, weil er das Ereignis 'Tod' in
beinahe unendliche Ferne gerückt glaubt. Sie wird indessen
nur verdrängt und durch eine ungestüm aufbrechende Lebensfreude kompensiert, deren Gebrechlichkeit sich alsbald erweisen soll. Es ist nichts als die stimmungsgeladene Ekstase einer in höchstem Masse sensibilisierten Seele, lodern-
des Strohfeuer, das vorübergehend die gewonnene Klarheit
über seine Lage trübt, Retardation auf einem Weg ins Gewisse. Felix ist weit davon entfernt, den Tod zu akzeptieren,
denn er versteht den Tod sowenig wie das Leben. Verstünde er
dieses, dann wüsste er um dessen Endlichkeit und dessen
zwangsläufiges Hintreiben auf den Tod, um die Unwiederhol-

---

1) E I S. 116.

barkeit des Erlebens, bedingt durch die Zeitlichkeit. Seine
Lage unterscheidet sich von der aller andern Menschen nur
dadurch, dass ihm die Begrenztheit des Lebens durch eine
Frist zu Bewusstsein gebracht worden ist. Dieser an sich
kleine Unterschied hat ungeheure Konsequenzen; er bildet den
"Fall", die stoffliche Basis der Novelle.[1] Die drückende
Last des Wissens, ein "zum Tode Verurteilter" zu sein, ist
auch der Grund, weshalb Felix mit dem Gedanken spielt, dem
Ablaufen der Frist zuvorzukommen, sozusagen als handgreif-
licher Beweis seiner Willensfreiheit.[2] In der oben zitierten Stelle wird zweimal darauf angespielt, wenn auch, zu diesem Zeitpunkt noch, vermutlich die Trennung von Marie mit
"die rechte Stunde" und "stolzer Abschied" gemeint ist. Die
Hochstimmung Felix' gleitet über in zärtliches Zusammensein
mit Marie. In ihr, der Verkörperung des Gesunden, wird er
die verzweifelte Hilflosigkeit seinem Los gegenüber gewahr. Der Krise in der nächsten Nacht folgt die Ernüchterung auf dem Fuss. Sie bringt ihn dem Tod um einen Schritt
näher und löst zugleich den schwelenden Konflikt zwischen
Felix und Marie aus. Das unbedacht gegebene Versprechen Maries, Felix nicht allein sterben zu lassen, sondern mit ihm
in den Tod zu gehen, wird - wenngleich anfangs von Felix
scheinbar nicht ernstgenommen - unvermittelt zur zentralen
Problematik. Eine unüberwindbare Kluft öffnet sich zwischen
den beiden Liebenden, die Kluft zwischen dem Leben und der
Verfallenheit an den Tod. Der lange Entwicklungsprozess ist

---

1) Man vergleiche dazu folgende Novellen ähnlichen Inhalts:
   "Um eine Stunde" (1899), "Die Weissagung" (1904), insbesondere aber die "Abenteurernovelle" (Fragment, 1928),
   in welcher der Satz steht: "Hunderte, Tausende gingen so
   mit dem furchtbaren Wissen um die Stunde ihres Todes um-
   her, wenn sie so töricht gewesen waren, Geronte zu fragen." (E II S. 613).
2) Vgl. die Szene in "Der Schleier der Beatrice":
   .... Mit Willen
   Dahinzugehen, ist Freiheit, und mich dünkt,
   Die einz'ge, die uns Sterblichen gegönnt ist!"
   (D I S. 637)

damit in Gang gebracht. Was vorerst als sehr zweifelhafte Möglichkeit erscheint, nämlich, dass sich Marie für das Leben
entscheidet, gewinnt allmählich immer mehr an Wahrscheinlichkeit, um schliesslich in ein "die Erde hat sie wieder" zu
münden. Begleitet wird dieser nach und nach sich anbahnende
Triumph des Lebens über den Tod von einem äusserst behutsa-
men, kaum wahrnehmbaren psychischen Wandlungsprozess Maries
und Felix', der sich in ihren ebenso subtilen wie ver-
schlüsselten Gedankengängen kundtut. Die Zweifel Felix' an
der Aufrichtigkeit Maries verstärken sich indessen zusehends,
und sein bohrender Argwohn wächst mit dem Fortschreiten der
Krankheit. Er ist Ausdruck einer sich ständig steigernden
Verfeinerung der Wahrnehmung, seiner Nerven und seiner Empfindungen. Schon ganz am Anfang der Novelle zeigt sich, dass
in Felix dieses typische Endzeitsymptom und damit seinem
Charakter nach Dekadenzsymptom virtuell, als vorgestaltete
Anlage bereits von ihm Besitz ergriffen hat.[1] Das düster-
melancholische Stimmungsbild mit unverkennbar impressioni-
stisch-dekadenten Zügen bestätigt schon Gesagtes über die
erhöhte Irritierbarkeit von Nerven und Sinnen, ausserdem,
mit diesem in kausalem Zusammenhang, nimmt an dieser Stelle
die Absonderung der beiden von der Gesellschaft ihren Anfang. Sie führt eine ausgesprochene Vereinsamung, ein Auf-
sich-selbst-Zurückgeworfensein herauf, wie es andernorts,
etwa beim dekadenten Aestheten Loschi, beobachtet worden ist.
Ganz deutlich kommt dies beim Aufenthalt der beiden in Salzburg zum Ausdruck. Absonderung von der Gesellschaft heisst
aber für Marie auch Absonderung vom Leben, und daher bringt
diese Erkenntnis den Willen zur Schicksalsverknüpfung, an
die Marie so innig-schwärmerisch geglaubt hat, ins Wanken.
Je mehr Marie Felix zu entgleiten droht, desto erbitterter
besteht er auf der Forderung, sie mit in den Tod zu ziehen,
ja er spielt gar mit dem Gedanken, Marie im Schlaf zu erwür-

---

1) Vgl. E I S. 103.

gen. Dieser engherzige Egoismus der Verzweiflung eines Tod-
kranken ist ein Beweis mehr für Felix' Unverständnis dem Leben gegenüber. Er verlangt von Marie eine Haltung, zu welcher er als ein dem Tode Verfallener nicht imstande ist: die
Akzeptierung des Todes ohne die Akzeptierung des Lebens in
seiner Endlichkeit. Die wechselwirksame Abhängigkeit von
Leben und Tod kann er als Lebensschwächling nicht begreifen;
weil er nicht in die Tiefe des Lebens gedrungen ist, kann er
mit dem Tod nicht vertraut sein. Seine Angst vor dem Tod
muss daher als Ausdruck ungestillter Lebensgier gedeutet
werden; es ist der Widerstreit von Nichtgelebtem und dem imminenten Tod. Felix ist kein Stoiker. Schnitzlers Sterbende
sind es in den seltensten Fällen. Felix steht darin dem
klassischen Helden diametral gegenüber, der durch die Fülle
seines Lebens dem Tod furchtlos ins Auge blickt.[1] Für den
Heros sind Sterben und Tod nicht problematisch, umso mehr
sind sie es für den asthenischen Felix. Schnitzlers Interesse konzentriert sich indessen hier, wie eingangs erwähnt,
eindeutig auf das Sterben ohne das Ereignis 'Tod'. Der Duk-
tus der Erzählung führt wohl von der Erfahrung des hoffnungslosen Krankheitszustandes Felix' bis zu dessen Tod, der
eigentliche exitus letalis wird aber eigentümlich überspielt, Illusion und Wirklichkeit greifen sonderbar ineinander:

"Vom Munde floss ein Streifen Blut über das Kinn
herab. Die Lippen schienen zu zucken und auch die
Augenlider. Aber wie Alfred aufmerksamer hinschau-
te, war es nur der trügerische Mondglanz, der
über dem bleichen Antlitz spielte."[2]

---

1) Vgl. dazu Schnitzlers Ansichten über das Heldentum, in:
   A. u. B. S. 434 ff.
2) E I S. 175.

Aehnliches lässt sich vom Schluss der Novelle "Fräulein Else"
sagen. Else gleitet sanft in den Tod, mit dessen Eintreten
die Erzählung abbricht. Allerdings verhindert hier der innere Monolog die Erörterung des Ereignisses 'Tod', weil der Bewusstseinsstrom der monologisierenden Else zwangsläufig ver-
siegen muss.

Verdrängung des Todes und Hinwendung zum alles beherrschen-
den Sterbezustand, hierin gründet die vorliegende Thematik
der Verfallenheit an den Tod: Sie bedeutet in Schnitzlers
Werk radikales Ende ohne Sinn. Damit findet auch Dr. Lein-
bachs These in der im Todesjahr Schnitzlers erschienenen
letzten Novelle "Flucht in die Finsternis" ihre Erklärung,
wenn er den Tod als Ereignis schlichtweg negiert. Für ihn
gibt es nurmehr einen perpetuierten Sterbezustand, denn der
Mensch durchlebt in seiner letzten Minute noch einmal in
rasender Geschwindigkeit sein gesamtes Erdendasein und, da
"dieses erinnerte Leben natürlich auch wieder einen letzten
Augenblick habe und dieser letzte Augenblick wieder einen
letzten, und so weiter", gerät der Sterbende in einen nie
aufhörenden Strudel.[1] Tatsächlich endigt die Novelle mit
der Bestätigung von Leibachs Auffassung vom Tod. Robert, die
Hauptgestalt der Erzählung, ein von völliger geistiger Um-
nachtung Bedrohter, nimmt seinem Bruder, dem Arzt Otto, das
schriftliche Versprechen ab, beim ersten Anzeichen einer
Geisteskrankheit, "ihn ohne weiteres auf rasche und schmerz-
lose Weise, wie sie dem Arzte ja immer zu Gebote stünde,
vom Leben zum Tode (zu) befördern."[2] Der Antagonismus des
Bruderpaares - Robert, ein empfindsamer, ununterbrochen über
sich selbst und die aus der Tiefe seiner überreizten Phantasie emporsteigende Bedrohung der Existenz reflektierende,
"von Jugend auf als nervös, als ein Sonderling"[3] geltender

---

1) E II S. 917.
2) E II S. 910.
3) E II S. 957.

Hypochonder, Otto dagegen ein verstandesmässig handelnder,
bedächtiger, extravertierter Realist, trotz erfolgreicher
Karriere als Arzt aber die weit ärmere Persönlichkeit -
führt denn auch unausweichlich zur Katastrophe. In einer
schweren manisch-depressiven Krise erschiesst Robert seinen
Bruder. Der Tragweite seiner Tat kaum bewusst, "stürmte
(er) immer fort, immer weiter, nichts in sich als den festen Willen, niemals zur Besinnung zu kommen - durch eine
klingende blaue Nacht, die niemals für ihn enden durfte. Und
er wusste, dass er diesen gleichen Weg schon tausende Male
dahingerast und dass es ihm bestimmt war, ihn noch tausende
Male bis in alle Ewigkeit durch klingende blaue Nächte hin-
zufliehen."[1] Die Aehnlichkeit der Thematik von "Flucht in
die Finsternis" und "Sterben" ist kaum zu übersehen. Nahezu
vierzig Jahre trennen die beiden Erzählungen, und diese
Tatsache mag hinlänglich deutlich machen, neben dem Hinweis
auf die oben angeführten Erzählungen ähnlichen Inhalts,[2]
wie tief diese Thematik Schnitzler zeit seines Lebens beschäftigt hat. Denn hier wie dort ist der Tod nichts anderes
als Akt des Sterbens. Auch "Flucht in die Finsternis"
schliesst mit dem nüchternen Bericht von der Auffindung der
Leiche Roberts, der Erwähnung eines kurzen gerichtlichen
Verfahrens und einer Tagebuchnotiz des besagten Doktor Lei-
bach.

Es stellt sich hier die Frage, was es mit dem mitunter leidenschaftlichen Bekenntnis zum Leben und dem Hindrängen zu
sinnlichem Genuss vieler Schnitzler-Figuren auf sich hat,

---

1) E II S. 984.
2) Dieselbe Thematik findet sich auch in Schnitzlers dramatischem Werk, unter anderen wissen Stephan von Sala ("Der
   einsame Weg"), Professor Ormin ("Stunde des Erkennens"),
   Rademacher ("Die letzten Masken.") und Katharina Richter
   ("Der Ruf des Lebens") um ihr Schicksal eines nurmehr
   kurz befristeten Lebens.

denn man könnte sehr wohl zur Annahme verleitet werden, es
handle sich dabei um den Ausdruck einer diesen Menschen in-
newohnenden starken Vitalität. Aus der exemplarischen Dar-
legung anhand von "Sterben" und "Flucht in die Finsternis"
kann allerdings lediglich auf eine Reaktionserscheinung geschlossen werden, die Reaktion nämlich, die sich konsequen-
terweise aus der kategorischen Ablehnung des Todes ergibt.
Die Hinwendung zum Leben bedeutet indessen nichts anderes
als Abwendung vom Tode. Man erinnere sich an den Schluss-
satz aus Herzog Bentivoglios Mund in "Der Schleier der Beatrice": "Das Leben ist die Fülle, nicht die Zeit ..." Der
Einbezug der Zeit in das Leben führt zwangsläufig zum Tod,
und auf dieser Erkenntnis beruht denn auch die oben beschriebene Verklärung des gesteigerten Augenblicks: "... und
noch der nächste Augenblick ist weit!"[1] Die scheinbare Le-
bensbejahung ist in der Mehrzahl der Fälle Flucht vor dem
Tode. Geradezu augenfällig äussert sich der panische
Schrecken angesichts des Todes am Schluss von "Sterben":
Marie rennt schreiend aus dem Zimmer des agonisierenden Felix in die Arme Alfreds. Desgleichen in "Die Toten schweigen", einer der "Meisternovellen" Schnitzlers:

> "... und wenn sie sich sehr anstrengt, merkt sie
> auch etwas wie die Umrisse eines menschlichen
> Körpers, der auf dem Boden liegt. Sie reisst die
> Augen weit auf, es ist ihr, als hielte sie etwas
> hier zurück ... der Tote ist es, der sie hier
> behalten will, und es graut sie vor seiner
> Macht ... Aber gewaltsam macht sie sich frei, und
> jetzt merkt sie: der Boden ist zu feucht; sie
> steht auf der glitschigen Strasse, und der nasse
> Staub hat sie nicht fortgelassen. Nun aber geht
> sie ... geht rascher ... läuft ... und fort von

---

1) D I S. 679.

da ... zurück ... in das Licht, in den Lärm, zu
den Menschen!"[1]

Wenn Emma auf der Flucht vor ihrem toten Liebhaber auch plötzlich ein Gefühl der Scham und der feigen Schlechtigkeit be-
schleicht, obsiegt doch zuletzt "die wilde Freude" darüber,
eine "Gerettete" zu sein. Auch Beatrice flieht vor dem Leich-
nam Loschis "in unsäglichem Schreck":

> "Sie beugt sich über ihn, begreift jetzt, dass er
> tot ist, erhebt sich mit einem furchtbaren
> Schrei der Angst, reisst zugleich die Vorhänge
> des Alkovens herunter, so dass sie Kopf und
> Rumpf Filippos vollkommen überdecken, läuft hin-
> aus und schreit im Hinauslaufen, wie von Sinnen:
>   Leben! - - "[2]

Wenig später schon verlangt Beatrice vom Herzog den Tod. Der
sich daraus ergebende offensichtliche Widerspruch kann in
diesem Stück mit dem Hinweis auf die tiefgreifende Wandlung
in Beatrices Wesen, ihrem Willen zur Sühne und vor allem
durch ihr Bekenntnis,

> "Jetzt aber bin ich müd', so müd',
> Glaub' ich, wie nie auf Erden jemand war -"[3]

relativ leicht aufgelöst werden. Die Frage nach dem Widerspruch stellt sich aber grundsätzlich, wirft man einen Blick
auf Schnitzlers Gesamtwerk. Die aufgestellte These von der
Flucht vor dem Tod in das Leben erscheint angesichts der
ausserordentlich hohen Zahl von Selbstmördern doch einigermassen zweifelhaft. Um nur die wichtigsten zu nennen, die

---

1) E I S. 306.
2) D I S. 642. Desgleichen die Szene Pierrettes an der Leiche
   Pierrots aus "Der Schleier der Pierrette", D II S. 329.
3) D I S. 675.

zahlreichen andern aus Stücken und Novellen untergeordneter
Bedeutung weglassend: Wilhelm Kasda ("Spiel im Morgengrau-
en"), Filippo Loschi ("Der Schleier der Beatrice"), Johanna
Wegrat und andeutungsweise Stephan von Sala ("Der einsame
Weg"), Else ("Fräulein Else"), Labinski und Oskar Ehrenberg
("Der Weg ins Freie"), Christine ("Liebelei") und Sylvester
Thorn ("Der Gang zum Weiher"). Sieht man ab von einer feinen
Differenzierung der jeweiligen Motive, die zum Suizid füh-
ren, so lässt sich ein Grundzug feststellen, der so ziemlich
allen gemeinsam ist: die unmittelbare Konfrontation mit ei-
ner scheinbar ausweglosen Lebenssituation. Die asthenische
Konstitution des Schnitzlerschen Selbstmörders erweist sich
als dem Druck nicht gewachsen, er weicht diesem aus, er entzieht sich der Unerträglichkeit der Wirklichkeit. Die
Brüchigkeit eines Lebenswillens, der sich nur als Reaktion
auf die Flucht vor dem Tod versteht, wird offenbar. Die
Angst vor dem Tod weicht der Angst vor dem Leben, oder vielmehr, sie verbinden sich und durchdringen sich gegenseitig.
Wenig braucht es, um durch den Freitod sowohl dem grauenvol-
len Zutreiben auf den Tod als auch der beklemmenden Lebens-
verzweiflung ein Ende zu bereiten. In der Flucht aus dem Dasein durch den Selbstmord sieht Loschi die "einz'ge Freiheit,
die uns Sterblichen gegönnt ist!".[1]

Gewiss, Loschis Freitod darf nicht allein damit motiviert
werden, denn er erlaubt ihm ausserdem, den überhöhten Augenblick gewissermassen durch Verewigung zu krönen. Es war davon im Kapitel "Der Aesthet" die Rede. Blumes Feststellung
trifft zweifellos zu, dass "die lähmende Gewissheit des Todes" das "Grunderlebnis der Schnitzlerschen Menschen"
schlechthin darstelle. Er sieht darin eine gerade Linie zum
Nihilismus führen:

----

1) D I S. 637.

"Immer wieder wird das Grunderlebnis der Schnitzlerschen Menschen sichtbar: die lähmende Gewissheit
des Todes. Dabei ahnen sie nicht, dass gerade dieses durchdringende Gefühl der Todeserwartung es
ist, das ihnen den Sinn des Lebens raubt. Das Streben, ihr Ich festzuhalten, zu sichern und zu bewahren, löst sie aus dem Fluss des Lebens, aus der
Verbindung mit den andern heraus. Sie stehen fest-
gebannt in dem Gefühl, dass jeder Schritt ins Leben hinein sie am Ende doch nur dem Tode näher
führt; dennoch entkommen sie ihm nicht: gehen sie
ihm nicht entgegen, kommt er auf sie zu. Auf geheimnisvolle Weise zeigt sich an ihnen, dass, wer
den Tod nicht ins Leben mit hineinnimmt, auch zu
keinem rechten Leben imstande ist. Todesangst
wandelt sich um in Lebensangst, in die Angst vor
einem Leben, das für sie ja doch nur ein dauerndes Sterben ist. Für den Tod keinen Sinn finden,
bedeutet zugleich für das Leben keinen finden.
Hinter all ihren leichtsinnigen Worten, hinter allem trügerischen Lächeln, hinter aller Fassung,
die sie zur Schau tragen, lauert immer die Verzweiflung über die Nichtigkeit des Daseins. Die
Angst vor dem Tode treibt sie auch aus dem Leben hinaus. So fliehen sie vor dem Nichts ins Nichts."[1]

Es erübrigt sich, die Frage darnach erneut zu stellen, ob die
Auffassung vom Tod in Schnitzlers Werk nihilistisch sei oder
nicht.[2] Blume hat in seiner Dissertation dafür stichhaltige
und einleuchtende Beweise geliefert. "Lähmende Todesfurcht

---

1) B. Blume: Das nihilistische Weltbild Arthur Schnitzlers,
   op. cit. S. 42 f.
2) Immerhin sei in diesem Zusammenhang auf die Bemerkung
   Schnitzlers im "Buch der Sprüche und Bedenken" hingewiesen, wo es im Kapitel "Wunder und Gesetze" heisst:
   "Das Sinnvolle hat nur Bedeutung, ja Daseinsmöglichkeit
   durch die Annahme des Sinnlosen. Versuchen wir uns vorzustellen, dass es weder Sinn noch Unsinn auf der Welt
   gäbe, so erschiene sie uns immer noch eher sinnlos als
   sinnvoll. Das Negative ist unserem Begriffsvermögen ge-
   mässer als das Positive. Ebenso gewinnt Leben erst Bedeutung durch den Tod. Eines ohne das andere ist überhaupt nichts, und ewiger Tod ist ein ebenso unsinniger
   Gedanke als ewiges Leben. Das oft gebrauchte Wort von
   den Schauern der Vernichtung ist sentimental und hat mit
   höherer Wahrheit nichts zu tun." A. u. B. S. 78.

und verzweifelte Lebensangst, (...) Leben ohne Ziel und Sterben ohne Sinn" sind für ihn untrügliche Anzeichen; "all dies entspringt dem Grundgefühl eines jede echte Lebensäusserung bis auf die Verzweiflung verzehrenden Nihilismus."[1] Wie Broch deutet er diese nihilistische Auffassung von Leben und Tod als konsequente Folge des "Verfall(s) des allgemeinen Lebensgefühls".

Die Thematik der Verfallenheit an den Tod erschöpft sich in Schnitzlers Werk im wesentlichen in feinen psychologischen Analysen von Einzelschicksalen, das heisst, Schnitzler legt seiner Philosophie des Todes die Subjektivität des Einzelfalles zugrunde. Die Problematik des Todes an sich als Prinzip der Endlichkeit menschlicher Existenz schwingt nur hintergründig mit. In den "Aphorismen und Betrachtungen aus dem Nachlass" heisst es: "Nicht das Leben, aber das Ich ist mit dem Tode vorbei."[2] Die Reflexion über das Ereignis 'Tod' existiert zwar, nicht aber die eigentlich ontologische Fragestellung. Den "Fall" des Aestheten Loschi gilt es freilich hier weitgehend auszuklammern; denn sein Tod ist, wie erwähnt, von der Erkenntnis getragen, dass der überhöhte Augenblick nur durch den selbst herbeigeführten Tod, durch die Aufhebung der Zeitlichkeit, in die Ewigkeit hinübergerettet werden kann. Es ist die "Einsicht der Tödlichkeit der Kunst des Vollkommenen, des Südens, der Schönheit, die Erkenntnis der Dekadenz" wie es Walther Rehm mit Bezug auf d'Annunzio und seinem Verständnis der Kunst als der "ewigen Schwester des Todes" treffend formuliert.[3] Der Schritt zu Nietzsche hin ist damit getan, dem Verkünder von: "Viele sterben zu spät, und einige sterben zu früh. Noch klingt fremd die Lehre: 'stirb zur rechten Zeit!' Stirb zur rechten Zeit; also lehrt es Zarathustra."[4] Loschi stirbt gewissermassen aus der

---

1) op. cit. S. 3.
2) A. u. B. S. 257.
3) Walther Rehm: Der Todesgedanke in der deutschen Dichtung vom Mittelalter bis zur Romantik. Halle a.S. 1928, S.462.
4) op. cit. Bd. 2, S. 333.

Ueberfülle des Augenblicks, aus einem aufs äusserste verdichteten Leben. Sein Bekenntnis, "Mit Willen dahinzugehen, ist
Freiheit", heisst daher auch den Tod als freie Tat im Leben
zu verstehen. Loschi stirbt einen dionysischen Tod, und hierin unterscheidet er sich grundlegend von Felix wie von den
meisten andern Sterbenden, auch von den Selbstmördern. Ihr
Sterben ist von demjenigen, welches Zarathustra im selben Abschnitt, "Vom freien Tode" fordert, meilenweit entfernt:

> "Frei zum Tode und frei im Tode, ein heiliger
> Neinsager, wenn es nicht Zeit mehr ist zum Ja:
> also versteht er sich auf Tod, und Leben.(...)
> In eurem Sterben soll noch euer Geist und eure
> Tugend glühn, gleich einem Abendrot um die Er-
> de: oder aber das Sterben ist euch schlecht
> geraten."[1]

Es ist auch nicht der "grosse Tod" von welchem Rilke im "Stun-
denbuch", "Von der Armut und vom Tode", oder im "Schlussstück" von "Das Buch der Bilder" spricht,[2] wenngleich von
Rilke in der Diskussion um die Todesproblematik in der Lite-

---

1) op. cit. Bd. 2, S. 335.
2) O HERR, gib jedem seinen eignen Tod.
   Das Sterben, das aus jenem Leben geht,
   darin er Liebe hatte, Sinn und Not.

   DENN wir sind nur die Schale und das Blatt.
   Der grosse Tod, den jeder in sich hat,
   das ist die Frucht, um die sich alles dreht.

Das Stunden-Buch. Von der Armut und vom Tode. Rainer Maria
Rilke: Sämtliche Werke. Wiesbaden 1955-1966, Bd. 1, S. 347.

   Schlussstück

   Der Tod ist gross.
   Wir sind die Seinen
   lachenden Munds.
   Wenn wir uns mitten im Leben meinen,
   wagt er zu weinen mitten in uns.

Das Buch der Bilder. Des zweiten Buches zweiter Teil, ebda.
S. 477.

ratur der Jahrhundertwende kaum abgesehen werden kann. Ueber
ihn nämlich muss die Linie führen, deren Ausgangspunkt im
französischen Symbolismus, bei Baudelaire und Verlaine, zu
suchen ist, und die auch das Junge Wien berührt.[1] Gewiss,
der Tod bildet eines der zentralen Motive im Literaturschaffen der Wiener 'Moderne', wenn ihr Verhältnis zum Tod sich
auch nicht so ohne weiteres mit dem der französischen Symbolisten oder mit Rilke gleichsetzen lässt. Zweifellos dürfte der junge Hofmannsthal diesen am nächsten kommen; es war
bereits eingangs dieses Kapitels von den teils erheblichen
Unterschieden die Rede, welche von der Haltung her zum Tode
unter den Jung-Wienern bestanden haben. Die Todesproblematik
der Jung-Wiener war weitgehend Sterbensproblematik, dargestellt an Menschen, deren auffälligster Charakterzug in einer
ausgesprochenen Lebensschwachheit und Todesschwachheit zu
suchen ist. Der Schnitzlersche Mensch ist Astheniker nicht
nur dem Leben gegenüber, wie das Kapitel "Dekadente Figuren"

---

1) Walther Rehm bemerkt dazu: "Diese eigengeartete, ganz re-
ligiös-mystische Todesgesinnung Rilkes erhebt sich aber
über dem Grund der neuromantischen, impressionistisch
verfeinerten, oft morbiden Haltung, die den Tod so tief
erlebt und in ihr ganzes Sein hineingenommen hat. Der
französische Symbolismus wirkt hier stark mit seiner
neuen todverbundenen Sinnlichkeit und mit jener Artung,
die sich in Verlaines Worten schon ausdrückt: "la décadence ... c'est l'art de mourir en beauté", die Maeterlincks Buch 'Vom Tode' und auch d'Annunzios 'Betrachtungen des Todes' erfüllt, die in den Dichtungen von Clau-
del und in den Werken von Maurice Barrès zittert.
In Deutschland strömen die Werke Keyserlings oder Friedrich
Huchs und namentlich die der Wiener diese neue Todesver-
bundenheit und Todessinnlichkeit aus. Sie lieben "die
klagenden bangen, die Lieder voll Todesgefühl". So heisst
es in Felix Dörmanns Versbuch 'Neurotica'; Arthur
Schnitzlers Menschen sind tief in den Zwiespalt von Leben und Tod verstrickt, und einer von ihnen kann denn
wohl fragen: "Gibt es einen anständigen Menschen, der in
irgend einer guten Stunde in tiefster Seele an etwas
anderes denkt?" (sc. an das Sterben nämlich, D I S. 765).
Immer wieder kehrt das Todesmotiv in diesem Kreis, bei
Schaukal, Beer-Hofmann und besonders bei Hofmannsthal:
der Tod ist "Musik geworden, Gewaltig sehnend, süss und
dunkelglühend. Verwandt der tiefsten Schwermut." "
op. cit. S. 465 f.

gezeigt hat, sondern ebensosehr gegenüber dem Tod. In "Der
Ruf des Lebens" spricht es Albrecht aus, wenn er zu Max sagt:

> Albrecht   (...) Ach es sind Worte, Max, Worte!
> ... Nie mehr übers Feld sprengen in
> lichter Frühe, den Himmel überm
> Haupt, - nie mehr an blühenden Lip-
> pen hängen, vom Dufte zitternder
> Brüste umweht, - kein Laut lebendi-
> ger Stimmen mehr für uns, kein
> Schimmer mehr für uns von Sonne und
> Sternen ... hinsinken, bluten, ver-
> enden, eingegraben werden für alle
> Zeit-- wenn dir davor nicht graut,
> Freund, verstehst du weder Tod noch
> Leben! [1]

Müller-Freienfels schreibt in diesem Zusammenhang:

> "Schnitzlers Personen suchen alles rational zu
> ergründen, und was verstandesmässig unerforsch-
> bar ist, erscheint ihnen gefährlich und sinn-
> los. Der Tod entzieht sich aber der Vernunft-
> erkenntnis, er ist das "Ewig-Unbegriffene", und
> wie der Moment des Sterbens schon von einem
> undurchdringlichen Geheimnis umgeben ist, so
> noch weit mehr, was danach kommen mag. Wenn
> diese Menschen über den Tod sprechen, so können
> sie immer nur feststellen, was er nicht ist."[2]

Für den Schnitzlerschen Menschen ist der Tod das "Nichts",
so wie es Loschi im Anfangsmonolog zum dritten Akt von "Der
Schleier der Beatrice" versteht, die Verneinung des Seins

---

1) D I S. 1002.
2) Reinhart Müller-Freienfels: Das Lebensgefühl in Arthur
   Schnitzlers Dramen. Diss. Frankfurt a.M. 1954. S. 8.

überhaupt, und das Sterben beherrscht in seiner Hoffnungslosigkeit das Lebensgefühl und das Weltbild des Menschen in
Schnitzlers Werk: es ist die abgrundtiefe Melancholie angesichts des allgemeinen, sämtliche Bereiche des Lebens durch-
dringenden Sterbezustandes.

VI. I N N E R E R   M O N O L O G   U N D   E I N A K T E R -
Z Y K L U S

Stilmittel und dramatische Form der Dekadenzliteratur des
Fin de siècle

Umfang und Rang von Schnitzlers prosaepischen und dramatischen Werken halten sich ziemlich genau die Waage, eine
Tatsache, die ebenso bemerkenswert wie ungewöhnlich ist.
Wollte man von der traditionellen Vorstellung der rigoro-
sen Gattungstrennung ausgehen, welche die jeweils reinste
dichterische Form für Lyrik, Epik und Dramatik fordert,
müsste wohl ein Urteil über Schnitzlers Oeuvre, wo konsti-
tuierende Formelemente von Epik wie Dramatik sich gegenseitig durchdringen, negativ ausfallen. Eine ästhetische Wertung nach aprioristischen überzeitlichen Gattungsmustern
ist jedoch seit der Romantik, spätestens nach 1850 kaum
noch haltbar. Gerade das ausgehende 19. Jahrhundert sträubt
sich gegen die Theorie der starren Festlegung nach Idealmo-
dellen. Die Dichtungsformen sind denn auch zu jener Zeit
wegen der "innern Antinomie" von Form und Inhalt "geschicht-
lich problematisch" geworden: Der Inhalt der Dichtungen hat
sich gewandelt; politische und soziale Umwälzungen, die Umorientierung in Philosophie und Religion, Wissenschaft und
Wirtschaft verlangen nach anderen, neuen literarischen Formen.[1] Auf die Bewegung Jung-Wien bezogen, kann folgendes
festgestellt werden: Aehnlich wie der junge Hofmannsthal,
der lyrische Elemente in seine frühen Dramen einfliessen
lässt, sucht Schnitzler im Spannungsfeld von epischen und
dramatischen Formen, die gegenseitig ineinanderwirken, jenen künstlerischen Ausdruck, welcher als der der Thematik,
dem Lebensgefühl der Figuren und deren Aussage angemessene

---

1) Peter Szondi: Theorie des modernen Dramas. Frankfurt a.M.
   1963, S. 10 ff.

empfunden wird. Hier entsteht der Schnitzlersche Einakter[1]
und der innere Monolog. Dass damit aber auch ein gewisses
Missbehagen, ein Zwiespalt der Entscheidung gegenüber der
zu wählenden äusseren Form verbunden ist, kommt in einem
Brief an Otto Brahm vom 22. August 1905 deutlich zum Ausdruck. Dieser Brief fällt in eine der wichtigsten Schaf-
fensperiode Schnitzlers:

> "Sehne mich schon sehr nach meinen Arbeiten. Eine
> Komödie (...), von der eineinhalb Akte so gut
> wie fertig und alles übrige aufs Beste angelegt,
> dürfte das nächste sein. (...) Endlich möcht ich
> mich auch an die Vollendung des phantastischen
> Stückes mit unzähligen Verwandlungen wagen. Und
> mein Roman, mein Roman! ... Und so vieles ande-
> re. Es ist vielleicht schade, dass eine vorwie-
> gend epische Begabung durch den Stachel eines
> Theatertemperaments immer wieder in dramatische
> Betätigung hineingejagt wird. (Sie sagen es wohl
> nicht weiter)."[2]

Schon ganz zu Anfang von Schnitzlers schriftstellerischer
Tätigkeit steht in einem Brief an Loris folgende Bemerkung:

---

1) Der Einakter ist, wenn er auch erst in jüngerer Zeit
   an Verbreitung gewonnen hat, bereits im 18. Jahrhundert zu finden, man denke an Goethes Lustspiel in einem Akt "Die Mitschuldigen" oder an Tiecks "Teege-
   sellschaft", um nur Beispiele aus der deutschen Literatur zu nennen. Wenn hier von 'Schnitzlerschem Einakter' gesprochen wird, so ist damit in erster Linie
   jener der Novelle sehr nahe stehende Einakter gemeint
   (Schnitzler spricht einmal von "Novellendrama"), der
   die Voraussetzung zum Einakterzyklus bildet.
2) A. Schnitzler - O. Brahm: Der Briefwechsel. Berlin
   1953, S. 157.

"Haben Sie Recht, von einem 'herrschenden Novellendrama' zu sprechen? - Berechtigung hat die
Form gewiss - sobald nur ein bedeutender
Mensch da ist, der daran Freude findet. Ueber
den gewissen Fundamentalsatz: 'Das ist eben
kein rechtes Drama, das nicht von der Bühne
herab wirkt (oder gar 'auf die Menge' wirkt)'
hab ich mich immer geärgert."[1]

Die Durchdringung Schnitzlerscher Dramatik mit epischen Ele-
menten lässt sich an der fehlenden Kohärenz von dramatischem
Geschehen und dramatischem Dialog relativ leicht ablesen.
Das eigentliche dramatische Geschehen wird weitgehend auf
den schildernden Monolog oder Dialog reduziert und oft, wie
in "Komtesse Mizzi oder der Familientag" oder in "Lebendige
Stunden" im retrospektiven Gespräch analysiert. In Schnitzlers Einaktern kann kaum je von einem 'Handlung' auslösenden dramatischen Dialog gesprochen werden, vielmehr sind es
auf die Bühne gebrachte Episoden, die ebenso gut Gegenstand
eines Einakters wie einer Novelle sein könnten. In Schnitzlers Stücken, und damit sind wiederum vornehmlich die Einakter gemeint, 'geschieht' nur selten etwas, das mit Peripetie oder Katastrophe gleichzusetzen wäre. Daher ist ein
Ausdruck wie 'Handlung' im Zusammenhang mit Schnitzlers
Dramatik nur mit Vorbehalten geeignet.[2] Im Kapitel "Methoden" aus den "Aphorismen und Betrachtungen aus dem Nachlass" steht die folgende Bemerkung: "Dem Dichter kam es
nun keineswegs darauf an, ein Problem abzuhandeln, sondern

---

1) A. Schnitzler - H. v. Hofmannsthal: Briefwechsel. Frankfurt a.M. 1964, S. 27. Brief vom 6. August 1892.
2) D. Schnetz hält den Begriff 'Handlung' für den Einakter
für grundsätzlich unzutreffend und lehnt sich dabei
weitgehend an die Formulierung W. Kaysers "dramatischer
Vorgang". op. cit. S. 53. Allerdings eignet sich diese
Bezeichnung ebenso wenig für Schnitzlers Einakter. D.
Schnetz: Der moderne Einakter. Bern 1967.

er brachte Gestalten in gewissen Situationen."[1] Damit ist
auch gesagt, worauf es Schnitzler ankommt: Kongruenz von
Situation und Stimmung auf der Bühne, was den ursächlichen
Zusammenhang von sich folgenden Szenen und Akten weitgehend überflüssig macht.[2] Als geradezu klassisch zu nennende Beispiele dürften hierfür der "Reigen" und der "Anatol"-
Zyklus stehen.

Während der moderne Einakter gattungsgeschichtlich nicht
auf Schnitzler zurückgeführt werden kann, auch wenn diese
dramatische Form sich im ausgehenden 19. Jahrhundert aus-
serordentlicher Beliebtheit erfreute und Schnitzler sie
meisterhaft beherrschte, so darf Schnitzler für sich bean-
spruchen, als erster das Stilmittel des innern Monologs
konsequent angewandt zu haben. Wohl gab es vor ihm Vsevo-
lod Garschins (1855 - 1888) "Vier Tage" (1877), Edouard
Dujardins (1861 - 1949) "Les lauriers sont coupés" (1887)
und Hermann Conradis (1862 - 1890) "Adam Mensch" (1889),
doch sind diese Novellen von literarisch untergeordneter
Bedeutung und lassen die Rigorosität des Durchhaltens dieses Stilmittels, wie es in "Leutnant Gustl" oder "Fräulein Else" der Fall ist, vermissen.

Beim innern Monolog handelt es sich um ein der Dramatik
verwandtes Stilmittel: Der monologisierende Protagonist
spricht, wenn auch 'innerlich'; der Erzählton wird völlig

---

1) A. u. B. S. 465.
2) P. Szondi nennt dies im Zusammenhang mit Maeterlincks
   Frühwerk "die Ersetzung der Kategorie der Handlung
   durch die der Situation". Er verweist dabei auf die
   "paradoxe Bezeichnung" Maeterlincks, der diese Form als
   "drame statique" bezeichnete.
   op. cit. S. 57.

unterdrückt. Die Erzähltechnik des innern Monologs zielt
darauf ab, die Handlung durch den Bewusstseinsstrom[1] des
Monologisierenden hindurch fliessen zu lassen, das heisst,
die die Hauptperson umgebende Fülle von Gegebenheiten,
kurz das Geschehen in deren Bewusstsein zu projizieren,
wo Assoziationen wachgerufen werden und diese sich mit Regungen aus dem Unbewussten vermischen. Diese subjektiven
Augenblicksempfindungen werden schliesslich in Form einer
gesprochenen Rede in der ersten Person wiedergegeben. Als
Stilmittel ist der innere Monolog die konsequente Weiter-
entwicklung der erlebten Rede. Diese Zwischenform moderner Erzähltechnik beansprucht aber die dritte Person als
Mittel der Darstellung, wobei natürlich, trotz der auf die
jeweils im Brennpunkt stehende Gestalt angelegte Perspektive, der Schatten des Autors immer wieder durchschimmert.
Dagegen eröffnet sich bei der erlebten Rede die Möglichkeit, mehrere Personen in den Erzählprozess einzubeziehen.
Nicht so bei der eigentlichen Monolognovelle. Hier steht
nur die monologisierende Hauptperson im Zentrum, durch deren direkte Rede der Inhalt der Novelle an den Leser gelangt. Die Monolognovelle grenzt sich indessen scharf von
sonstigen Formen des Ich-Romans oder der Ich-Erzählung ab,
welche eben nicht einen Monolog, also gesprochene Rede,
voraussetzen, sondern meist im Erzählton des Präteritums
gehalten sind.[2]

---

1) Es handelt sich hier um die wörtliche Uebersetzung des
   englischen Terminus 'stream of consciousnes', ein Ausdruck, der auf den Psychologen William James
   (1842 - 1910) zurückgeht und erstmalig in dessen "Prin-
   ciples of Psychology" (1890) auftaucht.
2) Zur Technik des innern Monologs vergleiche man insbesondere: R. Lantin: Traum und Wirklichkeit in der Prosadichtung Arthur Schnitzlers. Diss. Köln 1958, S. 103 ff.
   und S. 114 ff.
   R. Plaut: Arthur Schnitzler als Erzähler. Diss. Basel
   1935.

Nur kurze Zeit nach der Veröffentlichung von "Leutnant
Gustl" in der Wiener "Neuen Freien Presse" schreibt
Schnitzler an Georg Brandes:

> "Ich freue mich, dass Sie die Novelle vom
> Lieutenant Gustl amüsiert hat. Eine Novelle
> von Dostojewski, Krotkaja, die ich nicht
> kenne, soll die gleiche Technik des Gedan-
> kenmonologs aufweisen. Mir aber wurde der
> erste Anlass zu der Form durch eine Ge-
> schichte von Dujardin gegeben, betitelt les
> lauriers sont coupés. Nur dass dieser Autor
> für seine Form nicht den rechten Stoff zu
> finden wusste. -"[1]

Diese Briefstelle klärt die Frage nach der Vorlage zum Stilmittel des innern Monologs.[2] Was die "Krotkaja" Dosto-
jewskis angeht ("Die Sanfte", im "Tagebuch eines Schriftstellers", Jahrgang 1876), darf man der Aussage Schnitzlers
ohne weiteres Glauben schenken, zumal diese Novelle auch
nicht annähernd die Konsequenz der Anwendung des Innern Monologs eines "Leutnant Gustl" erreicht. Es handelt sich
vielmehr um eine bunte Mischung von herkömmlicher Ich-Er-

W. Neuse: 'Erlebte Rede' und 'Innerer Monolog' in den
erzählenden Schriften Schnitzlers. In: PMLA 49, S.
327-355.
H. Bissinger: Die erlebte Rede, der erlebte innere Mo-
nolog und der innere Monolog in den Werken von Hermann
Bahr, Richard Beer-Hofmann und Arthur Schnitzler. Diss.
Köln 1953 (war nicht zugänglich).
T.W. Alexander: Schnitzler and the inner monologue. A
study in technique. In: Journal of the International
Arthur Schnitzler Research Association 6, 1967, S. 4-20.
1) A. Schnitzler - G. Brandes: Ein Briefwechsel. Bern 1956,
S. 88.
2) Vgl. dazu die Anmerkung des Hrsg. K. Bergel, ebda.
S. 193.

zählung, erzählendem Monolog und verstreut einsetzender
innermonologischer Meditation. Die Atemlosigkeit und Fieb-
rigkeit der Gedanken und Gedankenfetzen eines monologisierenden Gustl finden sich nur ansatzweise, etwa zu Beginn des ersten Kapitels "Wer ich war und wer sie war",
oder im zweiten Abschnitt des zweiten Kapitels "Begreife
es nur zu gut". Hinzu kommt ein Element - neben der Ein-
führung des Autors "Eine Vorbemerkung vom Verfasser " -,
welches in Schnitzlers beiden Monolognovellen gänzlich
fehlt, nämlich die direkte Hinwendung des Monologisierenden an den Leser. Dadurch geht Entscheidendes von der
Substanz des innern Monologs verloren, weil es ja gerade
um die momentane Beziehungslosigkeit des Monologisierenden, das völlige Auf-sich-selbst-Zurückgeworfensein und
die Vereinsamung, um jene hemmungslose, auf nichts Rück-
sicht zu nehmen brauchende Subjektivität geht. So wie
diese totale Subjektivität - totale Objektivität vonseiten
des Autors - für den innern Monolog essentiell ist, ist
es auch die Wahl des "rechten Stoff(es)". Der innere Monolog findet seine angemessene Thematik in der Grenzsituation, in der existenziellen Krise, dem Innewerden der Verfallenheit an den Tod. Es sei an dieser Stelle nochmals an
"Casanovas Heimfahrt" erinnert. Mehrfach verdichtet sich
hier der Text vorerst zur erlebten Rede, um alsdann, wenn
auch nur für wenige Sätze, in innern Monolog umzuschla-
gen.[1] Zumindest einen Hinweis wert dürfte ferner die Ich-
Erzählung "Der Sekundant" (1927 - 1931, aus dem Nachlass)
sein. Sie weist eine nur schwer zu fassende Vielfalt von
Stilmitteln auf, die von der traditionellen Ich-Erzählung
bis zum innern Monolog reicht. Hier zeigt sich, wie genau
Schnitzler die Stilmittel der jeweiligen Handlungssitua-
tion anzupassen wusste und wie dadurch mit epischen Mit-

---

1) Vor allem E II S. 270 und 312 f.

teln geradezu dramatisch zu nennende Effekte in der Novelle
erzielt werden können. Der folgende kurze Ausschnitt soll
einen Eindruck darüber vermitteln, auf welche Weise sich
verwandte Stilarten auf knappstem Raum gegenseitig durchdringen:

"Und ich tauche wieder empor. Der Himmel ist so
unendlich gross, wie ich ihn noch niemals gesehen. Und wieder sinke ich hinab und noch tiefer
als vorher. Ich müsste ja gar nicht, ich bin ja
allein, der ganze See gehört mir. Und der Himmel dazu. Und wieder tauche ich empor aus Flut
und Tod und Traum. Ja, so tief ich gewesen, so
unerbittlich komm' ich wieder empor, und plötzlich bin ich wach - vollkommen wach, wacher als
je. Agathe aber schlief, jedenfalls lag sie mit
geschlossenen Augen da. Die Gardinen bewegten
sich stärker in dem Sommerwind, der um diese
nachmittägige Stunde immer vom See heranzuwehen
pflegte. Es konnte ja noch nicht spät sein.
Nach dem Stand der Sonne kaum mehr als vier,
die Stunde also, in der Mülling mich im Hotel
aufsuchen wollte. War dies auch noch Traum?
Alles vielleicht? Auch das Duell? Und Loiber-
gers Tod? War es vielleicht Morgen und ich
schlief - ich in meinem Zimmer im Hotel? Dies
aber war gleichsam mein letzter Fluchtversuch.
Ich konnte nicht zweifeln, ich war wach, und
hier lag Agathe und schlief, und sie wusste
nichts. Nun hatte ich nur mehr die Wahl auf und
davon zu fliehen, in dieser Sekunde noch -
oder reden, ohne noch eine Sekunde zu zögern,
Agathe aufwecken und reden. Jeden Augenblick

konnte die Nachricht da sein. Hörte ich nicht
schon Schritte im Garten?"[1]

Um zwei Novellen Schnitzlers geht es hier im besondern, um
die beiden einzigen konsequent durchgehaltenen Monolognovellen "Leutnant Gustl" (1900) und "Fräulein Else" (1924).
Ihr Inhalt ist bereits im Kapitel "Die dekadente Gesellschaft im Wien des Fin de siècle" skizziert worden, wobei
freilich auf den innern Monolog nur am Rande eingegangen
wird. Trotz des unterschiedlichen Ausgangs ist die verblüffende Analogie des Stoffes unübersehbar. Beide, Gustl
wie Else, sind für kurze Zeit, für Stunden, einer extremen Belastung durch die auf sie einstürzende Wirklichkeit
ausgesetzt. Beide sehen nur eine Möglichkeit, der Unerträglichkeit ihrer Lage zu entgehen: den Selbstmord. Dass
Gustl schliesslich "gerettet" wird, spielt nur eine unter-
geordnete Rolle. Wesentlich ist einzig die Herbeiführung
einer scheinbar ausweglosen Lebenslage, einer unmittelbaren Lebensbedrohung. Damit ist die ideale Experimentier-
situation geschaffen, welche der Intention des innern Monologs angemessen ist. Das Stilmittel des innern Monologs
erlaubt nämlich eine schier unbegrenzte Analysierbarkeit
der Psyche literarischer Figuren, und es ist sicher nicht
abwegig, den innern Monolog als die literarische Methode
anzusehen, die der klinischen der Psychoanalyse entspricht.
Es handelt sich wohl um einen der sichersten Wege in der
Prosaepik, grösstmögliche Durchschaubarkeit der Figuren
zu erreichen: nahe, immediate Registrierung feinster und
geheimster psychischer Regungen, die angesichts des imminenten Todes aus den Tiefen des Unbewussten hervorbrechen,
eine Fülle von disparaten Empfindungen und Eindrücken,
deren die sensibilisierten Sinne jener décadents fähig
sind, Assoziationen, Gedankenfetzen und Gedankenpausen.
Der innere Monolog dürfte damit den Forderungen jener im-

---

1) E II S. 896. Ansätze zum innern Monolog finden sich
   ausserdem in "Ein Abschied", E I S. 247.

pressionistisch-dekadenten Aesthetik des Fin de siècle gerecht werden. Eine Sequenz aus "Leutnant Gustl" mag eben
Dargelegtes veranschaulichen:

> "Immer lichter ... man könnt' schon lesen ...
> Was pfeift denn da?... Ah, drüben ist der Nord-
> bahnhof ... Die Tegetthoffsäule ... so lang hat
> sie noch nie ausg'schaut ... Da drüben stehen
> Wagen ... Aber nichts als Strassenkehrer auf
> der Strasse ... meine letzten Strassenkehrer -
> ha! ich muss immer lachen, wenn ich dran denk'
> ... das versteh' ich gar nicht ... Ob das bei
> allen Leuten so ist, wenn sie's einmal ganz
> sicher wissen? Halb vier auf der Nordbahnuhr
> ... jetzt ist nur die Frage, ob ich mich um
> sieben nach Bahnzeit oder nach Wiener Zeit er-
> schiess'? ... Sieben ... ja, warum grad' sie-
> ben? ... Als wenn's gar nicht anders sein
> könnt' ... Hunger hab' ich - meiner Seel', ich
> hab Hunger - kein Wunder ... seit wann hab'
> ich denn nichts gegessen? ... Seit - seit ge-
> stern sechs Uhr abends im Kaffeehaus ... ja!
> Wie mir der Kopetzky das Billett gegeben hat
> - eine Melange und zwei Kipfel. - Was der
> Bäckermeister sagen wird, wenn er's erfahrt?
> ... der verfluchte Hund! - Ah, der wird wis-
> sen,warum - dem wird der Knopf aufgeh'n - der
> wird draufkommen, was es heisst: Offizier!"[1]

Hier wird deutlich, was im Kapitel Begriffsgeschichte[2] mit
der Wesensverwandtschaft von literarischem Impressionismus
und literarischem Naturalismus gemeint ist. Das sprachlich-

---

1) E I S. 358.
2) Kapitel II: Dekadenzliteratur im Europa des ausgehenden
   19. Jahrhunderts. S. 12-47.

stilistische Mittel innerer Monolog, das allein möglichst
genau 'innere' Wirklichkeiten wiederzugeben vermag, ist
als methodisches Vorgehen mit demjenigen des Naturalismus
grundsätzlich identisch.[1] Auch der innere Monolog fordert vom Autor strengste Objektivität und Wissenschaft-
lichkeit. Wenn sich der Naturalist den Naturwissenschaften
verpflichtet fühlt, so schöpft der Verfasser von Monolognovellen aus den Erkenntnissen der Psychoanalyse.

F. Aspetsberger schreibt in seiner Studie "Wiener Dichtung
der Jahrhundertwende" von einer Schnitzlers Kunst innewoh-
nenden "dialektische(n) Anlage", die darin bestehe, dass
"die Form in den Gehalt in der Weise" umschlage, "dass
dieser innerhalb der dargestellten Welt gleichsam ausgespart werden kann".[2] Er bezeichnet dieses "dialektische
Verhältnis" "Aussparungstechnik". In der Tat kommt dem
'Ungesagten' in der Monolognovelle grösste Bedeutung zu,
ja es muss geradezu als konstitutiv für den innern Monolog
bezeichnet werden. "Leutnant Gustl" und "Fräulein Else"
können daher kaum allein nach dem, was innermonologisch
ausgesprochen wird, beurteilt werden, sondern zumindest
zu gleichen Teilen nach der jeweiligen Fügung der einzelnen Assoziationen nebeneinander und innerhalb des Ablau-

---

1) Zu diesem Thema äussert sich H. Politzer in seiner Studie "Diagnose und Dichtung". In: "Das Schweigen der Sirenen". Stuttgart 1968, S. 120 ff. Er zählt "Leutnant
   Gustl" zu den Werken, die "in der Tradition der reali-
   stischen Experimentalepik" stehen, "die ungefähr dreissig Jahre zuvor ihren Gipfel in Emile Zolas 'Rougon-
   Macquart' —Reihe gefunden hatte" (S. 120). Er vergleicht im folgenden Schnitzler mit einem Forscher, der
   "mit der Mikrobe Mensch" experimentiert und hierfür die
   "günstigsten Bedingungen" herstellt (S. 122).
2) F. Aspetsberger: Wiener Dichtung der Jahrhundertwende.
   Beobachtungen zu Schnitzler und Hofmannsthals Kunstformen. In: Studi Germanici 8, 1970, S. 410-451,
   S. 423.

fens des Bewusstseinsstromes. Bedingungen und Begleitumstände für das Zustandekommen eines Gedankens sind ebenso aufschlussreich wie der Gedanke selber, das freie Zusammentreffen disparater Empfindungen ebenso relevant wie die Empfindung selbst. Aus der chaotisch anmutenden Assoziationenkette ergibt sich ein kaum auszuschöpfender Nuancenreichtum. Es muss wohl einer eigens den innern Monolog in seiner ganzen Komplexität und seiner Verquickung mit psychoanalytischen Problemen untersuchenden Studie vorbehalten bleiben, in jene unergründlichen Tiefen vorzudringen und Abschliessendes darüber auszusagen. Was den vorliegenden Zusammenhang angeht, sei soviel gesagt: Eine Szene wie die folgende vermag Wahrheiten über das Unbewusste und Vorbewusste freizulegen, wie sie gerade die Dekadenzliteratur der Jahrhundertwende in ihren verzärtelten, kränkelnden und etwas gekünstelten Asthenikern aufzudecken sucht und aushorchen will; es sind Bezüge zwischen Handeln und Empfinden, Wissen und Wollen, Bewusstem und Unbewusstem, Wachen und Träumen. Hierzu ein Abschnitt aus dem Schlussteil von "Fräulein Else":

"Ich werde jetzt in mein Zimmer gehen. Nein, was
soll ich denn in meinem Zimmer tun? Es ist
höchste Zeit, höchste Zeit. Fünfzigtausend,
fünzigtausend. Warum laufe ich denn so? Nur
langsam, langsam ... Was will ich denn? Wie
heisst der Mann? Herr von Dorsday. Komischer
Name...Da ist ja das Spielzimmer. Grüner Vorhang
vor der Tür. Man sieht nichts. Ich stelle
mich auf die Zehenspitzen. Die Whistpartie.
Die spielen jeden Abend. Dort spielen zwei
Herren Schach. Herr von Dorsday ist
nicht da. Viktoria. Gerettet! Wieso denn? Ich
muss weiter suchen. Ich bin verdammt, Herrn von
Dorsday zu suchen bis an mein Lebensende. (...)

Der alte Herr hat eine Brille, eine Brille, eine Brille ... Fünfzigtausend. Es ist ja nicht
so viel. Fünfzigtausend, Herr von Dorsday.
Schumann? Ja, Karneval ... Hab' ich auch einmal
studiert. Schön spielt sie. Warum denn sie?"

Hier folgen mehrere Takte Musiknoten, die in den Text eingefügt sind.

"Vielleicht ist es ein Er? Vielleicht ist es
eine Virtuosin? Ich will einen Blick in den
Musiksalon tun. Da ist ja die Tür. - -
Dorsday! Ich falle um. Dorsday! (...) Wie
ist das möglich? Ich verzehre mich - ich
werde verrückt - ich bin tot - und er hört
einer fremden Dame Klavierspielen zu. (...)
Sie hat es gut. Alle Menschen haben es gut
... nur ich bin verdammt ... Dorsday! Dorsday! Ist er es wirklich? Er sieht mich
nicht. Jetzt schaut er aus, wie ein (...)"

Wieder fünf Takte Noten.

"anständiger Mensch. Er hört zu. Fünfzigtausend! Jetzt oder nie. Leise die Tür aufge-
macht. Da bin ich, Herr von Dorsday!"[1]

Wenn bis zu diesem Zeitpunkt von einer gewissen Eintönig-
keit des Textes gesprochen werden kann - das Geschehen
ist bis dahin eher dürftig, dessen Vermittlung geht ja
völlig in der Perspektive der monologisierenden Else auf,
und ein Ausbrechen des "Erzählers" aus der Subjektivität

---

1) E II S. 371 f.

des Mediums wäre ohnehin mit dem Charakter des innern Monologs unvereinbar -, so spitzt sich nun das Tempo der Gedankenfolge synchron und wechselseitig mit den sich überstürzenden Ereignissen zu. Der Faktor Zeit spielt dabei eine entscheidende Rolle, wie in den Monolognovellen überhaupt. So sind sowohl "Leutnant Gustl" als auch "Fräulein Else" zeitlich genau fixierbar: "Leutnant Gustl" spielt von "viertel auf zehn" abends bis sechs Uhr am folgenden Morgen, "Fräulein Else" vom späteren Nachmittag ("zwei Stunden bis zum Dinner") eines 3. Septembers bis kurze Zeit nach der Abendmahlzeit. Ein Hinweis auf "Ulysses" von James Joyce, das wohl berühmteste Beispiel aus der Weltliteratur mit über weite Strecken führendem innern Monolog, drängt sich hier auf. Insbesondere den letzten Teil des Romans, den inneren Monolog der Molly Bloom, gilt es zu erwähnen, wo sogar auf Abschnitte und Satzzeichen verzichtet wird. Auch hier lässt sich die Handlung zeitlich genau festlegen; sie dauert vom 16. Juni 1904 morgens acht Uhr bis zum 17. Juni um etwa drei Uhr früh.

In "Fräulein Else" zeigt die zitierte Stelle unmittelbar vor der 'Enthüllung' jenes fiebrige Jagen der Gedanken durch das Hirn Elses, der in diesem Zeitpunkt die Kontrolle über ihr Handeln und Denken völlig entglitten ist. Die Grenzsituation treibt in diesem Moment dem Höhepunkt zu. Das Zitat lässt ausserdem eine deutliche Perfektionierung der Technik des innern Monologs erkennen,[1] und zwar in dem Sinne, dass die Lücken zwischen den einzelnen Gedan-

---

1) Man vergleiche dazu Hofmannsthals Aeusserung in seinem Brief an Schnitzler vom 3. Juni 1929, dem letzten übrigens, wo es heisst: "Ja, so gut Leutnant Gustl erzählt ist, 'Fräulein Else' schlägt ihn freilich noch; das ist innerhalb der deutschen Literatur wirklich ein genre für sich, das Sie geschaffen haben." op. cit. S. 312.

ken weit mehr noch als in "Leutnant Gustl" dazu benutzt
werden, die heraufbeschworenen Empfindungen bereits in ihrem Entstehen zu erfassen; mit andern Worten: Es wird der
Versuch unternommen, sich möglichst nahe an die zwischen
Bewusstem und Unbewusstem aufgerichtete Barriere heranzu-
tasten. Die Bewusstseinsimpulse folgen sich denn auch
nicht mehr nach einigermassen logischen Assoziationenket-
ten, vielmehr disparat, zusammenhanglos und zufällig. Daraus ergibt sich eben jene Spontaneität von Reflexen, wie
sie in den eingeflochtenen Gesprächen zutage treten, insbesondere in denen mit Herrn von Dorsday:

> "'Wissen Sie es denn nicht schon lange, Else.'
> - Er soll meine Hand loslassen! Nun, Gott sei
> Dank, er lässt sie los. Nicht so nah, nicht
> so nah. - 'Sie müssten keine Frau sein, Else,
> wenn Sie es nicht gemerkt hätten. Je vous
> désire.' - Er hätte es auch deutsch sagen kön-
> nen, der Herr Vicomte. - 'Muss ich noch mehr
> sagen?' - 'Sie haben schon zu viel gesagt,
> Herr Dorsday.' Und ich stehe noch da. Warum
> denn? Ich gehe, ich gehe ohne Gruss."[1]

Eingefügt in den Bewusstseinsstrom Elses bilden die von
Dorsday an sie gerichteten Worte gleichsam den Anreiz für
realiter ausgesprochene und gedachte Antworten, für einen
raschen Wechsel von Deutung und Kommentar der gegebenen
und erhaltenen Erwiderungen. Dasselbe gilt für die in den
Text eingebetteten Musiknoten aus Robert Schumanns "Karneval". Sie schaffen die Atmosphäre eines eigentlichen Fi-
nales; ihre Bedeutung liegt indessen darin, dass die Musik nicht durch den innern Monolog dem Leser zur Kenntnis
gebracht wird, sondern direkt durch den optischen Eindruck

---

1) E II S. 345 f.

mittels Musiknoten. Dieser optische Eindruck ist ebenso unmittelbar wie der akustische für Else.

Der besondere Reiz, den der innere Monolog auf Wiener 'Moderne' wie Bahr, Beer-Hofmann oder Schnitzler ausgeübt hat,
ist relativ leicht zu erklären, angesichts der Tatsache,
dass mit diesem Stilmittel ein nahezu unerschöpflicher
Reichtum an Ausdrucksmöglichkeiten - einschliesslich der
Zäsuren, welche einzelne Bewusstseinsströme voneinander
trennen - zur Verfügung steht. Es liegt auf der Hand, dass
die stilistischen Voraussetzungen des innern Monologs der
Vorliebe der verfeinerten Dekadenz für bohrendes Psychologisieren, für jenes Ausleuchten versteckter Winkel und
Zerfasern der menschlichen Seele entgegenkommt, ja sich
geradezu aufdrängt. Mit herkömmlichen epischen Stilmitteln ist eine derart mediumintime, "naturalistische" Wiedergabe von komplizierten Bewusstseinszuständen schlechterdings undenkbar, und Seelenverfassungen von Figuren,
die sich in die Grenzbereiche menschlichen Daseins hinein-
geworfen sehen, wären kaum auch nur annähernd sachgetreu
in Sprache zu fassen. Die Darstellung einer dekadenten
Thematik wie die Verfallenheit an den Tod, deren Handlungs-
träger dekadente Figuren sind wie der k. u. k. Leutnant
Gustl oder die Grossbürgerstochter Else, fordert das adäquate Stilmittel, den innern Monolog.

Eingangs dieses Kapitels war kurz davon die Rede, dass der
Einakter des ausgehenden 19. Jahrhunderts sich vornehmlich
dadurch kennzeichnet, dass die "Kategorie der Handlung
durch die der Situation" (P. Szondi) ersetzt wird, was die
Ausdehnung eines einaktigen Stückes auf mehrere Akte aus-
schliessen dürfte. Nach D. Schnetz fordert "das künstlerische Programm der naturalistischen Strömung (...) um
1890 den Einakter als die zeitgemässe Form. Kaum später
aber bringt eine zweite Strömung, der sogenannte Impressio-

nismus, ebenfalls den Einakter hervor." Schnetz fährt
fort - und sein Urteil kann nach den Erkenntnissen der vor-
angegangenen Kapitel nur bestätigt werden -: "Wo die Wirklichkeit sich in Schein und Spiel verbirgt, wo der Charakter sich in Masken auflöst, wo die Seele den Stimmungen
gehört, da ist dem traditionellen Handlungsstück der Boden
entzogen. Auch der 'Impressionismus' beraubt das Drama
seines handfesten Gerüstes und lässt es auf die Darstellung von Seelenbildern zusammenschmelzen. Das dramatische
Spiel ist kurz, weil es nichts festzuhalten gibt als den
schillernden Augenblick."[1] Damit ist Grundsätzliches
über den Einakter ausgesagt: Es handelt sich weitgehend
um handlungsloses Theater. Der Einakter ist nichts anderes als die Momentaufnahme einer Situation, in welcher
alles gegeben und festgelegt ist, wenn sich der Vorhang
über der Bühne öffnet. Der dramatische Dialog, der, ungestüm vorwärtsstrebend, Konflikte heraufbeschwört, wird im
Einakter durch den leichten Konversationston substituiert.
Es dominiert die Reflexion über die Situation, ein Ge-
dankenaustausch, der sich schliesslich in episodenhaftem
Geschehen auflöst. Die Episode kommt indessen in ihrer
Flüchtigkeit und Zufälligkeit nur einem zaghaften Tasten
in die Zukunft gleich.

Der vorliegende Abschnitt befasst sich im wesentlichen
mit dem "Anatol"-Zyklus (1888 - 1891) und dem "Reigen"
(1896 - 1897).[2] Obgleich sie unter den zahlreichen Ein-

---

1) D. Schnetz: op. cit. S. 21 f.
2) Es handelt sich beim "Anatol"-Zyklus nicht um den einzigen Einakterzyklus in Schnitzlers dramatischem Werk.
   Zu erwähnen sind ferner "Lebendige Stunden" (1900-1901),
   "Marionetten" (1902-1904) und "Komödie der Worte"
   (1915). Diese drei Zyklen lassen aber die Geschlossen-
   heit des "Anatol"-Zyklus vermissen. Zudem sind die
   Einzelstücke von weit grösserer Autonomie, was nicht
   zuletzt darauf zurückzuführen ist, dass sie, wie in "Ma-

aktern Schnitzlers wohl nur insofern eine Sonderstellung
einnehmen, als diese Einakterzyklen durch die mehrfache
Wiederholung und Variierung derselben Thematik die Wesensart des Einakters besonders deutlich erkennen lassen, so
äussert sich in diesen beiden zu den bekanntesten in
Schnitzlers Oeuvre zählenden Stücken der Schnitzlersche
Einakter in seiner reinsten Form, und sie sind am offen-
kundigsten der verfeinerten Dekadenzliteratur zuzuordnen.
Der Einakterzyklus ist aber weit davon entfernt, dadurch,
dass er äusserlich mehrere Akte aufweist, in die Nähe
mehraktiger Stücke zu geraten oder gar eine Art konsequente 'Handlungs'-Weiterführung des unabhängigen, in sich
geschlossenen Einakters darzustellen. Der "Anatol"-Zyklus
wird allein durch die Figur Anatol zusammengehalten, der
"Reigen" durch die zehnmalige Wiederholung des Sexual-
aktes mit wechselnden Figuren. Es widerspricht dem Wesen
des Einakters, über die eine Thematik hinauszuführen.

Wie sich im Kapitel "Der Dandy" gezeigt hat, führt schon
die Auseinandersetzung mit der Figur Anatols zum Kern
der Problematik der dramatischen Form Einakterzyklus.
Offermanns bemerkt in seinen "Materialien" zum "Anatol"-
Zyklus:

> "Mit der Auflösung der Ich-Identität besteht das
> Leben eines Individuums nicht mehr in einer kon-
> tinuierlichen Entwicklung der in seiner un-
> veränderlichen Substanz gelegenen Möglichkeiten,
> sondern in einer Aneinanderreihung weitgehend

---

rionetten", zeitlich recht weit auseinanderliegen. Was
den "Reigen" angeht, gilt es zu beachten, dass es sich
bei diesen zehn Dialogen streng genommen nicht um einen eigentlichen Einakterzyklus handelt, weil die einzelnen Szenen umfangmässig kaum an den Einakter heran-
reichen. Nichtsdestoweniger sind die hervorstechenden
Wesensmerkmale des "Reigen" mit denen des Einakterzyklus identisch, wie die nachfolgenden Darlegungen beweisen.

voneinander unabhängiger episodischer Lebens-
momente, die von einer befristeten Empfindung,
einer Impression, einer Stimmung getragen
sind und sich mit diesen wandeln. Und so, wie
sich das Leben eines Menschen aus 'Episoden'
zusammensetzt, reiht eine dramatische Dichtung, die ein solches Leben darstellt, eine
Folge episodischer Szenen aneinander. Mit dem
Schwinden des kontinuierlichen Individuums,
des einheitlichen Charakters, wird das geschlossene, psychisch-kausal motivierte, linear verlaufende mehraktige Drama problematisch, ja unmöglich. Wo kein Ich-Kontinuum,
dort kein Handlungskontinuum."[1]

Offermanns hält, wie aus diesen Darlegungen zu schliessen
ist, den Einakter für die "adäquate Form des Dramas", die
sich aus der "veränderten Auffassung vom Ich" zwangsläufig ergibt. Zu Anatols auffallendsten Charakterzügen gehört denn auch das Gefühl des Auf-sich-selbst Zurückgewor-
fen-Seins, der hoffnungslosen Vereinsamung und der Zukunftslosigkeit. Die daraus resultierende Störung des Ver-
haltens in zwischenmenschlichen Beziehungen schliesst das
Entstehen eines Spannungsfeldes, eines dramatischen Ge-
gensatzes weitgehend aus. Aehnlich wie der innere Monolog
all das, was 'geschieht', als Projektion durch das Bewusstsein des Monologisierenden hindurch wiedergibt, wird
im Einakter das 'dramatische Geschehen' vom äusseren Konflikt der sich begegnenden Figuren, den es hier nicht geben kann, ins Bewusstsein des Protagonisten verlegt, von
wo es in einer Art einseitigen Dialogs an die Zuhörer gelangt. Man erinnere sich an die Szene zu Beginn von "Anatols Grössenwahn":

---

1) E. L. Offermanns: Anatol. Berlin 1964, S. 159. Man vergleiche ausserdem die Studie von H.-P. Bayerdörfer: Vom
Konversationsstück zur Wurstelkomödie. In: Jahrbuch der
deutschen Schillergesellschaft, 16. Jg., Stuttgart
1972, S. 516-575. Er stützt sich zwar im wesentlichen
auf die Erkenntnisse Offermanns, bringt aber auch neue
und interessante Aspekte von Schnitzlers Theater-
schaffen zur Diskussion.

```
Anatol   (...) Meine Freunde - dich ganz insbe-
         sondere - lieb ich noch immer.
Max      Glaub doch das nicht! Ich bin immer nur
         für die Stichwörter dagewesen.
Anatol   Wenn es so war ... das ändert sich
         jetzt, mein Lieber. Ich fürchte, auch
         das ist ein Zeichen nahenden Alters. Ich
         interessiere mich in der letzten Zeit auf-
         fallend für die Meinungen anderer.
Max      Ah!
Anatol   Ich kann zuhören, ich werde aufmerk-
         sam ...
Max      Hast du mich darum nach so langer Zeit
         wieder aufgesucht?
Anatol   Ich hatte ein so tiefes Bedürfnis, wie-
         der mit dir zu reden! Mir ist, als
         hätte ich dir ein Testament vorzuplau-
         dern![1)
```

Eines gilt es allerdings zu bedenken. Wenn auch der Dialog
eindeutig von Anatol ausgeht und von diesem fast völlig
dominiert wird, dürfen die Einwände und glossierenden Bemerkungen Max' oder der Frauengestalten in ihrer Bedeutung
nicht unterschätzt werden. Diesen kommt, vor allem in bezug auf die Durchschaubarkeit des Protagonisten, beträcht-
liches Gewicht zu.

Die Isolierung Anatols erweist sich als total, und aus dieser Isolierung heraus erklärt sich die Form des beinahe
handlungslosen Einakters weitgehend; denn Anatol fühlt
sich ausserstande, einen Dialog mit den ihn umgebenden
Menschen zu führen, der 'Handlung' initiieren könnte. Beim

---

1) D I S. 106 f.

Dialog im "Anatol"-Zyklus handelt es sich weit mehr um Konversation und daher kann er nicht als dramatisch im üblichen Sinn bezeichnet werden. Wenn Anatol nun in "Die Frage an das Schicksal" zum Handeln geradezu aufgefordert wird, in letzter Minute aber davor zurückschrickt, die entscheidende Frage an die hypnotisierte Cora zu richten, so manifestiert sich darin augenfällig seine Unfähigkeit zum Handeln und damit die Angst vor einer Einflussnahme auf Zukünftiges. Aehnliches lässt sich von den verbleibenden sechs Einaktern sagen. Gewiss kommt es vereinzelt zu 'Taten' Anatols, etwa am Ende von "Denksteine", wo er wutentbrannt einen schwarzen Diamanten in den Kamin schleudert. Der eigentliche Impuls zur Veränderung der gegebenen Situation geht indessen kaum je von Anatol aus. In "Weihnachtseinkäufe" kann er sich nicht zum Kauf eines Geschenkes für sein süsses Mädel entschliessen, in "Episoden" flieht er aus dem Bühnengeschehen, in "Abschiedssouper" ist es Anatol, der mit Annie brechen will, schliesslich ist es aber Annie, die mit Anatol bricht. Aufschlussreich ist dabei Max' ironische Schlussbemerkung: "Na ... siehst du ... es ist ganz leicht gegangen! ..."[1]

Aus der Passivität Anatols ergibt sich zwangsläufig die Reduzierung des Geschehens auf das Episodische. Die sieben Einakter des Zyklus und "Anatols Grössenwahn" enthalten nichts anderes als Episoden aus dem Leben Anatols, kleine Ausschnitte, die weder auf eine Entwicklung noch auf auch nur den leisesten Anhaltspunkt einer sonstigen Veränderung im Wesen des "Hypochonders der Liebe" schliessen lassen. Man denke an den Anfang von "Episode", wo Anatol genüsslich-traurig in "diesen Blättern, Blumen, Locken wühlt"; alles Requisiten, die ihn an Verflossene erinnern,

---

1) D I S. 80.

Episoden, wie sie in Anatols Leben in beliebigen Wiederholungen zu finden sind. Das Erleben Anatols erschöpft sich
in Repetition und Variation, ohne je eine entscheidende
Wende zu nehmen. Auf dieser stofflichen Grundlage fusst die
Idee des Einakterzyklus. Im Gegensatz zum Stationenstück
eines Strindberg, etwa "Die grosse Landstrasse", mit dem
Untertitel "Ein Wanderdrama mit sieben Stationen", das
zweifellos eine gewisse Aehnlichkeit mit den Einakterzyklen Schnitzlers in formaler Hinsicht aufweist, stellen
die einzelnen Einakter des "Anatol"-Zyklus nicht im ent-
ferntesten stetig fortschreitende Etappen im Leben Anatols
dar und sind, wie die vielen Einzelaufführungen und die
recht willkürlich zusammengestellten "Anatol"-Inszenie-
rungen beweisen, ohne weiteres untereinander austauschbar.
Bei der Herausnahme von "Anatols Grössenwahn" dürfte übrigens unter anderen Gründen der Umstand eine Rolle gespielt haben, dass ein Zeitraum von ungefähr zwanzig Jahren im Leben Anatols übersprungen wird. Dies will aber
keineswegs heissen, Anatol hätte sich geändert. Im Abschnitt "Der Dandy" wird deutlich hervorgehoben, dass Anatol derselbe "leichtsinnige Melancholiker" geblieben ist.

Der in einen Zyklus integrierte Einakter und der Einakterzyklus selbst kommen buchstäblich zu keinem Schluss. Die
beinahe unbeschränkte Abwandelbarkeit von sich wiederho-
lenden Episoden lässt alles im Kreise drehen, ohne dass je
ein Ziel, eine grundlegende Wende der 'Situation' oder gar
eine Katastrophe auch nur andeutungsweise als im Bereich
des Möglichen erschiene. C. Melchinger bemerkt mit Recht
in bezug auf den "Anatol"-Zyklus: "Schnitzler entwickelt
das Geschehen fern von aller kausalen Notwendigkeit. Er
vermeidet die strenge Motivierung."[1] Die alles klärende

---

1) C. Melchinger: Illusion und Wirklichkeit im dramatischen Werk Arthur Schnitzlers. Heidelberg 1968, S.
   105.

Entscheidung fehlt, die 'Situation' verändert sich kaum;
man kehrt zum Ausgangspunkt zurück. Der Einakterzyklus
verläuft nicht linear, sondern, wie der Name es sagt, zyk-
lisch.

Anschaulicher als im "Reigen" lässt sich die zyklische
Form kaum anderswo nachweisen. In zehn Szenen werden hier
Menschen zusammengeführt - Namen sind durch Standes- und
Berufsbezeichnungen ersetzt -: Dirne und Soldat, Soldat
und Stubenmädchen, Stubenmädchen und junger Herr, junger
Herr und junge Frau, junge Frau und Ehemann, Gatte und
süsses Mädel, süsses Mädel und Dichter, Dichter und
Schauspielerin, Schauspielerin und Graf, Graf und Dirne.
Kettenartig hängen die einzelnen Szenen aneinander, jede
Figur tritt zweimal auf und führt jeweils zu einer neuen
Figur. So geht es die gesellschaftliche Stufenleiter
von der Dirne bis hinauf zum Grafen, von wo der Sturz
zur Dirne, zum Ausgangspunkt des Reigens erfolgt. Der
Kreis hat sich geschlossen. Zehn Dialoge, zehn Sexualakte,
wobei sich jedesmal andere Partner gegenüberstehen; es
ist die zehnfache Variierung ein und desselben Vorganges.
Der zyklische Charakter des "Reigen" ist daher auch vom
Inhalt her gegeben. R. Alewyn schreibt dazu in seinem
Nachwort zum "Reigen":

> "Zehnmal wiederholt sich der makabre Tanz,
> das Zieren und Spreizen, das Girren und
> Kosen, zehnmal das Auf und Ab der Skalen
> von Werbung, Lockung, Paarung, Sättigung
> und Ernüchterung, und am Ende sind wir
> wieder da angelangt, wo es angefangen
> hatte, und es ist nichts als die Barmher-
> zigkeit des Vorhangs, die das Spiel ver-
> hindert, wieder von vorne zu beginnen."[1]

---

[1] In: A. Schnitzler: Liebelei - Reigen. Fischer-Bücherei
Nr. 361. Frankfurt a.M. 1960, S. 159.

Von dramatischer Handlung im eigentlichen Sinne kann im
"Reigen" ebenso wenig gesprochen werden wie im "Anatol"-
Zyklus. Wenn die Paare auftreten, sind die Weichen schon
gestellt. Es wird zum Sexualakt kommen, wie immer das an-
hebende Gespräch verlaufen mag. Der Dialog ist viel zu
steril, zu zufällig und unverbindlich, als dass er zum
Stimulans für dramatisches Geschehen werden könnte. R.
Urbach spricht diesbezüglich von "blossen Verständigun-
gen, die von Szene zu Szene komplizierter werden. Man
ist gesprächig, ohne ein Gespräch zu führen. Mit mehr
oder weniger Beredsamkeit, darin Brutalität, Sentimentalität, Begierde und Koketterie schwingen, wird das
stumme Tun vorbereitet und abgeschlossen."[1] Hier findet
die eingangs aufgestellte Behauptung von der fehlenden
Kohärenz von dramatischem Dialog und dramatischem Geschehen ihre Bestätigung. Das Schwergewicht liegt eindeutig
auf der teils frivol-eleganten, teils derb-anzüglichen
Causerie. Im "Wiener Brief" (April 1922) aus "Briefe und
Aufsätze für amerikanische Zeitschriften" stellt Hofmannsthal Schnitzler mit dem Hinweis auf die zentrale Bedeutung des Dialogs in die grosse Tradition des Wiener
Theaterschaffens:

> "(...) ich meine das 'Theater' als Symbol, das
> 'Theater', welches alle Lebenden, indem sie
> sich voreinander zur Schau stellen, einander
> wechselweise bereiten, die Komödie der Worte,
> der Gebärden und der sozialen Handlungen, die
> grossen und kleinen Szenen, mit denen man ein-
> ander in der Liebschaft wie im Salon oder in
> der Politik aufwartet ... Aus alledem hat
> Schnitzler in den geistreichsten Kombinationen
> und Permutationen der Motive das Triebwerk
> seiner grösseren und kleineren Stücke zusam-
> mengestellt, und darin, gerade im Aufbau und

1) R. Urbach: Arthur Schnitzler. Velber bei Hannover 1968,
   S. 49.

im Antrieb dieser kleinen, aber sehr subtilen
Maschinen war er mehr Künstler, geistreicher
und klüger, als die meisten deutschen Theater-
autoren der letzten hundert Jahre - das Entscheidende aber und das internationalen Wert
Gebende liegt nicht in diesen struktiven Ele-
menten, sondern im Dialog, der immer lebendig,
in einer sehr künstlichen Weise scheinbar natürlich und absichtslos dahinfliesst und in
welchem die Figuren einander gegenseitig analysieren und oft sehr tiefe Untergründe des
Denkens und Fühlens blosslegen, während das
Gespräch fortläuft, als ob es nur um seiner
selbst willen da wäre, d.h. um sowohl die Personen auf der Bühne als die im Zuschauerraum
zu amüsieren."1)

Das Urteil Hofmannsthals über Schnitzlers Dramatik spricht
für sich selbst und bedarf, auch in bezug auf die hier behandelte Problematik, keiner Ergänzungen. Der Primat des
Dialogs in Schnitzlers Einaktern, und zwar nicht des Konflikte auslösenden dramatischen Dialogs, weist in Richtung Epik. So wie der innere Monolog ein eindeutig dramatisches Moment enthält, nämlich die in der ersten Person
gehaltene direkte Rede, welche allein die 'Handlung' trägt,
so sind die Spuren der Epik in Schnitzlers Einaktern kaum
zu übersehen, ja die szenische Erzählung muss in gewissen
Fällen geradezu als konstituierendes Element angesehen
werden. So schickt sich Anatol mehrmals an, Vergangenes
durch Erörterung aufs neue zu beleben. Aehnliches lässt
sich vom "Reigen" sagen. Der Dialog ist völlig statisch,
allein darauf gerichtet, Gegebenes zu "analysieren", "Untergründe des Denkens und Fühlens blosszulegen". Somit
können das epische Stilmittel 'innerer Monolog' und die
dramatische Form 'Einakterzyklus' ihrer Intention nach
gleichgesetzt werden. Was mit dem innern Monolog optimal
gelingt, nämlich die genaue Wiedergabe von feinsten psychi-

---

1) H. v. Hofmannsthal: Gesammelte Werke in Einzelausgaben. Aufzeichnungen. Stockholm und Frankfurt a.M.
   1949-1959, S. 270 f.

schen Regungen gewissermassen schon im status nascendi,
versucht der Einakterzyklus mit einer Reihe einzelner Mo-
mentaufnahmen, welche sich mittels Wiederholung und
Variierung zu einem Gesamtbild verdichten. Wesenhaftes
Merkmal des Einakterzyklus ist dabei das Ausschnitthafte,
das Episodische, das Punktuelle, was eine fortlaufende,
auf eine Peripetie oder Katastrophe hintreibende Handlung ausschliesst. Die Einzelsituation allein steht im
Vordergrund; in ihr begegnen sich die Figuren. Um überhaupt von dramatischem Interesse zu sein, wird die Si-
tuationsszenerie mit einer Fülle von Stimmung evozieren-
den Requisiten ausgestattet, welche in zarten Halb- und
Zwischentönen und feinen Uebergängen mit dem Dialog konvergieren. Hierzu eine Szenenanweisung aus dem "Reigen":

> "Der junge Herr besichtigt auch das Schlafzim-
> mer. Von dem Trumeau nimmt er einen Spray-
> apparat und bespritzt die Bettpolster mit
> feinen Strahlen von Veilchenparfüm. Dann geht
> er mit dem Sprayapparat durch beide Zimmer
> und drückt unaufhörlich auf den kleinen
> Ballon, so dass es bald überall nach Veilchen
> riecht."[1]

Ein Kapitel dieser Untersuchung befasst sich eigens mit der
Bedeutung der Stimmung in Schnitzlers Werk. Es hat sich
dabei gezeigt, dass der décadent des Fin de siècle sich
bewusst durch Raffinement der Ausstattung seiner Umgebung
"in Stimmung" bringt. Der Adelige der untergehenden Donaumonarchie, der Graf im "Reigen", braucht Stimmung nicht
weniger als der Dandy Anatol, denn ihre Hingabe an den Augenblick ist gleichermassen Hingabe an die Stimmung.

---

1) D I S. 337.

Hier stellt sich grundsätzlich die Frage, ob auf dem Boden
einer Stil-Bewegung wie der des literarischen Impressionismus[1] und dessen spezieller Ausformung in der verfeinerten Wiener Dekadenz des Fin de siècle Dramatik überhaupt
entstehen kann. Ist es nicht vielmehr so, dass "eine Welt-
schau, sofern sie auf nichts anderem als Eindrücken auf-
gebaut ist, (...) zu dieser Form, die Kämpfe, Entscheidun-
gen, Ziele verlangt, die in weltanschaulichen Auseinander-
setzungen wurzelt, keine schöpferische Beziehung gewinnen"[2] kann? Die bevorzugten Gattungen des literarischen
Impressionismus sind zweifellos Lyrik und Erzählung. Was
die Dramatik angeht, wird denn auch in einschlägigen
Studien, wenn überhaupt erwähnt, meist auf Schnitzler verwiesen, mit dem Vermerk, dass die grössten Leistungen im
Bereich der Einakter zu suchen wären. Tatsächlich sind
von den 46 Bühnenstücken Schnitzlers nur fünfzehn mehr-
aktig (neun in drei Akten, sechs in fünf Akten) neben
dreizehn unabhängigen Einaktern und achtzehn in fünf Zyklen zusammengefassten Einaktern. Kein Wunder, dass Karl
Kraus angesichts dieser Tatsache im ersten Heft der
Fackel ironisch von "ein(em) hübschen Talent für erste
Acte" spricht.[3]

---

1) Der Begriff "literarischer Impressionismus" ist kontrovers. H. Prang bestreitet im Artikel "Impressionismus" des "Reallexikons der deutschen Literaturgeschichte", Bd. 1, S. 749 f., dass dem "literarischen
Impressionismus" der Charakter einer "Stil-Bewegung
im eigentlichen Sinne (...), wie Symbolismus, Naturalismus, Expressionismus es sind", zukomme. Er erachtet den literarischen Impressionismus als "ein zu
bestimmten Zeiten besonders sichtbar werdendes Stil-
element. Wo besondere Reizbarkeit des Auges und des
Gefühls Voraussetzung der Dichtung ist, werden auch
impressionistische Stilsymptome deutlich."
2) E. Alker: Die deutsche Literatur im 19. Jahrhundert. Stuttgart 1969, S. 716.
3) K. Kraus: 1. Heft Fackel. Wien 1899, S. 24.

Es scheint, dass die neuen Formbestrebungen im dramatischen Literaturschaffen Oesterreichs zwischen 1890 und
1914 Schnitzler ganz besonders berührt haben. Dies beweisen zahlreiche Briefstellen, etwa jene vom späten Sommer
und Herbst 1905, wo die Aktgestaltung von "Der Ruf des
Lebens" zur zentralen Problematik wird. Schnitzler schreibt
am 3. Oktober 1905 an Hofmannsthal:

> "Ich habe mich mit dem 3. Akt nicht wenig ge-
> plagt, und bin eines Tages an den Punkt ge-
> kommen, wo ich nicht höher konnte. Mir ist,
> als lägen gewisse Schwächen, die es wohl
> auch jetzt noch darbietet, mehr im einakts-
> cyclischen des Stoffs (...) als in höchstmei-
> ner Unfähigkeit begründet. -"[1]

Oder in einem Brief an Otto Brahm vom 1. Oktober 1905:

> "Der Einakterzyklus sitzt tief in meinem We-
> sen (...). Sehen Sie sich nur einmal meine
> Stücke daraufhin an: viele meiner Akte sind
> so vorzüglich in sich geschlossene Stücke,
> wie es keinem meiner mehraktigen Stücke im
> Ganzen zu sein gelingt. Statt festaneinander
> gefügte Ringe einer Kette stellen meine ein-
> zelnen Akte mehr oder minder echte, an einer
> Schnur aufgereihte Steine vor - nicht durch
> verhakende Notwendigkeit aneinandergeschlos-
> sen, sondern am gleichen Bande nachbarlich
> aneinandergereiht. -"[2]

---

1) op. cit. S. 216.
2) op. cit. S. 172. Man vergleiche ausserdem Schnitzlers
   Bezeichnung von "Die Schwestern oder Casanova in Spa"
   (1919): "Ein Lustspiel in Versen. Drei Akte in einem."
   (D II S. 651).

Kein Zweifel, wo Situation und Stimmung zum dominierenden
Agens in der Dramatik wird, erweist sich Mehraktigkeit,
welche eine sich entwickelnde Handlung mit untereinander
kausal verknüpften Akten impliziert, formal als unhaltbar.
Das Vorherrschen einaktiger Stücke und die fünf Einakterzyklen können daher ebensowenig mit dichterischer "Kurz-
atmigkeit" als mit dem Hinweis auf die in den letzten
Jahrzehnten des 19. Jahrhunderts sich ausformende französische Bühnentechnik der Pariser Salonkomödien[1] einleuchtend und abschliessend erklärt werden. Vielmehr liegt
es daran, was Schnitzler in der oben zitierten Briefstelle mit "im einakts-cyclischen des Stoffes" bezeichnet.
Die formale Eigenart Schnitzlerscher Einakterzyklen ist
im wesentlichen auf Thematik und Figuren zurückzuführen.
So wie der innere Monolog das adäquate prosaepische Stilmittel der Dekadenzliteratur des Fin de siècle darstellt, so entspricht die Form des Einakterzyklus dem,
was Hofmannsthal in seinem Prolog zum "Anatol" in die Verse hüllt:

> "Also spielen wir Theater,
> Spielen unsre eignen Stücke,
> Frühgereift und zart und traurig,
> Die Komödie unsrer Seele,

---

1) Aufgrund einer Aeusserung Schnitzlers in "Jugend in Wien"
(op. cit. S. 301) wird immer wieder eine direkte Linie
von den damals in Paris gefeierten Boulevard-Theater-
autoren Sardou, Monnier, Halévy u.a.m. zu Schnitzler kon-
struiert. Vgl. dazu O. P. Schinnerer: The early works
of Arthur Schnitzler. In: Germanic Review, Vol. IV, 1929,
S. 237 f. Zweifellos kann von einem Einfluss gesprochen
werden. Mit Recht verweist C. Melchinger darauf, dass
Schnitzler "zu den gelehrigsten Schülern französischer
Bühnentechnik auf dem deutschsprachigen Theater" gehörte,
unterschätzt aber die eigene Leistung ("die spezifische
Problematik der Schnitzler-Figur") keineswegs. op. cit.
S. 106.

Unsres Fühlens Heut und Gestern,
Böser Dinge hübsche Formel,
Glatte Worte, bunte Bilder,
Halbes, heimliches Empfinden,
Agonien, Episoden ..."[1]

---

1) D I S. 29.

BIBLIOGRAPHIE

1. SCHRIFTEN ARTHUR SCHNITZLERS

Schnitzler, Arthur: Gesammelte Werke:
- Die erzählenden Schriften. 2 Bde., Frankfurt a.M. 1961.
  (zit. E I und E II)
- Die dramatischen Werke. 2 Bde., Frankfurt a.M. 1962.
  (zit. D I und D II)
- Aphorismen und Betrachtungen. Hrsg. von R. O. Weiss.
  Frankfurt a.M. 1967. (zit. A. u. B.)
- Zug der Schatten. Aus dem Nachlass, herausgegeben
  und eingeleitet von Françoise Derré. Frankfurt a.M.
  1970.
- Jugend in Wien. Eine Autobiographie. Hrsg. von T.
  Nickl und H. Schnitzler. Wien 1968.
- Anatol. Texte und Materialien zur Interpretation von
  E. L. Offermanns. Berlin 1964.[1]
- The Correspondence of Arthur Schnitzler and Raoul
  Aurnheimer. Hrsg. von D. G. Davian und J. B. Johns.
  Chapel Hill 1972.
- Briefe. (An R. Beer-Hofmann, H. v. Hofmannsthal, H.
  Bahr u.a.m.). In: Die neue Rundschau 68 (1957),
  S. 88 - 101.
- Schnitzler, Arthur - Brahm, Otto: Der Briefwechsel.
  Hrsg. von O. Seidlin. (Schriften der Gesellschaft
  für Theatergeschichte 57) Berlin 1953.
- Schnitzler, Arthur - Brandes, Georg: Ein Briefwechsel.
  Hrsg. von K. Bergel. Bern 1956.
- Schnitzler, Arthur - Rilke, Rainer Maria: Ihr Brief-
  wechsel. Hrsg. von H. Schnitzler. In: Wort und Wahr-
  heit 13 (1958), S. 283 - 298.
- Schnitzler, Arthur - Reinhardt, Max: Der Briefwechsel.
  (...) Hrsg. von R. Wagner. Salzburg 1971.
- Schnitzler, Arthur - Hofmannsthal, Hugo von: Brief-
  wechsel. Hrsg. von T. Nickl und H. Schnitzler. Frank-
  furt a.M. 1964.
- Schnitzler, Arthur - Waissnix, Olga: Liebe, die starb
  vor der Zeit. Ein Briefwechsel. Hrsg. von T. Nickl
  und H. Schnitzler. Wien 1970.
- Schnitzler, Arthur: Frühe Gedichte. Hrsg. von H.
  Lederer. Berlin 1970.
- Der Nachlass Arthur Schnitzlers. Hrsg. von G. Neumann
  und J. Müller. München 1969. Verzeichnis des im
  Schnitzler-Archiv der Universität Freiburg i.B. be-
  findlichen Materials.
- Das Wort. Tragikomödie in fünf Akten. Fragment. Aus
  dem Nachlass, herausgegeben und eingeleitet von
  K. Bergel. Frankfurt a.M. 1966.

---

[1] Vgl. Nachtrag S. 278.

2. SCHRIFTEN ANDERER AUTOREN

Bahr, Hermann: Zur Kritik der Moderne. Gesammelte Aufsätze.
Erste Reihe. Zürich 1890.
- Studien zur Kritik der Moderne. Frankfurt a.M. 1894.
- Renaissance. Neue Studien zur Kritik der Moderne. Ber-
lin 1897.
- Der Antisemitismus. Ein internationales Interview.
Berlin 1894.

Baudelaire, Charles: Oeuvres complètes. Genève 1967.
- Correspondance. Lausanne 1964.

Benjamin, Walter: Illuminationen. Ausgewählte Schriften.
Hrsg. von S. Unseld. Frankfurt a.M. 1969.

Broch, Hermann: Gesammelte Werke. Zürich 1953 - 1961.

Hofmannsthal, Hugo von: Gesammelte Werke in Einzelausgaben.
Hrsg. von H. Steiner. Stockholm und Frankfurt a.M.
1949 - 1959.

Kraus, Karl: Anatol. In: Die Gesellschaft. Leipzig 1893,
S. 109 f.
- Die demolirte Litteratur. Wien 1897.
- 1. Heft Fackel. Wien 1899.

Nietzsche, Friedrich: Werke. Hrsg.von K. Schlechta. München 1954 - 1965.

Rilke, Rainer Maria: Sämtliche Werke. Frankfurt a.M.
1955 ff.
- L. Andreas-Salomé: Briefwechsel. Wiesbaden 1952.

Roth, Joseph: Radetzkymarsch. Zürich 1965.

Tschechow, Anton: Novellen. Zürich 1962.

Valéry, Paul: Oeuvres. Bibliothèque de la Pléiade. Paris
1957.

Verlaine, Paul: Oeuvres complètes. Paris 1944.

Zola, Emile: Les oeuvres complètes. Paris et Genève 1969.

Zweig, Stefan: Die Welt von Gestern. Frankfurt a.M. 1969.

3. SEKUNDAERLITERATUR ZU ARTHUR SCHNITZLER

Ahl, Herbert: Ein Kranz von Immortellen. Arthur Schnitzler. In: Literarische Partraits. München und Wien
1962, S. 349 - 356.

Alewyn, Richard: Nachwort. In: Arthur Schnitzler, Liebelei. Reigen. Frankfurt a.M. 1960, S. 155 - 160.

Alexander, T. W.: Schnitzler and the inner monologue. A
study in technique. In: Journal of the International
Arthur Schnitzler Research Association 6, 1967,
S. 4 - 20.

Allen, Richard H.: An Annotated Arthur Schnitzler Bibliography. Editions and Criticism in German, French
and English 1879 - 1965. Chapel Hill 1966.

Alter, Maria P.: The Concept of Physician in the Writings
of Hans Carossa and Arthur Schnitzler. Diss. Mary-
land 1961, Bern 1971.

Apsler, Alfred: Der Einakterzyklus. Diss. Wien 1930.

Aspetsberger, Friedbert: Wiener Dichtung der Jahrhundertwende. Beobachtungen zu Schnitzlers und Hofmannsthals Kunstformen. In: Studi Germanici VIII, 1970,
S. 410 - 451.
- Drei Akte in einem. Zum Formtyp von Schnitzlers
Drama. In: Zeitschrift für deutsche Philologie 85,
1966, S. 283 - 308.

Baumann, Gerhart: Arthur Schnitzler. Die Welt von Gestern
eines Dichters von Morgen. Frankfurt a.M., Bonn
1965.

Bayerdörfer H. P.: Vom Konversationsstück zur Wurstelkomödie. Zu Arthur Schnitzlers Einaktern. In: Jahrbuch
der deutschen Schillergesellschaft, 16. Jg., Stuttgart 1972, S. 516 - 575.

Beharriell, Frederick J.: Arthur Schnitzler's Range of
Theme. In: Monatshefte für deutschen Unterricht,
deutsche Sprache und Literatur 43, 1951, S. 301 - 311.
- Schnitzler's Anticipation of Freud's Dream Theory.
In: Monatshefte für deutschen Unterricht, deutsche
Sprache und Literatur 45, 1953, S. 81 - 89.
- Schnitzler, Freuds Doppelgänger. In: Literatur und
Kritik 19, 1967, S. 546 - 555.

Bergel, Kurt: Arthur Schnitzlers unveröffentlichte Tragikomödie 'Das Wort'. In: Studies in Arthur
Schnitzler 42, 1963, S. 1 - 24.

Berlin, Jeffrey B.: Arthur Schnitzler: A Bibliography.
1917 - 1972. In: Modern Austrian Literature. Journal of the international Arthur Schnitzler Research
Association 6, New York 1973.

Bissinger, Helene: Die 'erlebte Rede', der 'erlebte
innere Monolog' und der 'innere Monolog' in den Werken von Hermann Bahr, Richard Beer-Hofmann und
Arthur Schnitzler. Diss. (Masch.) Köln 1953. (War
dem Verfasser nicht zugänglich.)

Blume, Bernhard: Das nihilistische Weltbild Arthur Schnitz-
    lers. Diss. Stuttgart 1936.

Boner, Georgette: Arthur Schnitzlers Frauengestalten. Diss.
    Zürich 1930.

Burger, Heinz O.: Annalen der deutschen Literatur. Stutt-
    gart 1971, S. 728 ff.

Buschbeck, Erhard: Gedenkrede auf Arthur Schnitzler. In:
    Mimus Austriacus. Salzburg und Stuttgart 1962,
    S. 205 - 211.

Chiarini, Paolo: L'Anatol di Arthur Schnitzler e la cul-
    tura viennese 'Fin de siècle'. In: Studi Germanici 1,
    N.S. 1, 1963, S. 222 - 252.

Cysarz, Herbert: Das Imaginäre in der Dichtung Arthur
    Schnitzlers. In: Wissenschaft und Weltbild 13, 1960,
    S. 102 - 112.

Davis, Evan B.: Moral Problems in the Works of Arthur
    Schnitzler. Diss. (Masch.) Philadelphia 1950. (War
    dem Verfasser nicht zugänglich.)

Derré, Françoise: L'oeuvre de Arthur Schnitzler. Imagerie
    viennoise et les problèmes humains. Diss. Paris 1966.

Doppler, Alfred: Dramatische Formen bei Arthur Schnitzler.
    In: Beiträge zur Dramatik Oesterreichs im 20. Jahr-
    hundert. Hrsg. vom Institut der Oesterreichkunde.
    Wien 1968.

Eisserer, Elisabeth: Arthur Schnitzler als Seelenforscher
    in den Novellen. Diss. (Masch.) Wien 1950.

Faesi, Robert: Hauptmann und Schnitzler, die Sechzig-
    jährigen. In: Der Lesezirkel 9, 1921/22, 12,
    S. 173 - 180.

Feigl, Leo: Arthur Schnitzler und Wien. Eine Studie. Wien
    1910.

Foltin, Lore B.: The Meaning of Death in Schnitzler's
    Works. In: Studies in Arthur Schnitzler 1963,
    S. 35 - 44.

Fontana, Oskar M.: Arthur Schnitzler. In: Grosse Oester-
    reicher 14, Wien 1960, S. 129 - 136.

Friedrichsmeyer, Erhard: Schnitzlers: 'Der grüne Kakadu'.
    In: Zeitschrift für deutsche Philologie 88, 1969,
    S. 209 - 228.
    - Zum 'Augenblick' bei Schnitzler. In: Germanisch-ro-
    manische Monatsschrift, N.F. XVI, 1966, S. 52 - 64.

Grabowski, Adolf: Dostojewskij und Schnitzler. In: Das
    neue Deutschland, 10. Jg Heft 3/4.

Heilborn, Ernst: Casanovas Heimfahrt. In: Das Literarische Echo 21, 1918/19, Sp. 503 - 504.

Heine, Wolfgang: Der Kampf um den Reigen. Vollständiger Bericht über die sechstägige Verhandlung gegen Direktion und Darsteller des Kleinen Schauspielhauses Berlin. Berlin 1922.

Holzinger, Alfred: Sittenbild oder Weltdeutung. Das Werk Arthur Schnitzlers. In: Wort in der Zeit 7, 1961, Heft 10, S. 33 - 36.

Ilmer, Frieda: Das Thema der künstlerischen Schöpferkraft bei Schnitzler. In: Monatshefte für deutschen Unterricht, deutsche Sprache und Literatur 27, 1934, S. 73 - 80.

Imboden, Michael: Die surreale Komponente im erzählenden Werk Arthur Schnitzlers. Bern 1971.

Jäger, Manfred: Schnitzlers 'Leutnant Gustl'. In: Wirkendes Wort 15, 1965, S. 308 - 316.

Jandl, Ernst: Die Novellen Schnitzlers. Diss. Wien 1950.

Just, Gottfried: Ironie und Sentimentalität in den erzählenden Schriften Schnitzlers. Berlin 1968.

Kammeyer, Max Peter: Die Dramaturgie von Tod und Liebe im Werk Arthur Schnitzlers. Diss. (Masch.) Wien 1960.

Kann, Robert A.: Das Oesterreich Arthur Schnitzlers. In: Forum 6, 1959, S. 421 - 423.

Kapp, Julius: Arthur Schnitzler. Leipzig 1912.

Kaufmann, Wilhelm: Zur Frage der Wertung in Schnitzlers Werk. In: PMLA 48, 1933, S. 209 - 219.

Kilian, Klaus: Die Komödien Arthur Schnitzlers. Sozialer Rollenzwang und kritische Ethik. Düsseldorf 1972.

Klarmann, Adolf: Die Weise von Anatol. In: Forum 9, 1962, Heft 102, S. 263 - 265.

Kohn, Hans: Karl Kraus, Arthur Schnitzler, Otto Weininger. Aus dem jüdischen Wien der Jahrhundertwende. Tübingen 1962.

Körner, Joseph: Arthur Schnitzlers Gestalten und Probleme. Zürich, Leipzig und Wien 1921.
   - Arthur Schnitzler und Sigmund Freud. In: Das Literarische Echo 19, 1917, Heft 13, Sp. 802 - 805.
   - Arthur Schnitzlers Spätwerk. In: Preussische Jahrbücher 208, 1927, S. 53 - 83 und S. 153 - 163.

Krotkoff, Hertha: Themen, Motive und Symbole in Arthur Schnitzlers Traumnovelle. In: Modern Austrian Literature 5, 1972, 1/2, S. 70 - 95.

Landsberg, Hans: Arthur Schnitzler. Berlin 1904.

Lantin, Rudolf: Traum und Wirklichkeit in der Prosadichtung Arthur Schnitzlers. Diss.Köln 1958.

Lawson, Richard H.: Schnitzler's 'Das Tagebuch der Redegonda'. In: The Germanic Review 35, 1960, S. 202 - 213.

Lederer, Herbert: The Problem of Ethics in the Works of Arthur Schnitzler. Diss. (Masch.) Chicago 1953. (War dem Verfasser nicht zugänglich.)
 - Arthur Schnitzler before 'Anatol'. In: The Germanic Review 36, 1961, S. 269 - 281.
 - Arthur Schnitzler's Typology: An Excursion into Philosophy. In: PMLA LXXVIII, Nr. 4, 1963, S. 394 - 406.

Lindken, Hans U.: Interpretationen zu Arthur Schnitzler. München 1971.

Liptzin, Sol: Arthur Schnitzler. New York.1932.

Lothar, Ernst: Tod und Renaissance. Festvortrag zu einer Schnitzler-Matinée des Burgtheaters. In: Forum 9, 1962, S. 213 - 216.

Marcuse, Ludwig: Der 'Reigen'-Prozess. Sex, Politik und Kunst 1920 in Berlin. In: Der Monat 14, 1961/62, Heft 168, S. 48 - 55 und 15, 1962/63, Heft 169, S. 34- 46.

Melchinger, Christa: Illusion und Wirklichkeit im dramatischen Werk Arthur Schnitzlers. Heidelberg 1968.

Müller-Freienfels, Reinhart: Das Lebensgefühl in Arthur Schnitzlers Dramen. Diss. (Masch.) Frankfurt a.M. 1954.

Neuse, Werner: 'Erlebte Rede' und 'Innerer Monolog' in den erzählenden Schriften Arthur Schnitzlers. In: PMLA 49, 1934, S. 327 - 355.

Noltenius, Rainer: Hofmannsthal - Schröder - Schnitzler. Möglichkeiten und Grenzen des modernen Aphorismus. Stuttgart 1969.

Oswald, Victor A. und Mindness, V. P.: Schnitzler's 'Fräulein Else' and the Psychoanalytic Theory of Neuroses. In: Germanic Review 26, 1951, S. 279 - 288.

Perl, Walter: Arthur Schnitzler und der junge Hofmannsthal. In: Studies in Arthur Schnitzler 1963, S. 79 - 94.

Plaut, Richard: Arthur Schnitzler als Erzähler. Diss. Basel 1935.

Politzer, Heinz: Das Schweigen der Sirenen. Diagnose und Dichtung. Zum Werk Arthur Schnitzlers. S. 110 - 141. Stuttgart 1968.

Reichert, Herbert W.: Nietzsche and Schnitzler. In: Studies in Arthur Schnitzler, 1963, S. 95 - 107.

Reik, Theodor: Arthur Schnitzler als Psycholog. Minden 1914.

Reiss, H. S.: The Problems of Fate and of Religion in the Work of Arthur Schnitzler. In: The Modern Language Review 40, 1945, S. 330 - 338.

Rey, William H.: Arthur Schnitzler. Die späte Prosa als Gipfel seines Schaffens. Berlin 1968.

Rosenbaum, Uwe: Die Gestalt des Schauspielers auf dem deutschen Theater des 19. Jahrhunderts mit der besondern Berücksichtigung der dramatischen Werke von Hermann Bahr, Arthur Schnitzler und Heinrich Mann. Diss. Köln 1970.

Schinnerer, Otto P.: The Early Works of Arthur Schnitzler. In: Germanic Review 4, 1929, S. 153 - 197.
- The Literary Apprenticeship of Arthur Schnitzler. In: Germanic Review 5, 1930, S. 58 - 82.
- Schnitzler and the Military Censorship. Unpublished Correspondence. In: Germanic Review 5, 1930, S. 238 - 246.
- The Suppression of Schnitzler's 'Der grüne Kakadu' by the Burgtheater. Unpublished Correspondence. In: Germanic Review 6, 1931, S. 183 - 192.
- Schnitzler's 'Der Schleier der Beatrice'. In: Germanic Review 7, 1932, S. 263 - 279.
- Arthur Schnitzler's Nachlass. In: Germanic Review 8, 1933, S. 114 - 123.

Schmidt-Wesle, Dorothea: Politische und soziale Probleme im Werk Arthur Schnitzlers. Diss. (Masch.) Jena 1956. (War dem Verfasser nicht zugänglich.)

Schnitzler, Henry: Der Nachlass meines Vaters. In: Aufbau. New York 1951, S. 9.
- 'Gay Vienna' - Myth and Reality. In: Journal of the History of Ideas 15, Nr. 1, January 1954, S. 94 - 118.

Schnitzler, Olga: Der junge Hofmannsthal. In: Die Neue Rundschau 65, 1954, S. 514 - 534.
- Spiegelbild der Freundschaft. Salzburg 1962.

Scholz, Gerda: Bewusstsein und Wirklichkeit. Zur spätzeitlichen Figur im Werk Arthur Schnitzlers. Diss. Freiburg i.B. 1970.

Schorske, Carl E.: Schnitzler und Hofmannsthal. Politik und Psyche im Wien des Fin de siècle. In: Wort und Wahrheit XVII, 1962, S. 367 - 381.

Schrimpf, Hans J.: Arthur Schnitzlers 'Traumnovelle'. In: Zeitschrift für deutsche Philologie 82, 1963, S. 172 - 192.

Singer, Herta: Zeit und Gesellschaft im Werk Schnitzlers. Diss. Wien 1948.

Singer, Herbert: Arthur Schnitzler: 'Der grüne Kakadu'. In: Das deutsche Lustspiel II. Hrsg. von H. Steffen. Göttingen 1969.

Specht, Richard: Arthur Schnitzler. Der Dichter und sein Werk. Berlin 1922.

Stockum, Th. C. van: Schnitzlers 'Paracelsus' als 'homo ludens'. In: Neophilologus 40, 1956, S. 201 - 206.

Urbach, Reinhard: Arthur Schnitzler. Velber bei Hannover 1968.

Vacha, Brigitte: Arthur Schnitzler und das Wiener Burgtheater. 1895 - 1965. Diss. (Masch.) Wien 1968.

Weiss, Robert O.: The human element in Schnitzler's social criticism. In: Modern Austrian Literature 5, 1972, 1/2, S. 30 - 44.

Weidenbrüg, Helmut: Die literarischen Motive in der erzählenden Kunst Arthur Schnitzlers. Diss. Frankfurt a.M. 1934.

Wiese, Benno von: Arthur Schnitzler: 'Die Toten schweigen'. In: Die deutsche Novelle von Goethe bis Kafka. Hrsg. von B. von Wiese. Düsseldorf 1962, Bd. 2, S. 261 - 279.

Zohn, Harry: Arthur Schnitzler und das Judentum. In: H. Z. Wiener Juden in der deutschen Literatur. 1964, S. 9 - 18.

Zuckerkandl, Viktor: Der Geist im Wort und der Geist in der Tat. In: Die Neue Rundschau 38, 1927, I, S. 423 - 426.

4. ANDERE SEKUNDAERLITERATUR

Adams - Brooks: Das Gesetz der Zivilisation und des Verfalls. Wien 1907.

Adler, Alfred: Ueber den nervösen Charakter. München 1922.

Alewyn, Richard: Der Tod des Aestheten. In: Neue Schweizer Rundschau 16, 1949, S. 543 - 554.
- Ueber Hugo von Hofmannsthal. Göttingen 1958.

Alker, Ernst: Die deutsche Literatur im 19. Jahrhundert. Stuttgart 1969.

Altheim, Franz: Roman und Dekadenz. Tübingen 1951.

Balfour, Arthur J.: Decadence. Cambridge 1908.

Bandy, William T.; Pichois, Claude: Témoignages rassemblés et présentés. Charles Baudelaire. Paris 1967.

Bartels, Adolf: Dekadenz. In: Deutsches Schrifttum. Betrachtungen und Bemerkungen von Adolf Bartels. Bogen 3, Juli 1909, S. 34.

Baumann, Gerhart: Oesterreich als Form der Dichtung. In: Spectrum Austriae. Hrsg. von O. Schulmeister. Wien 1957, S. 596 ff.

Bertram, Ernst: Das Problem des Verfalls. In: Mitteilungen der literaturhistorischen Gesellschaft Bonn, 2. Jg., 1907, S. 72 - 79.

Boesch, Bruno (Hrsg.): Deutsche Literaturgeschichte in Grundzügen. Bern 1961.

Bopp, Léon: Psychologie des Fleurs du mal. Genève 1964 - 1969.

Cohn, Dorrit: Erlebte Rede im Ich-Roman. In: Germanisch-Romanische Monatsschrift, Heidelberg 1969, S. 305 - 313.

Curtius, Ernst R.: Entstehung und Wandlungen des Dekadenzproblems in Frankreich. In: Internationale Monatsschrift für Wissenschaft und Kunst 15, 1921, S. 147 - 166.
- Europäische Literatur und lateinisches Mittelalter. Bern 1963.

Cysarz, Herbert: Alt-Oesterreichs letzte Dichtung 1890 - 1914. Strukturen und Typen. In: Preussische Jahrbücher, Bd. 214, 1928.

Dehorn, W.: Psychoanalyse und neuere Dichtung. In: Germanic Review 7, 1932, S. 245 - 262.

Eickhorst, William: Decadence in German Fiction. Denver 1953.

Fiechter, Helmut A. (Hrsg.): Hugo von Hofmannsthal. Der Dichter im Spiegel der Freunde. Bern und München 1963.

Freud, Sigmund: Briefe an Arthur Schnitzler. In: Die Neue
     Rundschau 66, 1955, S. 95 - 106.
     - Briefe 1873 - 1939. Hrsg. von E. L. Freud. Frankfurt
     a.M. 1960.

Friedländer, Otto: Letzter Glanz der Märchenstadt. Das
     war Wien um 1900. Wien 1969.

Frodl, Hermann: Die deutsche Dekadenzdichtung um die Jahr-
     hundertwende. Wurzeln - Entfaltung - Wirkung. Diss.
     (Masch.) Wien 1963.

Geissler, Rolf: Dekadenz und Heroismus. Schriftenreihe der
     Vierteljahrshefte für Zeitgeschichte. Stuttgart 1964.

Hantsch, Hugo: Die Geschichte Oesterreichs. Graz, Wien,
     Köln 1953.

Harnack, Otto: Décadence. In: Deutsche Revue 38, 2, 1913,
     S. 320 - 325.

Heer, Friedrich: Land im Strom der Zeit. Oesterreich ge-
     stern, heute, morgen. Wien 1959.

Hofmiller, Josef: Friedrich Nietzsche. Hamburg 1948.

Hubalek, Ernst: Hermann Bahr im Kreise Hofmannsthals und
     Reinhardts. Diss. Wien 1953.

Johannsen, Hans-P.: Die seelische Passivität im Roman um
     die Jahrhundertwende und ihre innere Ueberwindung
     (1890 - 1910). Diss. Kiel 1933.

Kayser, Rudolf: Die Zeit ohne Mythos. Berlin 1923.

Kayser,Wolfgang: Das Groteske. Seine Gestaltung in Malerei
     und Dichtung. Oldenburg 1957.

Kierkegaard, Sören: Entweder - Oder. Uebers. von E. Hirsch.
     Düsseldorf 1957.

Kindermann, Heinz: Theatergeschichte Europas. Salzburg
     1957 - 1970.
     - Hermann Bahr. Graz, Köln 1954.

Klemperer, Viktor: Geschichte der französischen Literatur.
     Halle a.S. 1954 - 1966.

Kobel, Erwin: Hugo von Hofmannsthal. Berlin 1970.

Kohlschmidt, Werner: Die Problematik der Spätzeitlichkeit.
     In: Spätzeiten und Spätzeitlichkeit. Vorträge. Bern
     1962.

Krüger, Paul W.: Das Dekadenzproblem bei Jacob Burckhardt.
     Basel 1930.

Langen, August: Deutsche Sprachgeschichte, vom Barock bis
     zur Gegenwart. In: Deutsche Philologie im Aufriss,
     Bd. I. Hrsg. von W. Stammler. Berlin 1966.

Lipps, Theodor: Zur Psychologie der Dekadenz Deutschlands.
In: Deutschland 2, 1903, 3, 1904, S. 367 - 421.
(War dem Verfasser nicht zugänglich.)

Lukács, Georg; Mehring T.: Friedrich Nietzsche. Berlin
1957.

Mach, Ernst: Die Analyse der Empfindungen und das Verhältnis des Physischen zum Psychischen. Jena 1900.
- Sinnliche Elemente und naturwissenschaftliche Begriffe. Bonn 1910.

Magris, Claudio: Der Habsburgische Mythos in der österreichischen Literatur. Salzburg 1967.

Mann, Otto: Der Dandy. Ein Kulturproblem der Moderne.
Heidelberg 1962.

Martini, Fritz: Dekadenzdichtung. In: Reallexikon der
deutschen Literaturgeschichte.Band I, S. 223 - 229,
Berlin 1958 ff.

Muschg, Walter: Psychoanalyse und Literaturwissenschaft.
Berlin 1930.
- Die Zerstörung der deutschen Literatur. Bern 1958.

Novotny, Alexander: Franz Joseph I. Göttingen, Frankfurt a.M. 1968.

Obenauer, Karl J.: Die Problematik des ästhetischen Menschen in der deutschen Literatur. München 1933.

Oberholzer, Otto: Richard Beer-Hofmann. Werk und Weltbild
des Dichters. Bern 1947.

Payen, Jean C.: Littérature française. 16 volumes. Paris
1968 - 1973.

Perl, Walter: Das lyrische Jugendwerk Hugo von Hofmannsthals. Diss. Zürich 1936.

Pütz, Peter: Friedrich Nietzsche. Stuttgart 1967.

Rehm, Walter: Kulturzerfall und spätmittelhochdeutsche
Didaktik. In: Zeitschrift für deutsche Philologie
52, 1927.
- Der Renaissancekult um 1900 und seine Ueberwindung.
In: Zeitschrift für deutsche Philologie 54, 1929,
S. 299.
- Der Todesgedanke in der deutschen Dichtung vom Mittel-
alter bis zur Romantik. In: Deutsche Vierteljahrs-
schrift für Literaturwissenschaft und Geistesgeschichte.
14. Band, Halle a.S. 1928.

Reuter, Eva: Die Schwermut als Grundstimmung der modernen
Dichtung. Diss. (Masch.) Innsbruck 1949.

Rheinländer-Schmitt, Hildegard: Dekadenz und ihre Ueberwindung bei Hofmannsthal. Diss. Münster i.W. 1936.

Rosenhaupt, Hans W.: Der deutsche Dichter um die Jahrhun-
     dertwende und seine Abgelöstheit von der Gesellschaft.
     Diss. Bern 1939.

Rothe, Wolfgang: Schriftsteller und Gesellschaft im 20.
     Jahrhundert. In: Deutsche Literatur im 20. Jahrhun-
     dert. Hrsg. von O. Mann, Bern 1967, S. 189 ff.

Ruff-Languillaire, Marcel A.: L'esprit du mal et l'esthé-
     tique baudelairienne. Genève 1972.

Salis, Jean R.: Weltgeschichte der neuesten Zeit. 3 Bde.
     Zürich 1955 - 1960.

Schmidt, Adalbert: Literaturgeschichte unserer Zeit.
     Salzburg, Stuttgart 1968.

Schnetz, Diemut: Der moderne Einakter. Bern 1967.

Schulze, Karl E.: Ethik der Dekadenz. Leipzig 1925.

Seyppel, Joachim: Dekadenz oder Fortschritt. Schlehdorf
     1951.

Stegmüller, Wolfgang: Hauptströmungen der Gegenwartsphi-
     losophie. Eine kritische Einführung. Stuttgart
     1960.

Spectrum Austriae. Hrsg. von O. Schulmeister, Wien 1957.

Strich, Fritz: Der Dichter und die Zeit. Bern 1947.

Sydow, Eckart von: Die Kultur der Dekadenz. Dresden
     1922.

Szondi, Peter: Theorie des modernen Dramas. Frankfurt a.M.
     1956.

Tuchmann, Barbara W.: Der stolze Turm. Ein Portrait der
     Welt vor dem Ersten Weltkrieg. 1890 - 1914. München,
     Zürich 1969.

Volke, Werner: Hugo von Hofmannsthal. Hamburg 1967.

Volkmann-Schluck, Karl-H.: Leben und Denken. Interpreta-
     tionen zur Philosophie Nietzsches. Frankfurt a.M. 1968.

Wien, Alfred: Die Seele der Zeit in der Dichtung um die
     Jahrhundertwende. Leipzig o.J. (1921).

Wille, Werner: Studien zur Dekadenz in Romanen um die Jahr-
     hundertwende. Diss. Greifswald 1930.

Zuckerkandl, Bertha: Oesterreich intim. Hrsg. R. Feder-
     mann, Frankfurt a.M. 1970.

Nachtrag: Ernst L. Offermanns: Arthur Schnitzler. Das
     Komödienwerk als Kritik des Impressionismus.
     München 1973. (Diese Veröffentlichung erschien
     erst nach Abschluss des Manuskripts und konnte
     vom Verfasser nicht mehr berücksichtigt wer-
     den.)

EUROPÄISCHE HOCHSCHULSCHRIFTEN

Reihe I   Deutsche Literatur und Germanistik

Nr. 1   Henning Boetius, Frankfurt a.m.: Utopie und Verwesung. Zur Struktur von Hans Henny Jahnns Roman "Fluss ohne Ufer". 174 S. 1967

Nr. 2   Gerhard Trapp, Frankfurt a.m.: Die Prosa Johannes Urzidils. 235 S. 1967.

Nr. 3   Bernhard Gajek, Frankfurt a.m.: Sprache beim jungen Hamann. 113 S. 1967. (Neudruck)

Nr. 4   Henri Paucker, Zürich: Heinrich Heine: Mensch und Dichter zwischen Deutschland und Frankreich. 95 S. 1967. (Neudruck)

Nr. 5   Fritz Hackert, Stuttgart: Kulturpessimismus und Erzählform. Studien zu Joseph Roths Leben und Werk. 220 S. 1967.

Nr. 6   Michael Böhler, Zürich: Formen und Wandlungen des Schönen. Untersuchungen zum Schönheitsbegriff Adalbert Stifters. 100 S. 1967. (Neudruck)

Nr. 7   Rudolf Schäfer, Wiesbaden: Hugo von Hofmannsthals "Arabella". Wege zum Verständnis des Werkes und seines gattungsgeschichtlichen Ortes. 332 S. 1968.

Nr. 8   Leslie MacEwen, Washington: The Narrenmotifs in the Works of Georg Büchner. 52 S. 1968.

Nr. 9   Emil Wismer, Neuenburg: Der Einfluss des deutschen Romantikers Zacharias Werner in Frankreich (Die Beziehungen des Dichters zu Madame de Staël). 98 S. 1968. (Neudruck)

Nr. 10 Franz Hagmann, Freiburg: Aspekte der Wirklichkeit im Werke Robert Musils. 204 S. 1969.

Nr. 11 Ilpo Tapani Piirainen, Helsinki: Textbezogene Untersuchungen über "Katz und Maus" und "Hundejahre" von Günter Grass. 84 S. 1968.

Nr. 12 Georg Alexander Nowak, Wheeling, West Virginia, USA: Abhandlungen zur Germanistik. 80 S. 3 Karten. 1969.

Nr. 13 Gawaina D. Luster, Washington: Untersuchungen zum Stabreimstil in der Eneide Heinrichs von Veldeke. 112 S. 4 Tafeln. 1969.

Nr. 14 Kaspar Schnetzler, Zürich: Der Fall Maurizius. Jakob Wassermanns Kunst des Erzählens. 120 S. 1968.

Nr. 15 Dorothea W. Dauer, White Plains/USA: Schopenhauer as Transmitter of Buddhist Ideas. 40 S. 1969.

Nr. 16 Hermann Bitzer, Zürich: Goethe über den Dilettantismus. 124 S. 1969.

Nr. 17 Urs Strässle, Zürich: Geschichte, geschichtliches Verstehen und Geschichtsschreibung im Verständnis Johann Georg Hamanns. 166 S. 1970.

Nr. 18 Stefan F. L. Grunwald, Norfolk, Va./USA: A Biography of Johann Michael Moscherosch (1601–1669). 96 S. Illustrated. 1970.

Nr. 19 Philipp H. Zoldester, Charlottesville, Va./USA: Adalbert Stifters Weltanschauung. 186 S. 1969.

Nr. 20 Karl-Jürgen Ringel, Düsseldorf: Wilhelm Raabes Roman "Hastenbeck". 192 S. 1970.

Nr. 21 Elisabeth Kläui, Zürich: Gestaltung und Formen der Zeit im Werk Adalbert Stifters. 112 S. 1969.

Nr. 22 Hildegund Kunz, Baldegg: Bildersprache als Daseinserschliessung. Metaphorik in Gotthelfs "Geld und Geist" und in "Anne Bäbi Jowäger". 164 S. 1969.

Nr. 23 Martin Kraft, Zürich: Studien zur Thematik von Max Frischs Roman "Mein Name sei Gantenbein". 84 S. 1970.

Nr. 24 Wilhelm Resenhöfft, Kiel: Existenzerhellung des Hexentums in Goethes "Faust" (Mephistos Masken, Walpurgis) Grundlinien axiomatisch-psychologischer Deutung. 128 S. 1970.

Nr. 25 Wolfgang W. Moelleken, Davis/USA: "Der Stricker: Von übelen wiben". 68 S. 1970.